Märchen-Stiftung Walter Kahn (Hrsg.)
Märchenland Europa

Märchen-Stiftung Walter Kahn (Hrsg.)

Märchenland Europa

Zaubermärchen aus 32 europäischen Ländern

Redaktion: Karl-Ewald Tietz

Haag + Herchen

Die Märchen-Stiftung Walter Kahn dankt den nachstehenden Verlagen und der Europäischen Märchengesellschaft e.V. (EMG) für ihre freundlicherweise kostenlos erteilte Nachdruckgenehmigung. Aus verlagsrechtlichen Gründen sind fast alle Texte unverändert übernommen worden. Die jeweiligen Märchen sind im Inhaltsverzeichnis mit der Kurzbezeichnung des entsprechenden Verlages gekennzeichnet:
Erich Röth Verlag (ER), Regensburg; Eugen Diederichs Verlag (ED), München; Akademie Verlag, Berlin (AK); Gustav Kiepenheuer Verlag (GK), Leipzig; Verlag Freies Geistesleben (FG), Stuttgart.
Die Texte sind im wesentlichen so wiedergegeben, wie sie den Quellen entnommen wurden. Das schließt manche sprachlichen Eigentümlichkeiten ein, die sicher hin und wieder auch auf die Übersetzung zurückzuführen sind. Rechtschreibliche Fehler wurden weitgehend korrigiert.

Die Deutsche Bibliothek – CIP-Einheitsaufnahme

Märchenland Europa : Zaubermärchen aus 32 europäischen Ländern / Märchen-Stiftung Walter Kahn (Hrsg.). Red. Karl-Ewald Tietz. – Frankfurt am Main : Haag und Herchen, 1993
ISBN 3-86137-058-1
NE: Tietz, Karl-Ewald [Red.]; Märchen-Stiftung Walter Kahn

ISBN 3-86137-058-1

Fichardstraße 30, 60322 Frankfurt am Main

Produktion: Herchen KG, Frankfurt am Main
Satz: W. Niederland, Frankfurt am Main
Herstellung: Difo-Druck GmbH, Bamberg
Printed in Germany

Verlagsnummer 2058

Inhaltsverzeichnis

MÄRCHENLAND EUROPA

Zur Einführung

Indem wir vorliegenden Sammelband der Öffentlichkeit übergeben, verfolgen wir mehrere Absichten. Zunächst wollen wir mit dieser Auswahl allen Märchenfreunden ein skizzenhaftes Bild von der Vielfalt und vom Reichtum europäischer Volksmärchen vermitteln und zu Vergleichen anregen. Vielleicht wird so der eine oder der andere Leser angeregt, sich einmal bewußt einer bestimmten Kulturregion unseres Kontinents zuzuwenden. Trotz der Dominanz und der weit über Deutschland in die Welt hinausreichenden Wirkungen der Brüder Grimm wollen wir also nicht übersehen, daß alle Völker über einen eigenen, vielfältigen Märchenschatz verfügen, der – wohl auch durch das Beispiel der Brüder Grimm – von Wissenschaftlern und Märchenfreunden der Welt in kostbaren Sammlungen vor dem Vergessen gerettet worden ist. Die Märchenkundler meinen, daß durch den Buchaustausch, aber auch schon früher durch Siedler, Auswanderer und erzählende Reisende bestimmte Märchenmotive von Volk zu Volk gewandert sind, daß aber die meisten Märchen auf Grund gleicher oder ähnlicher gesellschaftlicher Verhältnisse, Weltsichten und Lebensauffassungen der Stämme und Völker unabhängig voneinander zu Zeiten entstanden sind, in denen man noch nicht durch feste Staatengebilde voneinander abgegrenzt war.

Zum zweiten soll angesichts eines trotz erheblicher Komplikationen zusammenwachsenden Europas an jeweils ein oder zwei Märchen aus jedem europäischen Land ins Bewußtsein gerufen werden, daß hier ein gemeinsames europäisches, wirklich multikulturelles Gut vorliegt. Wer sich mit einem solchen Erzählschatz unserer Nachbarn beschäftigt, wird darin viel Gemeinsames finden. In den Märchen aller Völker, besonders der europäischen, gehen die Helden und Heldinnen in gleicher Weise durch Höhen und Tiefen, erleben die gleichen Fährnisse und Freuden, begegnen uns gleiche oder ähnliche Zauberer und Hexen, werden die Guten und Bösen in gerechter Weise belohnt oder bestraft.

Zum dritten soll daran erinnert werden, daß Märchen jahrhundertelang erzählt worden sind. Gerade durch das Erzählen gewinnen sie in unserer Zeit an neuer Wirkungskraft, denn die ihnen innewohnende Schönheit und Lebensweisheit entfaltet sich mit und aus der Persönlichkeit des Vortragenden. Das individuelle, sich allein dem gedruckten Text widmende Lesen bringt zwar die Handlungsfolgen, Bilder uns Symbole in das Bewußtsein des Lesenden, aber was sich dahinter verbirgt, bleibt vielfach verschlossen. Bereits das Vorlesen im Kreis von Angehörigen, Freunden oder Schülern wird den Text lebendiger erstehen lassen, zum (gemeinsamen) Nachdenken motivieren und zur Sinngebung anregen.

Man hat längst erkannt – besser gesagt *wieder* erkannt –, daß das Märchen *nicht* nur gute Unterhaltung bietet, wie es vor etwa siebzig Jahren der Volkskundler Friedrich Panzer ohne Berücksichtigung des historischen Ursprungs und des tiefen Sinngehalts der Volkspoesie definierte: »Unter dem Worte ›Märchen‹ in seinem wissenschaftlichen Sinne verstehen wir eine kurze, ausschließlich der Unterhaltung dienende Erzählung von phantastisch-wunderbaren Begebenheiten, die sich in Wahrheit nicht ereignet haben und nie ereignen konnten, weil sie, in wechselndem Umfange, Naturgesetzen widerstreiten.« Längst ist auch die Auffassung überholt, die z.B. Otto F. Gmelin in den siebziger Jahren mit anderen Pädagogen vertrat, daß die Entwicklung von Kindern durch Grausamkeit und Realitätsferne vieler Märchen geschädigt werden. Wir wollen deshalb zum vierten ausdrücklich darauf hinweisen, daß viele Wissenschaftler – besonders Volks- und Märchenkundler, Psychologen, Mediziner – untersucht und dokumentiert haben, wieviel *mehr* Ausstrahlung die Märchen bieten als reine Unterhaltung und daß geistige Gefährdung heute ganz andere Ursachen hat. Es sei nur auf die Arbeiten von Bruno Bettelheim, Heino Gehrts, Lutz Röhrich, Franz Vonessen hingewiesen. Ebenso haben die Erkenntnisse von Carl Gustav Jung, Verena Kast, Hans Dieckmann und Wolfdietrich Siegmund dazu geführt, daß Märchen erfolgreich in der Therapie psychisch kranker Jugendlicher und Erwachsener eingesetzt werden. Die Erkenntnisse über solche erstaunlichen Wirkungen sind eigentlich gar nicht so neu. Schon im Altgriechischen wird für die Bezeichnung des Märchens das gleiche Wort »paramythi« wie für Trost und Zuspruch benutzt. Also wurden dort Märchen tatsächlich auch erzählt, um zu trösten, die Seele zu erquicken und Probleme lösen zu helfen.

Unsere Sammlung konzentriert sich auf Märchen im engeren Sinne, auf Zauber- oder Wundermärchen, wie sie heute auch von der Wissenschaft zumeist bezeichnet werden. Wir beziehen also keine Kunstmärchen ein, die von bekannten Dichtern, wie Wilhelm Hauff, Hans Christian Andersen oder Alexander Puschkin, geschrieben worden sind, auch nicht die Schwank- und Lügenmärchen, Legenden oder Sagen. Und noch eine Besonderheit: Die 37 Zaubermärchen sind nicht von *einem* Fachkundigen nach seinem individuellen Verständnis und Geschmack, sondern von vielen deutschsprachigen Märchenkundlern und -kennern ausgesucht worden als besonders eindrucksvolle Beispiele aus dem reichen Erzählschatz europäischer Länder. Dennoch sind es keine »typischen« Märchen der jeweiligen Länder – wer wollte das überhaupt feststellen? –, wenn auch manche landeseigenen Umstände, Denkweisen, Bräuche und sprachlichen Besonderheiten erkennbar sind.

Wir wünschen den Leserinnen und Lesern gute Unterhaltung, viel Freude und Erbauung bei der Lektüre. Wer mehr über das Weiterleben der Märchen und den diesbezüglichen Stand der Forschung in den europäischen Ländern wissen möchte, sei auf die von der Märchenstiftung im gleichen Verlag herausgegebenen Bücher »Die Volksmärchen in unserer Kultur« sowie »Märchen und Märchenforschung in Europa. Ein Handbuch« hingewiesen, die mit vorliegendem Sammelband eine Einheit bilde.

Karl-Ewald Tietz Walter Kahn

Albanien

Pack' sie, Scheck, pack' sie, Weißfleck (Der Kjirósi und Kutsch Laró! Kutsch Baló)

Es war, wie es eben war! Es war einmal ein König, der hatte drei Söhne. Seine Frau starb ihm früh; er heiratete nach einiger Zeit zum zweiten Male. Die Frau schenkte ihm ein sehr schönes Mädchen, das aber nur bei Tage eines Mädchens Gestalt hatte, während es bei Nacht eine Kutschedra, eine Hexe, wurde. Von den drei Königssöhnen war der jüngste ein Kjiros, das heißt ein Grindkopf.

Der König besaß einen Garten, in dessen Mitte ein Apfelbaum wuchs, der alljährlich sechs Äpfel reifen ließ. Zur Reifezeit kam das vierte Königskind, nämlich die Kutschedra, zwei Nächte hintereinander in den Garten, um jedesmal einen Apfel zu essen, so daß nur noch vier Äpfel übrig waren.

Der König, dem es um die Äpfel leid tat, schickte in der dritten Nacht seinen ältesten Sohn in den Garten, damit er dort wache; aber diesen erfaßte gerade zu der Stunde, in der die Kutschedra zu kommen pflegte, eine große Schlafsucht, die ihn übermannte. Während er schlief, kam die Kutschedra, nahm sich wieder einen Apfel vom Baume, an dem nur noch drei übrig blieben, worauf sie verschwand.

Als der Königssohn am nächsten Morgen erwachte, sah er, was geschehen war, schämte sich sehr, ging zu seinem Vater zurück und sagte zu ihm: »Vater, ich konnte nichts bewachen, sondern die Kutschedra hat mir einen Apfel weggeholt.«

Da sagte der Vater zu seinem zweiten Sohne: »Geh' du heute abend, lieber Junge!« Und jener ging am Abend in den Garten, schlief jedoch ebenfalls ein; die Kutschedra kam und aß auch diesem wiederum einen Apfel vom Baum weg. So kam er am nächsten Morgen gleichfalls unverrichteterdinge zu seinem Vater nach Hause zurück.

Bei Anbruch der dritten Nacht sprach der Jüngste, der Grindkopf, zu seinem Vater: »Vater, du hast unsern ältesten Bruder in den Garten geschickt, dann hast du auch den zweiten gesandt, aber keiner von beiden war imstande, dir dein Eigentum zu behüten; schicke mich zu gegebener Stunde in den Garten! Ich werde dir die Äpfel bewachen und erhalten.«

Darauf erwiderte der Vater: »Was denkst du, guter Grindkopf! Freilich, mein ältester Sohn hat mir mein Eigentum nicht behüten können, der mittlere brachte es auch nicht zuwege, und da willst du jetzt die Äpfel bewachen und bewahren?«

Aber der Grindkopf entgegnete seinem Vater: »Ich will jedenfalls in den Garten gehen, Vater, um zu wachen, und ich werde dir die Äpfel behüten, du wirst es sehen!«

»So geh' denn!« sagte ihm der König.

Und der Grindkopf nahm Bogen und Pfeile und ging in den Garten. Genau zu der Stunde, in der die Kutschedra in den Garten zu kommen pflegte, überfiel auch den Grindkopf ein großes Schlafbedürfnis, wie seine beiden großen Brüder in den vorangegangenen Nächten. Aber da zog der Grindkopf sein Messer aus dem Gürtel, schnitt sich mit dem scharfen Messer seinen kleinen Finger weg, und auf diese Weise verging ihm der Schlaf. Da kam die Kutschedra. Der Grindkopf aber holte seinen Pfeil aus dem Köcher hervor, legte ihn auf den Bogen, schoß ab und traf die Kutschedra in die linke Brust. Da entwich die Kutschedra mit ihrer Verwundung und eilte nach Hause. Der Grindkopf aber ging voll Freude heimwärts und meldete seinem Vater: »Vater, ich habe die Kutschedra getötet und dir deine Äpfel behütet und bewahrt.«

Die Schwester des Grindkopfs jedoch, die in der Nacht die Kutschedra gewesen war, sah ihren jüngsten Bruder voll Wut an. Sie hegte großen Haß gegen ihn, weil er sie verwundet hatte. Darum weinte sie vor Zorn und erzählte ihrer Mutter, der Königin, alles, wie es sich zugetragen hatte. Nun faßte auch die Stiefmutter einen tiefen Groll gegen den Grindkopf, und sie sprach zum König: »Mann, lass' dem Grindkopf das Haupt abschneiden! Denn unser Mädchen mag ihn nicht!«

Da sagte der König: »Gut«, rief den Henker und befahl ihm, den Grindkopf sofort zu köpfen.

Aber der Henker hatte Mitleid mit dem Jüngling, tötete ihn nicht, sondern besudelte sein Schwert mit Blut, ging zum König, zeigte ihm das blutbefleckte Schwert und sagte zu ihm: »Siehst du, ich habe den Burschen geköpft.« Der Henker aber hatte beim Abschied dem Grindkopf den Auftrag gegeben: »Wenn du unterwegs die Kutschedra triffst, so wird sie dich fressen wollen. Dann sprich du sofort, zu ihr gewendet, die Worte ›Kutsch laró, kutsch baló!‹, das soll heißen: ›Pack' sie, Scheck! Pack' sie, Weißfleck!‹« Der Grindkopf dankte dem Henker für seine Barmherzigkeit und auch für die Belehrung. Dann machte er sich auf und wanderte und wanderte. Schließlich rastete er in einem weiten Tale. Dort aber war auch die Kutschedra. Sie hatte den Gipfel eines hohen Hügels erstiegen, saß dort oben und rauchte Tabak aus einer langen Pfeife. Dabei warf sie ihre Blicke um sich und erschaute den Grindkopf, wie er gerade unten in dem Tale Rast machen wollte. Da wurde sie von großer Wut erfüllt, weil sie erkannte, daß er noch am Leben war. Denn sie hatte geglaubt, er sei längst enthauptet und tot. Sie sprang auf, warf die Tabakspfeife auf den Boden, stürzte den Hügel hinunter auf den Grindkopf zu und rief: »Hallo! Du Sohn eines Menschen! Jetzt wollen wir einmal ein Wörtchen miteinander reden!«

Kaum aber hatte der Kjiros die Kutschedra erspäht, so kletterte er flink auf eine von den drei Pappeln hinauf, die dort in einer Reihe standen.

Die Kutschedra stürzte sich, im Tal angelangt, wütend auf die Pappel, in deren Wipfel Kjiros hockte, packte, rüttelte und schüttelte sie, um sie aus dem Boden zu reißen. In diesem Augenblick der Gefahr dachte Kjiros hoch oben im Baumwipfel an den Rat, den ihm der mitleidige Henker beim Abschied auf den Weg mitgegeben hatte, aber die Zauberworte wollten ihm nicht mehr einfallen.

Unterdessen ergriff die Kutschedra die Pappel mit all' ihrer Kraft, riß sie mitsamt den Wurzeln aus dem Erdreich und schlug sie kurz und klein, so daß von dem stattlichen Baum nur noch ganz kleine Stücke umherlagen. Als aber der Wipfel zu Boden fiel, entwischte Kjiros aus dem Ästegewirr, ohne daß die Kutschedra ihn ergreifen konnte, sprang zur zweiten Pappel und kletterte hurtig den schlanken Stamm empor. Aber die Kutschedra war auch schon blitzschnell hinter ihm her und rüttelte und zerrte an der zweiten Pappel, bis auch diese aus dem Boden gerissen war und kurz und klein auf der Erde lag. Dem Kjiros aber fielen, so sehr er sich auch den Kopf zermarterte, die Zauberworte des Henkers immer noch nicht ein. So mußte er, um sich zu retten, den dritten Baum erklimmen und in dessen Wipfel seine Zuflucht nehmen. Als er oben saß und die Kutschedra sich gerade daran machte, auch diesen Baum zu entwurzeln, da endlich fielen ihm die Worte des Henkers ein, und er rief mit lauter Stimme: »Pack' sie, Scheck! Pack' sie, Weißfleck! Kutsch laró, kutsch baló!«

Und siehe! Kaum hatte er die Worte gerufen, da kamen zwei Hunde dahergelaufen, die bellten, daß die Erde erdröhnte. Die Kutschedra erschrak und legte ihr Ohr an die Erde, um besser zu hören. Dann wandte sie sich dem Grindkopf zu und sagte zu ihm: »Ah, du Sohn des Menschen! Da kommen die Hunde, die mich überwältigen werden!«

Da kamen auch die Hunde schon näher und waren bald bei den Pappeln. Der Grindkopf aber rief ihnen aus seinem Baumwipfel zu: »Kutsch, laró! Kutsch, baló! Packt die Kutschedra und zerreißt sie mir in Stücke!«

Und die beiden Hunde packten die Kutschedra und zerrissen sie in lauter kleine Stücke.

»Das Märchen bleib' jetzt dort unten im Tal!
Die Gesundheit hause bei uns allzumal!
Das Märchen bleib' fort auf dem Dache aus Stein!
Gesund und wohlauf sollen die Männer stets sein!
Das Märchen sich in die Dachbalken verkriech'!
Gesund sollen die Frauen sein! Nie seien sie siech!
In die Dachsparren
mög' sich das Märchen verstecken!
Gesund und schön
sollen unsere Mädchen sich recken!«

Bulgarien

Die Wohltaten des Holzfällers Dobri

In einem großen Gebirge lebte ein armer Holzfäller. Seine Hütte lag im dichtesten Wald auf einer schönen grünen Wiese. Der Mann hatte nur einen Sohn, deshalb liebte er ihn sehr. Er wollte, daß sein Sohn gut werde, deshalb taufte er ihn Dobri (das heißt »der Gute«). Solange seine Frau lebte, blieb der Junge bei seiner Mutter, doch als sie starb, fing sein Vater an, ihn zur Arbeit mitzunehmen, und trennte sich nie von ihm. Das Kind spielte in der Nähe seines Vaters, sammelte Späne, pflückte Blumen und lauschte dem schönen Gesang der Vögel im Walde. Wenn sein Vater ermüdete und sich auf einen Baumstumpf setzte, um auszuruhen, erzählte er ihm vom Leben der Tiere des Gebirges und lehrte ihn so, sie zu lieben. Der Junge befreundete sich mit ihnen, fürchtete sich nicht, streichelte sie, warf ihnen Futter hin, und sie kamen zu ihm wie zahm.

Es vergingen Jahre. Der Vater wurde alt. Eines Tages fällte er viele Bäume, ermüdete, erkältete sich und starb bis zum Abend. Dobri war schon ein hochgewachsener und schöner junger Mann geworden. Er führte den Beruf seines Vaters fort. Er verdiente wenig, lebte bescheiden, war aber zufrieden, daß er bei den Tieren sein, sie verwöhnen und sich ihrer erfreuen konnte.

Eines Tages fällte Dobri eine große Buche. Er trieb Keile ein und spaltete den Stamm. Der Stamm war hohl, und aus ihm fiel eine große bunte Schlange heraus. Sie wollte ihren Kopf aus dem Schnee emporheben, doch sie war gefroren. Dobri hatte seine Axt über die Schulter geworfen, stand da und sah, wie sich das Tier quälte. Plötzlich hörte er eine Stimme: »Holzfäller, töte mich nicht! Schau, ich sterbe vor Kälte. Lege mich in deine Brusttasche, damit du mich erwärmst. Wenn du mich rettest, wirst du der glücklichste Mensch auf der Welt werden!«

Der Holzfäller hatte Mitleid, er nahm die Schlange, streichelte sie ein paarmal, damit sie wieder zu sich käme, legte sie dann in seine Brusttasche und ging nach Hause. Er zündete ein Feuer an, setzte sich daneben und öffnete seine Brusttasche, damit die Schlange erwärmt werde. Sie hatte sich bald erwärmt, kroch heraus, blieb bei der Feuerstelle, hob ihren Kopf und sagte: »Du hast mir das Leben gerettet. Das werde ich niemals vergessen. Jetzt hast du die Macht, der Welt drei große Wohltaten zu erweisen. Aber denke daran, daß auch ein Fluch von dir in Erfüllung gehen wird! Deshalb achte auf deine Worte und fluche niemals!«

Nachdem die Schlange das gesagt hatte, richtete sie sich auf ihrem Schwanz auf und stürzte sich in das Feuer. Eine wunderbare Flamme loderte auf und verlor sich durch den Schornstein. Die Schlange verschwand.

Der Holzfäller lebte weiterhin wie zuvor, aber dieses Ereignis ging ihm nicht aus dem Kopf. Wo er auch ging, wo er auch saß, immer dachte er an die wundersame Schlange und an ihre Worte.

In einem fernen Königreich brach eine große Dürre aus. Alles verdorrte und verbrannte. Die Erde verwandelte sich in eine Wüste. Es blieben weder ein grünes Bäumchen noch ein Gräslein übrig. Von einem Ende bis zum anderen sah man nur Sand und Steine in diesem Königreich. Hunger und Krankheiten brachen aus. Menschen und Tiere starben in den Städten, in den Dörfern und auf den Wegen. Der König ließ in der ganzen Welt verkünden, daß er demjenigen, der sein Volk retten könne, sein halbes Königreich geben würde.

Der Holzfäller hörte von dem Unglück des entfernten Volkes und von dem Versprechen des Königs. Die Worte der Schlange kamen ihm in den Sinn, und er beschloß, dorthin zu gehen und – so Gott will – ihnen zu helfen. Er nahm eine Schachtel, bemalte sie mit Bildern, machte sie schön bunt und unterteilte sie in drei Abteilungen. Er ging ins Feld, suchte das üppigste Getreide aus, betrat das Feld, riß die drei größten Ähren ab und legte sie in eine Abteilung der Schachtel. Dann ging er zu den Weinbergen und Gärten. Er pflückte drei kräftige Trauben und drei rote Äpfel ab und legte sie in die anderen Abteilungen. So bereitete er sich vor und brach nach dem fernen Königreich auf.

Er war lange unterwegs und erreichte schließlich das öde Land. Er ging direkt in das Schloß. Der König war alt und sehr verzweifelt. Als er erfuhr, warum er gekommen war, empfing er den jungen Wanderer mit Freuden und befahl all seinen Untertanen, ihm zu gehorchen und zu folgen.

Am nächsten Tag standen der König und der Gast früh auf. Im Hof erwartete sie die königliche Kutsche, mit schönen Pferden bespannt. Sie stiegen ein und fuhren in das Feld. Der König war tief in Gedanken versunken. Von Zeit zu Zeit fiel aus seinen Augen eine Träne herab und rollte über sein faltiges Gesicht. Er seufzte und sprach: »In dieser Ebene wuchs vorher goldenes Getreide, und mein Volk war fröhlich, doch jetzt ist die Erde aufgesprungen, der Wind trägt trockenen Sand herbei, und mein Volk welkt dahin und stirbt vor Hunger.«

Dobri öffnete die Schachtel, nahm die drei Ähren heraus, rieb die Körner aus, warf sie in drei verschiedene Richtungen und wünschte: »So, wie es vorher war, so soll es auch jetzt werden!«

Plötzlich ergoß sich ein starker Regen. Das Feld wurde grün. Auf der ganzen Ebene begann das Getreide schnell zu wachsen und zu reifen.

Am nächsten Tag gingen sie wieder hinaus und fuhren in eine andere Richtung. Sie fingen an, einen kahlen Hügel zu besteigen. Der König war wieder traurig. »Auf diesen Hügeln gab es Trauben, so dicht wie ein Wald, und die Lieder von Jungen und Alten waren bis zu meinem Schloß zu hören, doch jetzt ist alles öde.« Und wirklich – hier und da sah man dunkle Reste alter Weinstöcke.

Dobri nahm die drei Trauben heraus, pflückte sie eine nach der anderen ab, warf sie in drei Richtungen und sprach: »Diese Erde sei wieder so gesegnet, wie sie es vorher war, zur Freude des Volkes!«

Die Weinreben richteten sich auf, wuchsen hoch und dicht, bekamen Triebe, dann wurden die Trauben groß und begannen zu reifen. Kinder und Alte, Mädchen und junge Männer gingen in den Weinberg und fingen an, Trauben zu pflücken. Fröhliche Lieder erklangen im Feld.

Am dritten Tag gingen der König und der Gast in die entgegengesetzte Richtung in ein langes Tal. Dort flossen bereits drei klare Bäche, aber die Erde war noch öde. Der Herrscher war auch jetzt traurig. »In diesem Tal waren unsere Gärten. Hier wuchsen die besten Früchte, die auf der ganzen Welt einmalig waren, doch jetzt rührt sich weder ein Baum noch ein Vogel.«

Dobri nahm die Äpfel heraus, warf sie in drei verschiedene Richtungen und sagte. »So, wie es war, soll es wieder werden, und jeder Baum soll sich unter der Last des Obstes neigen!«

Sofort erschienen die verschiedensten Obstarten. Die Früchte begannen zu reifen. Die Zweige wurden schwer und hingen bis zur Erde herab. Alles wurde so, wie es Dobri gewünscht hatte. Die Erde wurde ein Paradiesgarten.

Der König freute sich. Er führte den Gast in das schönste Zimmer des Schlosses. Vor dem Kamin aus Marmor, in dem wohlriechende Kräuter und Thymian verbrannt wurden, war eine reiche Tafel gedeckt. Sie aßen und tranken. Und als sie ihren Hunger gestillt hatten, sagte der König: »Mein Sohn, du hast mein Reich und mein Volk gerettet. Dich hat Gott mit Güte und Stärke beschenkt. Womit soll ich dir entgelten? Dich hat Gott mehr beschenkt als mich. Was ich dir auch geben mag, es ist wenig für die großen Wohltaten, die du meinem Volk erwiesen hast. Aber nimm mein halbes Reich, so, wie ich es versprochen hatte, und regiere es. Doch wenn du willst, bleib bei mir und regiere das ganze Reich. Ich bin alt und habe keinen Nachfolger. Zu einer Zeit hatte ich eine Frau und eine kleine Tochter. Doch meine Frau starb. Ich heiratete wieder. Meine neue Frau brachte ihr Kind mit und liebte nur dieses, doch meines haßte sie. Eines Tages war ich nicht hier. Sie haben mein Kind in den Wald spazierengeführt und es angeblich verloren. Von dieser Zeit an habe ich es nicht mehr gesehen, und alles in meinem Reich wandte sich zum Schlechten.«

Der König fing an zu jammern. Große Tränen tropften aus seinen Augen. Er seufzte tief und sagte unter Tränen: »Ach, was würde ich dafür geben, wenn ich mein liebes Kind finden könnte!«

Der König hatte das kaum ausgesprochen, da kroch durch das geöffnete Fenster eine bunte Schlange herein. Der Alte erschrak und riß sein Schwert heraus, um ihr den Kopf abzuschlagen, doch Dobri hielt ihn zurück. Er erkannte die gleiche bunte Schlange, die er vor der Kälte gerettet hatte. Er machte ihr Platz wie einem Gast, und sie näherte sich dem Kamin. Sie richtete sich auf ihrem Schwanz empor und stürzte sich in das Feuer. Große Flammen loderten auf, und aus ihnen kam ein schönes Mädchen hervor. Ihr Gesicht war rosig wie eine Flamme, und sie lächelte. Danach umarmte sie den König und sagte: »Vater, deine Tochter lebt und steht vor dir. Meine Stiefmutter haßte mich und wollte mich verderben. Sie wartete ab, bis du nicht da warst, führte mich in den Wald zu einer Zauberin und verzauberte mich in eine Schlange, damit mich alle hassen mögen, daß sie sich ängstigen und vor mir fliehen mögen, sie aber kehrte allein zurück und ließ mich im Wald umherirren. Gut, aber die Zauberin erbarmte sich meiner; sie fand mich und sagte mir, daß ich nach Hause zurückkehren würde, wenn sich ein guter Mensch fände, der mich an seinem Herzen erwärmen würde. Ich fand so einen Menschen gerade dann, als ich kurz vor meinem Tode war. Hier dieser gute Mensch, dein Gast, hat mich gerettet …«

Ihre Stiefmutter und deren Tochter hatten diese Erzählung belauscht. Sie hörten die Königstochter sprechen, stürzten sich mit Knüppeln auf sie und schrien: »Du lügst! Du lügst!«

Dobri richtete sich vor ihnen auf, erhob die Hände und sprach: »Und ihr, verfluchte Eulen!«

In seinem Ärger hatte er vergessen, daß er keine bösen Worte aussprechen durfte, und sagte das. Die Stiefmutter und ihre Tochter verwandelten sich in Eulen, flogen und krächzten eine Weile im Zimmer umher, und dann flogen sie durch das Fenster hinaus, durch das die Königstochter hereingekommen war, und verschwanden. Der König verheiratete Dobri mit seiner Tochter und übergab ihm das Reich. Die drei lebten fröhlich und glücklich.

Dänemark

Ederland, die Hühnermagd

Es war einmal eine Frau, die hatte drei Töchter. Sie war sehr krank und wartete jeden Tag darauf, daß der Tod an ihre Tür klopfen würde. Deshalb rief sie ihre drei Töchter zusammen und verteilte unter sie, was sie hatte. Aber sie teilte nicht gleichmäßig; den beiden ältesten, die immer hübsch und geputzt waren, gab sie ihre ganze Habe, und die jüngste, die kleine Ederland, bekam nur einen Teigtrog, einen Besenstiel und eine Schürze.

Die Mutter lebte nur noch kurze Zeit, und als sie gestorben war, teilten sie das Erbe so, wie sie bestimmt hatte, und da sagten die beiden ältesten Schwestern zu Ederland: »Da kannst du es wieder sehen, Ederland, daß die Mutter uns lieber gehabt hat als dich, denn dir hat sie nur den elenden Teigtrog und den Besenstiel und die Schürze gegeben.« Aber die kleine Ederland war still und geduldig und glaubte doch, daß ihre Mutter sie gleich liebgehabt hätte wie die beiden anderen.

Nach einiger Zeit kamen alle drei Schwestern in Dienst in einem vornehmen Haus. Die beiden ältesten waren im Hause selbst und hatten bei allen Arbeiten mitzuhelfen; aber die kleine Ederland war nur Hühnermagd.

Doch es dauerte nicht lange, so merkte der Herr, daß sein Geflügelhof noch nie in so gutem Zustand gewesen war, als seit Ederland dafür zu sorgen hatte, und deshalb lobte er sie beständig vor ihren Schwestern. Das hörten die aber gar nicht gerne.

Schließlich kamen sie darauf, dem Herrn zu sagen, daß Ederland noch viel mehr vermöge, wenn sie nur wolle. Sie wüßten gewiß, daß sie einen Leuchter beischaffen könnte, der ohne Licht leuchtete; wenn sie es leugne, so wolle sie eben nicht. Als der Herr das hörte, rief er sofort nach Ederland und sagte zu ihr: »Ich habe gehört, du könntest mir einen Leuchter verschaffen, der ohne Licht leuchtet; den möchte ich furchtbar gerne haben, und du mußt ihn mir verschaffen. Es hilft dir gar nichts, wenn du dich weigerst, denn ich weiß, du kannst, wenn du willst.«

Klein Ederland weinte und sagte, sie wolle ja gerne, wenn sie nur könnte, aber das sei eine Aufgabe, die sie schlechterdings nicht lösen könne. Aber der Herr glaubte ihr nicht.

»Hier hilft dein Reden nicht«, sagte er, »du mußt mir den Leuchter verschaffen, aber dafür bekommst du auch zwei Scheffel Gold!«

Klein Ederland ging weinend hinaus und gleich zum Grab ihrer Mutter, und wie sie da stand und weinte, kam die Mutter aus dem Grab hervor und sagte: »Du mußt nicht weinen; geh nur heim und verlange vom Herrn zwei Scheffel Salz und nimm deinen Besenstiel und setze ihn als Mast in den Teigtrog und binde die Schürze als Segel fest und fahre mit deinen zwei Scheffeln

Salz aufs Meer; dann wirst du dahin kommen, wo du den Leuchter, der ohne Licht leuchtet, bekommen kannst!«

Damit sank die Mutter wieder ins Grab, und Klein Ederland ging heim und verlangte vom Herrn zwei Scheffel Salz. Das bekam sie, und dann richtete sie ihren Teigtrog her, mit dem Besenstiel als Mast und der Schürze als Segel, nahm ihre zwei Scheffel Salz und fuhr auf das wilde Meer hinaus, wohin die Wellen sie trugen.

Sie fuhr weit umher, aber schließlich landete sie auf der Trollinsel und ging mit ihren zwei Scheffeln Salz an Land. Irgendwo sah sie ein Haus. Da ging sie hin, kletterte aufs Dach und schaute zum Schornstein hinunter. Da unten stand die alte Trollmutter und kochte Brei für ihre Söhne. Und auf dem Herd neben dem Breikessel stand der Leuchter, der ohne Licht leuchtete. Den wollte Ederland ja haben, und als die alte Trollmutter sich umkehrte, schüttete sie ihre zwei Scheffel Salz hinunter in den Brei.

Gleich darauf kam die Trollmutter wieder und versuchte den Brei, aber der war furchtbar versalzen. Da nahm sie den Eimer und wollte Wasser holen, um den Brei noch einmal aufzukochen. Aber Ederland ließ sich in einem Hui durch den Schornstein hinunter und lief hinter ihr drein, und als die Alte sich über den Brunnenrand beugte, um den Eimer aufzuziehen, gab ihr Ederland einen Stoß in den Rücken, daß sie kopfüber hineinfiel und nicht mehr lebendig zum Vorschein kam.

Ederland holte nun eiligst den Leuchter und lief hinunter zu ihrem Schiff. Und als sie gerade ein Stückchen vom Lande weg war, sah sie die Trolle heimkommen, und gleich darauf kamen sie an den Strand gelaufen und riefen ihr nach: »Ederland! Ederland! Du hast unsere alte Mutter in den Brunnen geworfen und unseren Leuchter genommen! Wenn du noch einmal hierherkommst, werden wir uns bitter rächen!« Aber Ederland rief zurück: »Ja, ich komme noch zweimal wieder!« und fuhr vergnüglich heim.

Der Herr war voller Freude, als er den Leuchter sah, der ohne Licht leuchtete; Klein Ederland bekam ihre zwei Scheffel Gold, und da war sie auch froh. Aber ihre Schwestern ärgerten sich jeden Tag über Ederlands Glück und dachten nur daran, wie sie ihr die Freude versalzen könnten. Schließlich sagten sie wieder zum Herrn, Ederland könne noch viel mehr. Sie könne ein Pferd beischaffen mit Glöckchen an allen vier Beinen, das man hören könne, lange ehe es da sei, und das man finden könne, wie weit es sich auch verlaufen habe.

Ein solches Pferd hätte der Herr nun noch viel lieber gehabt als den Leuchter, den er schon besaß. Er ließ sofort Ederland rufen und sagte zu ihr, er wisse wohl, daß sie ihm ein Pferd verschaffen könne, das an allen vier Beinen Glöckchen hätte und das man von weitem höre und das sich nie verlaufen könne, weil man es immer höre, so weit es auch immer fort sei. Das Pferd solle sie ihm verschaffen. Ederland weinte und sagte, sie wolle ja gerne, aber sie könne nicht. Aber der Herr wollte sich nicht damit zufriedengeben. »Du kannst wohl, wenn du willst«, sagte er, »das Pferd mußt du mir verschaffen, ich will dir auch drei Scheffel Gold dafür geben.«

Ederland ging wieder an das Grab ihrer Mutter und weinte und war sehr betrübt. Aber die Mutter erhob sich wieder aus dem Grab und sagte zu ihr: »Weine nicht, Klein Ederland! Geh heim und bitte den Herrn um vier Büschel Werg, und nimm sie mit, und setze dich in deinen Teigtrog mit dem Besenstiel und der Schürze, wie das letztemal. Dann wirst du an einen Ort gelangen, wo du das Pferd mit den Glöckchen an allen vier Beinen bekommen kannst.« Darauf sank die Mutter wieder in ihr Grab, aber Klein Ederland ging heim und verlangte vom Herrn die vier Büschel Werg. Sie bekam sie sogleich und fuhr in ihrem Teigtrog auf das Meer, mit dem Besenstiel als Mast und der Schürze als Segel.

Auch dieses Mal landete sie wieder auf der Trollinsel. Es war gerade die Zeit, wo die Trolle zu Hause waren und zu Mittag aßen, und auf der Wiese vor dem Haus graste das Pferd mit den Glöckchen an den Beinen. Aber Ederland schlich sich hin zu ihm, band um jedes Bein einen Büschel Werg, so daß die Glöckchen nicht läuten konnten, und zog das Pferd an den Strand hinunter. Gerade wie sie es aber ins Boot führte, löste sich der Wergbüschel von dem einen Bein, und gleich fing die Glocke zu klingeln an, und alle Trolle kamen an den Strand gerannt.

Aber Klein Ederland hatte das Pferd doch glücklich ins Boot gebracht und war gerade ein kleines Stück vom Land weggekommen, als die Trolle am Ufer anlangten. Sie gerieten in greuliche Wut, als sie sahen, daß Ederland mit ihrem Pferd entkommen war, und riefen ihr nach: »Ederland! Ederland! Du hast unsere alte Mutter umgebracht und uns unseren Leuchter genommen, und nun hast du unser Pferd gestohlen! Wenn du noch einmal hierherkommst, werden wir uns bitter rächen!« Aber Ederland rief zurück: »Ja, ich komme noch einmal!«

Wie nun Ederland mit dem Pferd heimkam, war der Herr voller Freude, und er gab ihr gern die drei Scheffel Gold, die er ihr versprochen hatte, und sie war auch sehr froh. Aber ihre beiden Schwestern freuten sich gar nicht über ihr Glück; sie dachten Tag und Nacht an nichts anderes, als wie sie ihr Böses antun könnten, und einige Zeit darauf sagten sie zu dem Herrn: »Ederland könnte Euch noch etwas viel Besseres verschaffen, als was Ihr bis jetzt habt, wenn sie nur wollte: nämlich ein Schwein, von dem man so viel Speck abschneiden kann, als man will, es bleibt doch immer gleich viel dran.«

Das kam dem Herrn als das Allerschönste vor, und Ederland mußte gleich kommen, und er sagte zu ihr: »Ich habe gehört, daß du mir ein Schwein verschaffen kannst, von dem man so viel Speck abschneiden kann, als man will, und das doch immer gleich fett bleibt; dieses Schwein muß ich haben!« Vergebens weinte Ederland und sagte: »Ich wollte ja gern, wenn ich nur könnte; aber ein solches Schwein kann ich Euch nicht verschaffen!« Doch der Herr wollte nichts davon wissen: »Du kannst und mußt mir das Schwein verschaffen«, sagte er, »dafür will ich dir aber auch alle Herrlichkeit, die du hier siehst, schenken!«

Aber Klein Ederland war sehr traurig. Sie ging an das Grab ihrer Mutter und weinte bitterlich. Da stieg die Mutter aus ihrem Grab und sagte zu ihr: »Weine nicht, Klein Ederland! Geh nur heim und verlange vom Herrn zwei Speckseiten, und setze dich in dein Boot und fahre aufs Meer. Dann wirst du schon dahin kommen, wo du dieses Schwein bekommen kannst!« Und als sie das gesagt hatte, sank sie wieder in ihr Grab hinunter.

Aber Ederland ging nach Hause und bekam die zwei Speckseiten, setzte sich in ihren Teigtrog mit dem Besenstiel als Mast und der Schürze als Segel, und der Wind blies sie wieder übers Meer bis an die Trollinsel. Es war gerade um die Zeit, als die Trolle ihren Mittagsschlaf hielten. Das Schwein war auf der Weide, aber die Trolle hatten einen kleinen Buben angestellt, der es hüten sollte.

Ederland lief zu dem Buben hin und sagte zu ihm: »Diese zwei Speckseiten sind für die Trolle; willst du sie hinauftragen, so will ich unterdessen das Schwein hüten.« Der Knabe dachte sich nichts Böses dabei; er nahm den Speck und lief damit ins Haus. Aber wie er den Trollen erzählte, auf welche Weise er zu den zwei Speckseiten gekommen war, dachten sie gleich, Ederland könne wieder die Hand im Spiel haben, und rannten, was sie konnten, an den Strand hinunter. Und da hatte Ederland das Schwein noch nicht ins Boot bringen können.

Da packten die Trolle das Schwein und sie selbst; und Ederland schleppten sie ins Haus und übergaben sie dem alten Trollvater und sagten, er solle sie schlachten und ihnen ein recht gutes Abendessen vorsetzen, wenn sie von der Arbeit nach Hause kämen. Dann gingen die Trolle fort, und Ederland blieb allein mit dem alten Trollvater zurück.

Der schleppte einen großen Block herbei und stellte die Axt daneben und sagte zu ihr: »Nun leg deinen Kopf auf den Block, daß ich ihn abhauen kann!« – »Ja, das will ich schon«, sagte Ederland, »aber ich weiß gar nicht, wie ich mich dazu anstellen soll; du mußt es mir schon vormachen!« – »Ach«, sagte der alte Troll, »das ist ja ganz einfach, du brauchst es nur so zu machen«, und damit legte er seinen Kopf auf den Block. In einem Hui hatte Ederland die Axt ergriffen und hieb ihm mit einem Schlag das Haupt ab. Dem Kopf setzte sie dann die Zipfelmütze auf und legte sie ins Bett, und den Körper tat sie in den Suppenkessel, der über dem Herd hing. Dann lief sie hinunter an den Strand, nahm das Schwein und fuhr damit in ihrem Boot davon.

Aber bald darauf kamen die Trolle nach Hause und machten sich gleich über das Essen her, das auf dem Feuer stand. Sie wunderten sich sehr, daß das Fleisch so zäh war, obgleich es doch junges Fleisch war. Aber sie waren hungrig und würgten es doch hinunter. Schließlich jedoch fiel einem von ihnen ein, daß ihr alter Vater doch auch dabei sein müßte. Und er ging hin und rüttelte ihn. Aber da gab es einen großen Schrecken, als sie sahen, daß nur sein Kopf im Bett lag. Nun merkten sie, wie die ganze Sache zugegangen war, und rannten vom Essen weg an den Strand. Aber da fuhr Ederland schon weit draußen auf dem Meer.

Da kamen die Trolle in die höchste Wut und riefen ihr nach: »Ederland, Ederland! Du hast unsere alte Mutter umgebracht, du hast unseren Leuchter genommen, du hast unser Pferd gestohlen, und nun hast du unseren alten Vater umgebracht und unser Schwein gestohlen! Wenn du noch einmal kommst, werden wir uns bitter rächen!« Aber Ederland rief zurück: »Ich komme nicht wieder, aber ich will euch zwei schicken, an denen ihr ebensoviel Freude haben sollt, wie an allem, was ich euch gestohlen habe.«

So fuhr Klein Ederland heim, und der Herr empfing sie mit großer Freude, und bald darauf hielten sie Hochzeit und lebten in Glück und Zufriedenheit. Aber die Schwestern blieben bei ihr und grämten sich von Tag zu Tag mehr über Ederlands Glück. Da sagte eines Tages Ederland zu ihnen: »Wenn ihr Lust habt zu segeln, so könnt ihr gern mein Boot haben!« Und die Schwestern wollten es gleich probieren. Sie stiegen ins Boot und fuhren drauflos und kamen auch auf die Trollinsel. Aber da packten die Trolle sie und kochten und brieten sie und freuten sich sehr des guten Fanges.

Deutschland

Das Waldhaus

Ein armer Holzhauer lebte mit seiner Frau und drei Töchtern in einer kleinen Hütte an dem Rande eines einsamen Waldes. Eines Morgens, als er wieder an seine Arbeit wollte, sagte er zu seiner Frau »Laß mir mein Mittagsbrot von dem ältesten Mädchen hinaus in den Wald bringen, ich werde sonst nicht fertig. Und damit es sich nicht verirrt«, setzte er hinzu, »so will ich einen Beutel mit Hirsen mitnehmen und die Körner auf den Weg streuen.« Als nun die Sonne mitten über dem Walde stand, machte sich das Mädchen mit einem Topf voll Suppe auf den Weg. Aber die Feld- und Waldsperlinge, die Lerchen und Finken, Amseln und Zeisige hatten den Hirsen schon längst aufgepickt, und das Mädchen konnte die Spur nicht finden. Da ging es auf gut Glück immer fort, bis die Sonne sank und die Nacht einbrach. Die Bäume rauschten in der Dunkelheit, die Eulen schnarrten, und es fing an, ihm angst zu werden. Da erblickte es in der Ferne ein Licht, das zwischen den Bäumen blinkte. ›Dort sollten wohl Leute wohnen‹, dachte es, ›die mich über Nacht behalten‹, und ging auf das Licht zu. Nicht lange, so kam es an ein Haus, dessen Fenster erleuchtet waren. Es klopfte an, und eine rauhe Stimme rief von innen: »Herein«. Das Mädchen trat auf die dunkle Diele und pochte an der Stubentür. »Nur herein«, rief die Stimme, und als es öffnete, saß da ein alter, eisgrauer Mann an dem Tisch, hatte das Gesicht auf die beiden Hände gestützt, und sein weißer Bart floß über den Tisch herab fast bis auf die Erde. Am Ofen aber lagen drei Tiere, ein Hühnchen, ein Hähnchen und eine buntgescheckte Kuh. Das Mädchen erzählte dem Alten sein Schicksal und bat um ein Nachtlager. Der Mann sprach

»Schön Hühnchen,
schön Hähnchen,
und du schöne bunte Kuh,
was sagst du dazu?«

»Duks!« antworteten die Tiere: und das mußte wohl heißen: ›Wir sind es zufrieden‹, denn der Alte sprach weiter: »Hier ist Hülle und Fülle, geh hinaus an den Herd und koch uns ein Abendessen.« Das Mädchen fand in der Küche Überfluß an allem und kochte eine gute Speise, aber an die Tiere dachte es nicht. Es trug die volle Schüssel auf den Tisch, setzte sich zu dem grauen Mann, aß und stillte seinen Hunger. Als es satt war, sprach es: »Aber jetzt bin ich müde, wo ist ein Bett, in das ich mich legen und schlafen kann?« Die Tiere antworteten:

»Du hast mit ihm gegessen,
du hast mit ihm getrunken,
du hast an uns gar nicht gedacht,
nun sieh auch, wo du bleibst die Nacht.«

Da sprach der Alte: »Steig nur die Treppe hinauf, so wirst du eine Kammer mit zwei Betten finden, schüttle sie auf und decke sie mit weißem Linnen, so will ich auch kommen und mich schlafen legen.« Das Mädchen stieg hinauf, und als es die Betten geschüttelt und frisch gedeckt hatte, legte es sich in das eine, ohne weiter auf den Alten zu warten. Nach einiger Zeit aber kam der graue Mann, beleuchtete das Mädchen mit dem Licht und schüttelte mit dem Kopf. Und als er sah, daß es fest eingeschlafen war, öffnete er eine Falltüre und ließ es in den Keller sinken.

Der Holzhauer kam am späten Abend nach Haus und machte seiner Frau Vorwürfe, daß sie ihn den ganzen Tag habe hungern lassen. »Ich habe keine Schuld«, antwortete sie, »das Mädchen ist mit dem Mittagsessen hinausgegangen, es muß sich verirrt haben; morgen wird es schon wiederkommen.« Vor Tag aber stand der Holzhauer auf, wollte in den Wald und verlangte, die zweite Tochter sollte ihm diesmal das Essen bringen. »Ich will einen Beutel mit Linsen mitnehmen«, sagte er, »die Körner sind größer als Hirsen, das Mädchen wird sie besser sehen und kann den Weg nicht verfehlen.« Zur Mittagszeit trug auch das Mädchen die Speise hinaus, aber die Linsen waren verschwunden: die Waldvögel hatten sie, wie am vorigen Tag, aufgepickt und keine übriggelassen. Das Mädchen irrte im Walde umher, bis es Nacht ward, da kam es ebenfalls zu dem Haus des Alten, ward hereingerufen und bat um Speise und Nachtlager. Der Mann mit dem weißen Bart fragte wieder die Tiere:

»Schön Hühnchen,
schön Hähnchen,
und du schöne bunte Kuh,
was sagst du dazu?«

Die Tiere antworteten abermals »Duks«, und es geschah alles wie am vorigen Tag. Das Mädchen kochte eine gute Speise, aß und trank mit dem Alten und kümmerte sich nicht um die Tiere. Und als es sich nach seinem Nachtlager erkundigte, antworteten sie:

»Du hast mit ihm gegessen,
du hast mit ihm getrunken,
du hast an uns gar nicht gedacht,
nun sieh auch, wo du bleibst die Nacht.«

Als es eingeschlafen war, kam der Alte, betrachtete es mit Kopfschütteln und ließ es in den Keller hinab.

Am dritten Morgen sprach der Holzhacker zu seiner Frau: »Schicke mir heute unser jüngstes Kind mit dem Essen hinaus, das ist immer gut und gehorsam gewesen, das wird auf dem rechten Weg bleiben und nicht wie seine Schwestern, die wilden Hummeln, herumschwärmen.« Die Mutter wollte nicht und sprach: »Soll ich mein liebstes Kind auch noch verlieren?« »Sei ohne Sorge«, antwortete er, »das Mädchen verirrt sich nicht, es ist zu klug und verständig; zum Überfluß will ich Erbsen mitnehmen und ausstreuen, die sind noch größer als Linsen und werden ihm den Weg zeigen.« Aber als das Mädchen mit dem Korb am Arm hinauskam, so hatten die Waldtauben die Erbsen schon im Kropf, und es wußte nicht, wohin es sich wenden sollte. Es war voll Sorgen und dachte beständig daran, wie der arme Vater hungern und die gute Mutter jammern würde, wenn es ausbliebe. Endlich, als es finster ward, erblickte es das Lichtchen und kam an das Waldhaus. Es bat ganz freundlich, sie möchten es über Nacht beherbergen, und der Mann mit dem weißen Bart fragte wieder seine Tiere:

»Schön Hühnchen,
schön Hähnchen,
und du schöne bunte Kuh,
was sagst du dazu?«

»Duks«, sagten sie. Da trat das Mädchen an den Ofen, wo die Tiere lagen, und liebkoste Hühnchen und Hähnchen, indem es mit der Hand über die glatten Federn hinstrich, und die bunte Kuh kraulte es zwischen den Hörnern. Und als es auf Geheiß des Alten eine gute Suppe bereitet hatte und die Schüssel auf dem Tisch stand, so sprach es: »Soll ich mich sättigen, und die guten Tiere sollen nichts haben? Draußen ist die Hülle und Fülle, erst will ich für sie sorgen.« Da ging es, holte Gerste und streute sie dem Hühnchen und Hähnchen vor und brachte der Kuh wohlriechendes Heu, einen ganzen Arm voll. »Laßt's euch schmecken, ihr lieben Tiere«, sagte es, »und wenn ihr durstig seid, sollt ihr auch einen frischen Trunk haben.« Dann trug es einen Eimer voll Wasser herein, und Hühnchen und Hähnchen sprangen auf den Rand, steckten den Schnabel hinein und hielten den Kopf dann in die Höhe, wie die Vögel trinken, und die bunte Kuh tat auch einen herzhaften Zug. Als die Tiere gefüttert waren, setzte sich das Mädchen zu dem Alten an den Tisch und aß, was er ihm übriggelassen hatte. Nicht lange, so fing Hühnchen und Hähnchen an, das Köpfchen zwischen die Flügel zu stecken, und die bunte Kuh blinzelte mit den Augen. Da sprach das Mädchen: »Sollen wir uns nicht zur Ruhe begeben?

Schön Hühnchen,
schön Hähnchen,
und du schöne bunte Kuh,
was sagst du dazu?«

Die Tiere antworteten »Duks,

du hast mit uns gegessen,
du hast mit uns getrunken,
du hast uns alle wohl bedacht,
wir wünschen dir eine gute Nacht.«

Da ging das Mädchen die Treppe hinauf, schüttelte die Federkissen und deckte frisches Linnen auf, und als es fertig war, kam der Alte und legte sich in das eine Bett, und sein weißer Bart reichte ihm bis an die Füße. Das Mädchen legte sich in das andere, tat sein Gebet und schlief ein.

Es schlief ruhig bis Mitternacht, da ward es so unruhig in dem Hause, daß das Mädchen erwachte. Da fing es an in den Ecken zu knittern und zu knattern, und die Türe sprang auf und schlug an die Wand; die Balken dröhnten, als wenn sie aus ihren Fugen gerissen würden, und es war, als wenn die Treppe herabstürzte, und endlich krachte es, als wenn das ganze Dach zusammenfiele. Da es aber wieder still ward und dem Mädchen nichts zuleid geschah, so blieb es ruhig liegen und schlief wieder ein. Als es aber am Morgen bei hellem Sonnenschein aufwachte, was erblickten seine Augen? Es lag in einem großen Saal, und ringsumher glänzte alles in königlicher Pracht; an den Wänden wuchsen auf grünseidenem Grund goldene Blumen in die Höhe, das Bett war von Elfenbein und die Decke darauf von rotem Samt, und auf einem Stuhl daneben standen ein Paar mit Perlen gestickte Pantoffel. Das Mädchen glaubte, es wäre ein Traum, aber es traten drei reichgekleidete Diener herein und fragten, was es zu befehlen hätte. »Geht nur«, antwortete das Mädchen, »ich will gleich aufstehen und dem Alten eine Suppe kochen und dann auch schön Hühnchen, schön Hähnchen und die schöne bunte Kuh füttern.« Es dachte, der Alte wäre schon aufgestanden, und sah sich nach seinem Bette um, aber er lag nicht darin, sondern ein fremder Mann. Und als es ihn betrachtete und sah, daß er jung und schön war, erwachte er, richtete sich auf und sprach: »Ich bin ein Königssohn und war von einer bösen Hexe verwünscht worden, als ein alter eisgrauer Mann in dem Wald zu leben: niemand durfte um mich sein als meine drei Diener in der Gestalt eines Hühnchens, eines Hähnchens und einer bunten Kuh. Und nicht eher sollte die Verwünschung aufhören, als bis ein Mädchen zu uns käme, so gut von Herzen, daß es nicht gegen die Menschen allein, sondern auch gegen die Tiere sich liebreich bezeigte, und das bist du gewesen, und heute um Mitternacht sind wir durch dich erlöst, und das alte Waldhaus ist wieder in meinen königlichen Palast verwandelt worden.« Und als sie aufgestanden waren, sagte der Königssohn den drei Dienern, sie sollten hinfahren und Vater und Mutter des Mädchens zur Hochzeitsfeier herbeiholen. »Aber wo sind meine zwei Schwestern?« fragte das Mädchen. »Die habe ich in den Keller gesperrt, und morgen sollen sie in den Wald geführt werden und sollen bei einem Köhler so lange als Mägde dienen, bis sie sich gebessert haben und auch die armen Tiere nicht hungern lassen.«

Estland

Der Bösen Tochter und das Waisenmädchen

Eine Mutter hatte eine Tochter. Sie lebten und lebten und gingen einmal zu Gast; und da geschah es, daß sie vom Wege abirrten. Die Böse gesellte sich zu ihnen; sie schleppte die Mutter, sie schleppte auch die Tochter hinweg. Sie lebten bei der Bösen; da tötete die Böse die Mutter, kochte sie in einem Kessel und verzehrte sie. Die Tochter weinte und weinte, die Mutter rief: »Kindlein, weine nicht, nimm meine Gebeine und schlag sie in ein weißes Tuch!« Die Tochter sammelte unter dem Tisch der Mutter Gebeine, da kam die Böse hinzu: »Was machst du da? Weshalb ißt du nicht?« – »Ich hab schon an den Knochen genug.«

Am Sonnabend heizte man die Badestube. Die Böse sagte zu ihrer Tochter und zum fremden Mädchen: »Wer von euch ihr Haar schneller trocknet, die nehme ich morgen in die Kirche.« Sie gingen in die Badestube, sie wuschen sich rein; der Bösen Tochter drehte sich den Kopf ab und trocknete sich schnell das Haar.

Am Sonntag fuhr die Böse mit ihrer Tochter zur Kirche, das Waisenmädchen blieb zu Haus; sie weinte und weinte; da fragten der Mutter Gebeine: »Was ist das, ist es ein warmer Regen?« – »Das ist kein warmer Regen, das sind meine Tränen!« – »Hast du's schwer, Töchterchen?« – »Schwer, schwer, Mütterlein.« – »Geh in den Schweinestall, da wirst du finden, was dich erfreut.« Die Tochter ging in den Schweinestall: da erhielt sie herrliche Kleider, erhielt goldene Schuhe; vor der Kutsche warteten die Pferde, das Mädchen brauchte sich nur hineinzusetzen und fuhr zur Kirche; sie betete ihre Gebete und eilte wieder nach Haus. Unterwegs schaute ein Bursche: »Woher mag doch dieses schöne Mädchen sein, herrliche Kleider, eine prachtvolle Kutsche?«

Wie die Böse mit ihrer Tochter aus der Kirche kam, was das Waisenmädchen schon bei der Arbeit und fragte: »Nun, was habt ihr in der Kirche Neues gehört, gesehen?« – »Wir haben manches gesehen, was deine Augen nicht gesehen haben: ein Mädchen fuhr zur Kirche, schön war sie, stolz, herrliche Pferde hatte sie vor der Kutsche; wir konnten nicht in ihre Nähe, so drängte sich das Volk um sie; doch sie schaute nicht einmal hin; sie fuhr weg, niemand weiß, wohin.«

So lebten sie und lebten sie, bis wieder der Sonnabend da war. Man heizte die Badestube. Die Böse sagte wieder zu den Mädchen: »Wer von euch schneller ihr Haar trocknet, die werde ich morgen mitnehmen zur Kirche, die andere bleibt zu Haus.« Sie gingen in die Badestube. Der Bösen Tochter machte es natürlich keine Mühe, ihr Haar zu trocknen, sie drehte sich einfach den Kopf vom Leibe und trocknete dann das Haar.

Am Sonntag fuhr die Böse mit ihrer Tochter zur Kirche, die Waise blieb zu Haus. Sie ging wieder zu den Gebeinen der Mutter, sie weinte, weinte sehr bitter; die Gebeine sagen: »Oh, es fällt wohl ein warmer Regen!« – »O nein, es fallen meine bitteren Tränen!« – »Hast du es denn so schwer, Töchterchen?« – »Schwer, ja, Mütterchen.« – »Nun, tritt in den Schweinestall, da findest du vielleicht, was dich erfreut.« Das Mädchen trat in den Schweinestall und erhielt dort schöne Kleider, goldene Schuhe und eine Kutsche mit prachtvollen Pferden. Das Mädchen setzte sich in die Kutsche, fuhr zur Kirche, betete inbrünstig, betete unter vielen Tränen. Dann fuhr sie wieder dem Hause zu. Der Bursche schaute wieder und spähte: »Wohin mag sie doch fahren?« Nichts sah er, verschwunden war sie; das Mädchen saß schon zu Hause bei der Arbeit.

Die anderen kamen auch bald nach Hause und erzählten, welch eine Pracht sie erschaut; heute seien sie schon etwas näher gekommen. »Du Armselige, du hast gar nichts gesehen!« – »Wo soll ich, arme Waise, weder komm ich zur Kirche noch anderswohin!«

Es kam der dritte Sonnabend; man ging in die Badestube; der Bösen Tochter hatte ihr Haar wieder schneller trocken: sie drehte nur den Kopf vom Leibe und trocknete dann. Am Sonntag mußte natürlich die Waise zu Hause bleiben, die anderen fuhren zur Kirche. Die Waise weinte bitter bei der Mutter Gebeinen. Die Gebeine fragten: »Ist das ein warmer Regen?« – »Nein, das sind meine bitteren Tränlein!« – »Geh, Tochter, in den Schweinestall, da erhältst du, was dich erfreuen soll.« Die Tochter ging in den Schweinestall und erhielt noch prächtigere Kleider als früher, erhielt goldene Schuhe; sie setzte sich in die Kutsche, fuhr zur Kirche, betete in der Kirche inbrünstig, betete von ganzem Herzen; wie sie gebetet hatte, fuhr sie wieder dem Hause zu.

Doch der Bursche hatte erspäht, wohin sie fuhr; er versteckte sich unter einer Brücke, und als das Mädchen vorbeifuhr, kam er unter der Brücke hervor und hielt die Pferde an: »Wohin fährst du, wer bist du?« – »Halte mich nicht an, ich muß schnell nach Hause fahren.« – »Ich komme zu dir auf die Freite!« – »Du wirst mich nicht erkennen!« – »Gib mir einen Goldschuh, wem dieser paßt, die will ich heiraten.« Das Mädchen gab ihm einen Goldschuh.

Der Bursche nahm den Schuh und ging auf die Freite: »Wem dieser Schuh paßt, die soll die Meine werden.« Die Böse gab den Schuh ihrer Tochter; dieser paßt der Schuh nicht, ihr Fuß ist zu groß. Da nahm die Mutter ein Beil, hieb ihr eine Zehe ab, brachte das Mädchen zum Freier: »Hier ist die Deinige!« Der Bursche nahm sie und erkannte nicht, daß es eine Fremde war.

Schon fuhr er, da sah er: am Wege ein Apfelbaum, voll goldener Äpfel, ein kleiner See, goldene Fische darin. Diese Apfelbäume, diese goldenen Fische – alles war entstanden aus den Eingeweiden der Mutter des armen Mädchens, als die Böse sie getötet hatte. Der Freier erblickte die Äpfel, die Fische und sagte: »Wer mir einen Apfel holt, wer mir einen Fisch holt, die will ich heiraten.« Die Tochter der Bösen ging, um das Verlangte zu holen, konnt es aber nicht: der Apfel schlägt sie, der Fisch schwimmt weit weg in den See. Da kam das Waisenmädchen, nahm den Apfel, nahm das Fischlein, gab sie dem Freier und sang selbst dazu:

»Bringet als letzte,
Haltet für die geringste –
Werfet nieder meinen Goldschuh!«

Der Freier erkannte die Seinige, er hielt an, warf der Bösen Tochter in den See und nahm das Waisenmädchen mit sich. Nach einiger Zeit begab sich die Böse zur Tochter, um zu sehen, wie es mit der jungen Frau Gesundheit stehe. Als sie zum See kam, sah sie: unter der Brücke wuchs ein hoher Rohrstengel hervor; dieser war entstanden aus der Tochter Nabel. Die Böse dürstete; als sie unter die Brücke ging, um ihren Durst zu löschen, da sang das Rohr:

»Mütterchen, Mütterchen,
Reiß mich aus der Erde,
Mütterchen, Mütterchen!«

Die Mutter erkannte, wer das sang; sie riß das Rohr heraus, und die Tochter war sofort am Leben. Dann fuhren sie zum Schwiegersohn; da stillte die Mutter grade ihr kleines Kindlein. Die Böse warf der Frau eine Wolfshaut über; die Frau wurde zur Wölfin und lief weg in den Wald. Die Böse bettete unter die Decke statt der Frau ihre eigene Tochter, doch diese hatte dem Kinde keine Nahrung zu bieten; das Kind schrie, es schrie so, daß es traurig anzuhören war.

Die Hirtin aber hatte dieses alles gesehen, sie nahm das Kind, trug es zum Walde und sang:

»Mütterchen, Mütterchen,
Komm und biet die Brust dem Kindlein!
Judas läßt dein Kindlein saugen
Morgens an dem Stuteneuter,
Mittags saugt es an der Spindel!«

Eine Wölfin kam aus dem Dickicht und warf ihre Haut auf einen Stein; es war des Kindes Mutter; sie bot ihrem Kind die Brust und verschwand dann wieder im Walde.

Am zweiten Tage brachte die Hirtin das Kind wieder zum Walde, um es stillen zu lassen. Sie sang:

»Mütterchen, Mütterchen,
Komm und biet die Brust dem Kindlein!
Judas läßt dein Kindlein saugen
Morgens an dem Stuteneuter,
Mittags saugt es an der Spindel!«

Wieder kam die Wölfin aus dem Walde, warf ihre Haut auf den Stein, stillte das Kind und verschwand darauf. Doch der Mann hatte es zufällig gesehen; er kam zur Hirtin: »Was ging hier vor sich?« Die Hirtin entdeckte ihm alles: »Zwei Personen kamen zu dir zu Gast, die andere blieb, deine Frau wurde in eine Wölfin verwandelt.«

Der Mann ging, um sich das Los werfen zu lassen; wie die Weise ihn lehrte, so führte er es aus: er brannte den Stein heiß, brannte ihn glühend. Die Frau kam wiederum ihr Kind stillen; sie warf die Wolfshaut auf den Stein, diese verbrannte sofort. Der Mann hatte wieder seine Frau und brachte sie nach Hause; doch der Bösen Tochter erschlug er mit dem Schwert.

Da fing er wiederum mit seiner Frau an zu leben, und die Böse kam nicht mehr, um ihnen nachzustellen.

Finnland

Schmied Ilmarinen als Freier

Schmied Ilmarinen stand in seiner Werkstatt und legte Eisen in die Esse. Da kam eine Frau an die Tür und sagte: »Wenn du wüßtest, Schmied Ilmarinen, was ich weiß, dann würdest du nicht das Eisen ins Feuer legen!« Da antwortete der Schmied: »Kleine Frau, wenn du mir gute Nachricht bringst, dann gebe ich dir auch ein gutes Geschenk; bringst du aber schlechte Botschaft, dann stoße ich dir das glühende Eisen in die Kehle!« Die Frau antwortete: »Das ist meine Botschaft: »Zu der Tochter des Bergkönigs, der weißen gesunden, schönen Katrina, fahren im Boot zwei Freier!«

Als der Schmied das gehört hatte, nahm er sogleich das Eisen aus der Esse, ging in tiefen Gedanken nach Hause, kam zu seiner Mutter und sagte: »Liebe Mutter, setze den kupfernen Kessel zum Baden ans Feuer und sorge, daß die Herdplatte heiß und die Herdsteine glühend werden.« Die Mutter richtete in der Sauna das Bad und hieß den Sohn hineingehen. Da sprach wieder der Schmied zur Mutter: »Gib mir ein frisches leinenes Hemd, Strümpfe und Hosen!« Die Mutter brachte ihm alles in die Sauna, und der Sohn ging ins Bad.

Bald danach kam er frisch gebadet eilig ins Wohnhaus, legte den Gürtel um, zog Schuhe an und sagte zu seinem Knecht: »Alter treuer Junge, schirre das vortreffliche falbe drei Sommer alte Fohlen und spanne es an den bunten Schlitten, lege ihm die eisernen Ketten, das kupferne Geschirr, den stählernen Zaum und das zinnerne Kummet an.« Da holte der alte getreue Knecht das wilde falbe dreisommerige Fohlen und begann es anzuschirren. Aber er konnte das wilde Tier nicht ins Geschirr bringen. Da kam der Schmied Ilmarinen selbst, die Lenden umgürtet und Schuhe an den Füßen, um dem Knecht zu helfen. Er zwang das Fohlen in das Kummet und steckte es in das Geschirr. Zuletzt ging er noch einmal in die Stube, um der Mutter Lebewohl zu sagen. »Liebe Mutter«, sagte er, »segne mich zu meiner Reise, denn ich fahre aus, um mir die Braut zu holen!«

Nachdem ihn die Mutter gesegnet hatte, setzte er sich in den bunten Schlitten mit dem wilden falben dreisommerigen Fohlen, mit den eisernen Ketten, dem kupfernen Geschirr, dem stählernen Zaum, dem zinnbeschlagenen Kummet und fuhr über das feuchte, rauschende Meer, ohne daß der Schlitten einsank oder eine Spur hinterließ. Es dauerte nicht lange, da traf er die zwei Ruderer im Boot, von denen die Frau gesprochen hatte, und sie fuhren zusammen weiter.

Von ihrem Schloß am Ufer des Meeres schaute die Tochter des Königs der Berggeister, die schöne weiße, gesunde Katrina, übers Meer, bemerkte dort die Reisenden und sprach zu ihrem Vater: »Lieber Vater, dort kommen drei Freier zu mir, zwei rudern in einem Boot, der dritte fährt im Schlitten.«

Es dauerte nicht lange, da kamen die drei Reisenden in die Nähe und fuhren vor das Schloß des Berggeistes. Der König nahm sie freundlich auf und bewirtete sie mit allerlei guten Speisen und Getränken. Als sie gegessen hatten, sagten sie zu dem verwunderten König: »Wir kommen als Freier der schönen Katrina!«

Der König verlangte zuerst von ihnen eine Probetat und fragte: »Wer von euch wagt es, mir mein Feld voller Schlangen ohne Schuhe an den Füßen und mit nackten Beinen zu ackern?« – »Ich ackere das Feld um«, sagte Ilmarinen mutig, aber die beiden andern Freier wagten nicht, die schreckliche Arbeit zu beginnen, sondern verbeugten sich vor dem König und gingen ihres Wegs.

Der Schmied schirrte sogleich sein vortreffliches falbes Fohlen, spannte es vor den Pflug und begann, das Feld umzuackern. Das Feld wimmelte von Schlangen. Sie waren zwei Ellen lang und krochen immerzu vor dem Pflug und den Füßen des Schmiedes umher, aber sie taten ihm kein Leid. Er brachte die Arbeit bald zu Ende, ging froh zum König und sagte: »Mein König, das Schlangenfeld ist umgeackert!« – »Gut«, antwortete der König, »aber du mußt noch eine andere Arbeit vollbringen. Kannst du auf meiner Viehweide einen See schaffen, in dem große Fische schwimmen und kleine springen?« »Jawohl, das kann ich«, antwortete Ilmarinen und ging ohne Zögern auf die Viehweide.

Dort sang er eine Zauberweise, und sogleich entstand auf der Viehweide ein See, in dem große Fische schwammen und kleine sprangen. Dann ging er wieder zum König und sagte, sich verbeugend: »Ich habe Euern Wunsch erfüllt.« Da sagte der König zu dem Schmied: »Du hast deine Arbeit gut gemacht, gehe jetzt und bringe deiner Braut, der schönen Katrina, vom Ufer des Meeres die Truhe, die dort seit langer Zeit versteckt ist.«

Was war da zu machen?! Der Schmied ging, die Truhe zu suchen, an das Ufer des Meeres. Dort sah er drei schöne Jungfrauen sitzen und begann, sich mit ihnen zu unterhalten, und fragte: »Oh, meine Jungfrauen, wißt ihr, wo der Morgengabekasten der schönen Katrina ist?« – »Der ist in der Gewalt des alten Lindwurms, der dort in der Hütte zu sehen ist. Gehe zu ihm und frage, ob er ihn dir überläßt, aber sei sehr vorsichtig, viele sind schon dorthin gegangen, aber wenige sind zurückgekommen.« Der Schmied ging zu der Hütte, wie ihm geraten worden war, und schaute durch das Fenster hinein. Da lag der Lindwurm mit dem verschlungenen Leib in der Stube, Schwanz und Kopf an der Tür. Der Schmied schlich sich an die Türe, sprang mit einem Satz mitten in die Stube und rief: »Gib, alter Lindwurm, mir den Morgengabekasten der schönen Katrina!« Da antwortete der Lindwurm: »Wenn du auf meine Zunge springen und tanzen kannst, dann gebe ich dir den Morgengabekasten.«

Der Schmied bedachte sich nicht lange, sondern trat dem Lindwurm auf die Zunge und begann, darauf hin und her zu springen. Aber sogleich öffnete der alte Lindwurm die Kiefer, daß eineinhalb Ellen lang das Maul aufstand, und obwohl es mit riesigen Zähnen bewehrt war, gelangte der Schmied unverletzt in den Bauch des Untieres. Er ängstigte sich nicht, sondern warf die Kleider ab, machte aus seinem Hemd eine Schmiede, aus seinen Hosen den Blasebalg, das linkc Knie war sein Amboß, die linke Hand seine Zange und die rechte sein Hammer, und dann begann er, in dem Bauch des Lindwurms zu klopfen und zu hämmern. Von seinem Hemd nahm er die Schnalle und machte daraus einen Vogel mit eisernen Federn und einem stählernen Schnabel.

Als er ihn fertig hatte, sang er eine Zauberweise. Sogleich kam Leben in das Herz des Vogels; er begann, umherzufliegen und die Eingeweide des Lindwurms zu zerreißen. Er zerriß mit seinen eisernen Krallen alle Adern und hackte schließlich mit seinem stählernen Schnabel ein großes Loch in die Weiche des Ungeheuers. Das bereitete dem Lindwurm solche Schmerzen, daß er in seiner Not ausrief: »Wenn du, Schmied Ilmarinen, aus meinem Bauch herausgehst, dann bekommst du den Morgengabekasten der schönen Katrina. Gehe an das Ufer des Meeres. Dort, wo die drei Jungfrauen am Ufer sitzen, ist er im Sande vergraben.«

Als das der Schmied hörte, kroch er durch das Loch aus dem Bauch des Lindwurmes heraus, ging durch die Tür auf den Hof und zu den drei Jungfrauen an das Meeresufer und sagte zu ihnen: »Ihr lieben Jungfrauen, gebt mir den Morgengabekasten der schönen Katrina, der Lindwurm hat ihn mir versprochen!« – »Nimm, hier im Sand ist der Kasten, hebe ihn auf und trage ihn fort!« sagten die Jungfrauen und zeigten dem Schmied, wo der Kasten versteckt war. Da grub er den Kasten aus dem Sand, trug ihn zum König und sagte: »Hier ist der schönen Katrina Morgengabekasten, den zu suchen Ihr mir befohlen habt.« Der König war sehr zufrieden, daß der Schmied die Morgengabetruhe von dem Ungeheuer geholt hatte, und gab ihm seine Tochter, die weiße gesunde, schöne Katrina zur Frau und segnete sie für ihre Reise.

Darauf setzte sich der Schmied mit seiner Frau in den bunten Schlitten, spannte das vortreffliche dreisommeralte Fohlen mit den eisernen Ketten, dem kupfernen Geschirr, dem stählernen Zaum, dem zinnernen Kummet ein und hinterließ keine Spur. Er fuhr und fuhr, aber die Nacht überraschte sie auf dem Meere. Da sang der Schmied eine Zauberweise – sogleich entstand mitten im Meer eine Insel, und der Schmied stieg mit seiner Frau an Land, um dort zu schlafen. Sie ruhten, bis der Morgen anbrach.

Als dann der Schmied erwachte und um sich schaute, sah er nirgends seine Frau. Er stand von seinem Bett auf, ging an das Ufer des Meeres und zählte dort alle Enten in der Nähe der Insel: da war eine zuviel. Als er das sah, sang er eine Zauberweise und sagte: »Verstecke dich nicht, Katrina, hier bist du!« Und sogleich stand an Stelle der Ente seine Frau zitternd vor ihm.

Sie begaben sich wieder auf das Meer und fuhren so schnell als möglich, aber die Nacht erreichte sie wieder auf dem Meere. Und wieder sang der Schmied seine Zauberweise, und wieder entstand eine Insel mitten im Meer; sie gingen an Land, um dort die Nacht zu ruhen. Die Nacht verging, der Morgen kam, der Schmied erwachte und schaute um sich, aber von seiner Frau war nichts zu sehen. Er stand eilig von seinem Lager auf und zählte alle Bäume auf der Insel; da war ein Baum zuviel. Er sang seine Zauberweise und sagte: »Verstecke dich nicht, schöne Katrina, da bist du!« Und sogleich stand an Stelle des Baumes seine Frau zitternd vor ihm.

Alsdann setzte sich der Schmied Ilmarinen wieder mit seiner Frau in den bunten Schlitten mit dem vortrefflichen falben dreisommeralten Fohlen und fuhr eilig übers Meer. Man fuhr den ganzen Tag, bis die Nacht kam. Da sang der Schmied wie zuvor seine Zauberweise, und sogleich erhob sich aus dem Meere eine Insel, auf der sie die Nacht ruhten. Die Nacht verging, der Morgen kam, der Schmied erwachte aus seinem Schlaf, aber seine Frau war verschwunden. Da wurde der Schmied zornig auf seine Frau, stand eilig auf, kam an das Meeresufer, ging dort hin und her und zählte die Steine. Dabei bemerkte er, daß ein Stein überzählig war. »Verstecke dich nicht, Katrina, du bist hier!« sagte der Schmied, sang seine Zauberweise, und sogleich stand seine Frau wieder vor ihm. Da sprach der Schmied in seinem Zorn: »Ich habe deinetwegen, schöne Katrina, viele Arbeit getan, habe viel Not erlebt, aber du täuschst mich immer, deshalb sollst du für ewige Zeiten auf dem Meere wohnen!« Als der Schmied das gesagt hatte, sang er wieder eine Zauberweise, und seine Frau, die weiße gesunde, schöne Katrina, verwandelte sich in eine Möve, die ewig über dem Meere fliegen muß.

Aber das Leben ohne seine Frau wurde dem Schmied langweilig. Deshalb machte er sich aus Kupfer eine andere Frau, sang eine Zauberweise, da kam Leben in das Herz der Frau. Diese selbstgefertigte Frau nahm er zu sich und legte während des Schlafes die eine Hand auf ihre Brust, die andere Hand auf seine eigene. Als er am anderen Morgen erwachte, spürte er, daß die Hand, die auf seiner eigenen Brust gelegen hatte, warm war, die andere aber, die an der Brust der Frau gelegen hatte, war kalt. Da sprach Ilmarinen, der ewige Schmied: »Wer keine wirkliche Frau schaffen kann, soll lieber eine lebende nehmen.« – Dann sang er wieder eine Zauberweise und gab der Möve ihre frühere Gestalt zurück: die Gestalt der schönen weißen, gesunden Katrina, wie sie von Natur gewesen war. Mit ihr setzte er sich dann in den Schlitten mit dem vortrefflichen falben Fohlen und fuhr eilig nach Hause, wo die Mutter die Schwiegertochter freundlich empfing.

Das war die Geschichte.

Frankreich (Auvergne)

Die drei kleinen Hühnchen

Es waren einmal drei kleine Hühnchen, welche der Vater und die Mutter aus dem Hause gejagt hatten: ein weißes, ein schwarzes und ein rotes. Nachdem sie eine Weile geweint hatten, sagten sie zueinander: »Was sollen wir machen?« Sie gingen auf Abenteuer aus und wanderten weit, weit, weit davon. Nachdem sie eine Zeitlang gewandert waren, fanden sie einen großen Steinhaufen. Sie machten halt und sagten zueinander: »Wenn wir mit diesen Steinen eine kleine Hütte bauen würden?« Gesagt, getan; sie machten sich an die Arbeit. Als die Hütte fertig war, sagte das rote Hühnchen, welches das schlauste war: »Ich will versuchen, ob sie gut schließt.« Es schloß sich ein und wollte den andern nicht öffnen. Das schwarze und das weiße Hühnchen sahen, daß hier auf keine Barmherzigkeit zu hoffen sei, und gingen weiter.

Sie fanden einen anderen Steinhaufen und sagten zueinander: »Wenn wir eine kleine Hütte bauen würden?« Gesagt, getan; sie machten sich an die Arbeit. Als die Hütte fertig war, sagte das schwarze: »Ich will versuchen, ob sie gut schließt!« Es schloß sich ein und wollte dem weißen nicht öffnen.

Das arme weiße ging unter Tränen davon; es begann zu laufen, aber das nützte ihm nichts, nirgends fand es etwas. Die Nacht überraschte es, da hielt es inne und weinte: »Ach, was soll aus mir werden?« Im gleichen Augenblicke bemerkte es eine schöne Frau, welche zu ihm sprach: »Was machst du da, liebes kleines Hühnchen? Warum weinst du?« Das kleine Hühnchen erzählte ihr, was geschehen war. Die schöne Frau aber war die heilige Jungfrau, sie sagte zu ihm: »Weine nicht mehr, du wirst eine schönere Hütte bekommen als deine Schwestern. Aber behalte gut in acht, was ich dir sage: wenn jemand an deine Türe klopft, so darfst du nicht öffnen, denn es möchte der Wolf sein, der dich fressen will.« Mit diesen Worten verschwand die heilige Jungfrau, und an ihrer Stelle stand ein schönes Schloß.

Der Wolf kam zur Hütte des kleinen roten Hühnchens und sagte zu ihm: »Mach mir auf!« Das kleine Hühnchen antwortete: »Nein, nein, nein, du bist der Wolf, du würdest mich fressen!« Der Wolf sagte zu ihm: »Ich werde trampeln und trampeln, bis deine Hütte einbricht!« Das kleine Hühnchen erwiderte: »Du magst trampeln und trampeln, meine Hütte wird nicht einbrechen!« Er trampelte und trampelte, die Hütte brach ein, und der Wolf fraß es.

Dann ging er zur Hütte des kleinen schwarzen Hühnchens und sagte zu ihm: »Kleines Hühnchen, mach mir auf!« »Nein, nein, nein, du bist der Wolf, du würdest mich fressen!« »Ich werde trampeln und trampeln, bis deine Hütte einbricht!« »Du magst trampeln und trampeln, meine Hütte wird nicht einbrechen.« Er trampelte und trampelte, die Hütte brach ein, und der Wolf fraß es.

Er ging zur Hütte des kleinen weißen Hühnchens und sagte zu ihm: »Kleines Hühnchen, mach mir auf!« »Nein, nein, nein, du bist der Wolf, du würdest mich fressen!« »Ich werde trampeln und trampeln, bis deine Hütte einbricht!« »Du magst trampeln und trampeln, meine Hütte wird nicht einbrechen.« Er trampelte und trampelte, aber die Hütte brach nicht ein, und der Wolf kam um. Der Hahn krähte, und das alberne Geschichtchen ist aus.

Griechenland

Die Königstochter, die nicht sprach

Nun fängt unser Märchen an.
Guten Abend,
Freut euch daran

Es war einmal und war auch nicht. Einstmals lebte ein König, der hatte in seiner Truhe ein Bild. Diese Truhe hielt er immer verschlossen. Einmal am Tag öffnete er sie, nahm das Bild heraus, küßte es und weinte darüber.

Eines Tages vergaß er, die Truhe zu verschließen, sein Sohn kam hinzu, öffnete sie und fand das Bild. Kaum hatte er es betrachtet, als er sich schon in das dargestellte Mädchen verliebte. Er eilte zu seinem Vater und sprach zu ihm: »Vater, gib mir einige Goldstücke und erlaube mir, auszuziehen und das Mädchen zu gewinnen.« – »Ach, mein Kind«, sagte der König, »viele Königssöhne verloren schon ihr Leben, weil sie diese Königstochter gewinnen wollten, aber keinem gelang es! Denn die Königstochter stellt eine Bedingung: nur wer sie zum Sprechen bringen kann, soll sie bekommen. Keinem ist es je gelungen, und sie hat alle getötet.« – »Ich werde hingehen und sie zum Sprechen bringen!« sagte der Königssohn. Was sollte der König tun? Weil er seinen Sohn nicht zurückhalten konnte, gab er ihm seinen Segen, ein Beutelchen mit Goldstücken und ein gutes Pferd. Da saß der Königssohn auf und ritt davon.

Als er so von Land zu Land zog, kam er in eine Stadt, auf deren Markt man viele, viele Vögel verkaufte. Wie er so an den Vögeln vorbeischlenderte, sah er in einem abgelegenen Lädchen einen Käfig stehen mit einem Vogel, einer Nachtigall.

»Für wieviel verkaufst du den Vogel?« fragte er den Kaufmann. – »Du kannst ihn nicht kaufen. Er ist zu teuer für dich!« – »Warum ist er teuer?« »Weil er sprechen kann wie ein Mensch.« – »Wieviel willst du für ihn haben?« – »Fünftausend – Goldstücke.« – »Fünftausend? Soviel geb ich dir auch.« – Der Königssohn zählte dem Kaufmann die Goldstücke hin, und der Kaufmann gab ihm die Nachtigall.

Am Abend fragte das Vögelchen den Königssohn, warum er unterwegs sei. Antwortete der: daß er die Königstochter holen wolle, die nicht spräche, und daß man ihn töten würde, könne er sie nicht zum Sprechen bringen. »Mach dir keine Sorgen«, sagte die Nachtigall, »wir werden ihr das Sprechen schon beibringen. Wir wollen zusammen in ihr Zimmer gehen, und du wirst mich an eine Stelle setzen, an der mich keiner sehen kann. Dann wollen wir uns etwas erzählen, was ihr gar nicht gefallen soll, und so wird sie sich bequemen, ein, zwei Worte zu sagen.«

Als Gott es hatte Tag werden lassen, stieg der Königssohn aufs Pferd, nahm auch die Nachtigall mit und ritt in die Stadt, in der die Königstochter lebte. Dort suchte er sich ein Haus und wohnte darinnen. Nachdem er sich einige Tage umgeschaut hatte, erschien er vor dem König und sagte zu ihm: »Ich kam zu dir, Aféndi König, um deine Tochter zu gewinnen.« – »Wenn du sie dreimal zum Sprechen bringen kannst, will ich sie dir geben. Komm heute abend in den Palast, geh zu meiner Tochter in das Zimmer und sieh zu, ob sie mit dir spricht. Mir ist es leid, die vielen Palikária unnötig sterben zu sehen.«

Am Abend also, nachdem der Königssohn gegessen hatte, nahm er die Nachtigall und ging zum Palast. Er begrüßte den König, und dann ließ er sich in das Zimmer der Königstochter bringen. Sie saß hinter einem dicken Vorhang und hatte eine Dienerin bei sich. Der Königssohn setzte sich vor den Vorhang und sagte. »Guten Abend, Prinzessin.« Eine Antwort erhielt er nicht. Da sprach der Königssohn weiter: »Warum, meine Königin, sprichst du nicht mit mir? Warum, meine Herrin? Deinetwegen verließ ich mein väterliches Haus und machte mich auf einen langen Weg, um zu dir zu kommen. Und du? Welch ein Hochmut! Bedauerst du nicht meine Jugend, mein Leben, wenn ich deinetwegen sterben soll? Was hast du für ein hartes Herz in deiner Brust! Du bist von keiner Mutter geboren! Bist du aus Stein?« Wie sollten solche Worte die Königstochter zu einer Antwort bewegen, sie hatte sie schon so oft gehört!

Da stellte der Königssohn den Käfig unter einen Schemel und sprach: »He, mein Schemelchen, die Nacht ist lang, wie wird sie vergehen? Deine Herrin macht sich nichts aus mir, sie spricht nicht. Komm, da wollen wir zwei zusammen reden und uns unterhalten, damit die Nacht verstreicht und der Tag anbricht und wir an unsere Arbeit gehen können.« – »Es sei, Aféndi, erzähle du, ich werde zuhören«, sagte die Nachtigall. Die Königstochter aber glaubte, der Schemel spräche. »Hör also, ich werde dir ein Märchen erzählen«, sagte der Königssohn.

»Zu irgendeiner Zeit lebten einmal drei Brüder; der eine war Pope, der andere Schneider und der dritte Tischler. Sie machten sich gemeinsam auf eine Reise und übernachteten dabei im Wald. Damit sie nicht von den Unholden gefressen würden, beschlossen sie, daß einer nach dem anderen wachen solle, während zwei andere schlafen könnten. Der Schneider und der Pope legten sich also hin, und der Tischler wachte. Um nicht einzuschlafen, nahm er sein Arbeitszeug und ein dickes Stück Holz, schnitzte daraus eine Frau mit Händen und Füßen und stellte sie aufrecht hin. Nachdem einige Stunden vergangen waren, weckte er den Schneider und legte sich selber schlafen. Der Schneider bemerkte die Frau und glaubte, einen Geist zu sehen. Er rieb sich gut die Augen und gewahrte, daß sie aus Holz war. Da sagte er sich in seinem Sinn: Sieh mal meinen Bruder an, das hat er sicher gemacht, um mich zu erschrecken. Und er nahm sein Handwerkszeug, nähte ein Kleid und zog es der hölzernen Frau an. Später weckte er den Popen und legte sich selber wieder schlafen.

Als der die hölzerne Frau sah, betete er zu Gott, und Gott gab ihr eine Seele, und sie wurde eine wirkliche Frau. Es begann zu dämmern, die andern wachten auf, und nun stritten sie sich alle drei, wer die Frau bekommen sollte. Der Tischler sagte: »Ich werde sie nehmen, denn ich habe sie geschnitzt.« – »Ich habe sie angezogen«, meinte der Schneider. – »Ich muß sie bekommen, denn ich habe zu Gott gebetet, und er hat ihr eine Seele gegeben«, sagte der Pope. –

»Nun, mein Schemelchen, wer, meinst du, hat das Recht, die Frau zu nehmen: der Tischler, der Schneider oder der Pope?« – »Der Tischler muß sie bekommen«, sagte die Nachtigall. – »Das glaube ich auch«, meinte der Königssohn.

»Der Pope soll sie kriegen, der ihr eine Seele gegeben hat«, rief die Königstochter hinter dem Vorhang. – »Und ich werde dich bekommen, meine Herrin«, antwortete der Königssohn, nahm die Nachtigall und ging fort.

Die Prinzessin war zornig, weil sie gesprochen hatte, und schlug den Schemel in lauter kleine Stücke. Denn sie glaubte, der Königssohn habe mit dem Schemel gesprochen.

Der Tag brach an, und der Königssohn ging zum König. Der fragte ihn: »Was hast du gemacht, mein Sohn?« – »Ich habe deine Tochter zum Sprechen gebracht.« – »Bringst du sie noch zwei weitere Abende zum Sprechen, dann wirst du sie bekommen.«

Am Abend ging der Königssohn wieder in den Palast. Er stellte den Käfig auf ein Wandbrett und sagte: »Guten Abend, Prinzessin.« Die schwieg wieder. »Ach, Herrin, du bist böse, weil ich dich gestern zum Sprechen brachte, ohne daß du es wolltest! Nun, wer böse ist, muß sich zweimal anstrengen, einmal, um böse zu werden, und einmal, um wieder gut zu werden. Ich kann mich auch mit deinem Wandbrett unterhalten. Du kannst deinen Zorn für dich behalten, aber warten wir einmal, wie lange. Guten Abend, Brettchen!« – »Guten Abend, und alles Gute wünsche ich dir, Aféndi!« sagte die Nachtigall hoch von ihrem Brettchen herunter. – »Heute Nacht will ich mich mit dir unterhalten. Deine Herrin ist zornig, weil ich sie wider ihren Willen zum Sprechen brachte. Ich werde dir ein Märchen erzählen. Hör mir zu!« – »Ich höre«, sagte die Nachtigall.

»Es war einmal und war auch nicht. Einmal liebten drei Freunde das gleiche Mädchen. Das Mädchen sagte zu ihnen: ›Ich habe euch alle drei lieb, aber ich kann euch nicht alle drei heiraten. Geht in die Fremde und lernt eine Kunst. Wer die beste Kunst gelernt hat, den will ich zum Mann nehmen!‹

Als die Freunde sie so sprechen hörten, stiegen sie auf ihre Pferde und ritten alle drei zusammen fort. Zwei Tage Wegs waren sie geritten, da kamen sie an eine Gabelung von drei Wegen und hielten an.

»Nun, Freunde«, sagte der eine, »hier wollen wir uns trennen. Da wir nun einmal zusammen ausgezogen sind, wollen wir uns auch hier wieder treffen, wenn jeder etwas gelernt hat und gemeinsam in unser Dorf zurückkehren.« – »Gut«, sagten die andern. Nachdem sie sich geküßt hatten, trennten sie sich, und jeder zog seines Wegs.

Der Erste wurde Arzt, der Zweite lernte alles zu hören, was auf der weiten Welt geschah, indem er sein Ohr auf die Erde legte. Der Dritte fand lange keine Kunst, die ihm gefiel. Immer weiter zog er von Land zu Land, ohne etwas zu finden. Eines Tages verlor er den Weg. Ein Pfad führte ihn endlich zu einer Einsiedelei in den Bergen. Er fand den Einsiedler beim Gebet, doch dieser hielt inne, als er ihn sah und fragte ihn: »Was suchst du, Knabe, hier in den Bergen?« Der Palikári erzählte ihm von seinem Kummer. Da betete der Einsiedler zu Gott, und Gott gab dem Palikári die Fähigkeit zu fliegen. Dann sagte der Einsiedler: »Jetzt geh, mein Kind, mit dem Segen Gottes. Mit dieser Gabe, glaube ich, wirst du das Mädchen gewinnen!« Der Palikári küßte dem Einsiedler die Hand, flog fort und kam an den Kreuzweg. Dort wartete er auf die anderen beiden. Als alle angelangt waren, fragten sie einander, was für eine Kunst ein jeder gelernt habe. »Ich lernte, mein Ohr auf die Erde legen und damit alles zu hören, was auf der Welt vor sich geht«, sagte der Erste. – »Wenn es so ist, tu es, damit wir wissen, wie es unserem Mädchen geht«, sagten die andern.

Der legte nun sein Ohr auf die Erde und hörte, daß das Mädchen todkrank sei. »Ach«, sagte der Zweite, »wenn ich dort wäre! Ich bin Arzt geworden, könnte das Mädchen diesen Trank zu sich nehmen, würde es schnell wieder aufstehen!« Er hatte kaum seine Worte zu Ende gesprochen, da riß ihm der Dritte die Arznei aus der Hand und flog damit fort. Im gleichen Augenblick war er auch schon bei dem Mädchen, flößte ihr den Trank ein, und sie wurde gesund. –

»Ei, Brettchen, was sagst du jetzt? Wer von den Dreien soll das Mädchen bekommen? Ich meine, der muß sie kriegen, der sein Ohr auf die Erde gelegt und gehört hat, daß sie todkrank war.« – »Aus dem Munde hast du es mir genommen«, sagte die Nachtigall, »auch ich wollte das sagen.«

»Der mit der Arznei fortflog, soll sie bekommen!« rief die Prinzessin. »Und ich werde dich bekommen, meine Herrin!« antwortete der Königssohn, nahm das Vögelchen und ging fort.

In ihrem Zorn holte die Königstochter eine Axt und zerschlug das Brettchen.

Die dritte Nacht brach an. Der Königssohn ging wieder in das Zimmer der Prinzessin, stellte den Käfig mit der Nachtigall auf eine Truhe und sagte: »Guten Abend Prinzessin!« Die Prinzessin blieb mäuschenstill. »Ah, sind wir wieder zornig? Nun, dann wollen wir mal überlegen, womit wir die Nacht verbringen können. Truhe, du mußt mir heute Abend Gesellschaft leisten. Willst du mir ein Märchen erzählen, oder soll ich dir eins erzählen?« – »Erzähl du mir eins, Aféndi. Wie soll ich hier, wo ich stehe, Märchen lernen? Eine Herrin habe ich, die ist von Stummheit befallen und spricht nichts.« »Dann werde ich dir eins erzählen«, sagte der Königssohn.

»Vor langer Zeit lebten zwei Brüder, der eine verheiratet und der andere ledig. Eines Tages gingen beide fort, um in einem fernen Land zu arbeiten. Ein, zwei Stunden hatten sie sich von ihrem Ort entfernt, da wurden sie von Räubern überfallen und geköpft. Die Frau des Verheirateten hörte das, ging ihnen nach, fand die Toten und beweinte sie. Wie sie so weinte, sah sie zwei Schlangen sich bekämpfen. Die eine tötete die andere. Dann holte die lebendige ein Kraut, zerkaute es und legte es auf die Tote, und die wurde wieder lebendig. Die Frau sah dieses Wunder und suchte das gleiche Kraut und zerrieb es zwischen zwei Steinen. Als sie jedoch die Brüder wieder zum Leben erwecken wollte, nahm sie in ihrer Verwirrung ihres Mannes Kopf und setzte ihn auf den Körper seines Bruders, und dessen Kopf setzte sie auf den Körper ihres Mannes. Nun rieb sie die beiden Toten mit dem Kraut ein, und in dem Augenblick wurden die Männer wieder lebendig. Da erst merkte sie den großen Fehler, den sie gemacht hatte, und wußte nicht, welchen sie nehmen sollte, den mit dem Kopf oder den mit dem Körper ihres Mannes.

Ich finde es richtig, wenn sie den mit dem Körper nimmt! Du, Truhe, was sagst du?« – »Auch ich finde das«, sagte die Nachtigall.

»Die Frau soll den Körper nehmen, der ihres Mannes Kopf trägt!« rief die Prinzessin aus vollem Halse, »soll denn der Körper dem Kopf befehlen?« »Und ich werde dich nehmen, meine Königin«, sagte der Königssohn. – »Ei«, sagte die Königstochter, »da du mich zum Sprechen gebracht hast, bist du mir wohl vom Schicksal bestimmt.«

Nun verlobten sie sich, und dann feierten sie vierzig Tage Hochzeit. Und sie lebten gut, aber wir besser.

(Aus einem Privatdruck)

Großbritannien (England)

Der Hund mit den kleinen Zähnen

Es war einmal ein Kaufmann, der reiste viel in der Welt umher. Auf einer seiner Reisen griffen ihn Diebe an, und sie hätten wohl sein Geld wie auch sein Leben genommen, wenn nicht ein großer Hund zu seiner Rettung gekommen wäre und die Diebe vertrieben hätte.

Als der Hund die Diebe weggetrieben hatte, nahm er den Kaufmann in sein Haus mit, das war sehr hübsch. Er verband seine Wunden und pflegte ihn, bis er wieder gesund war.

Sobald er wieder reisen konnte, machte sich der Kaufmann auf die Heimreise. Aber bevor er aufbrach, sagte er dem Hund, wie dankbar er war für seine Freundlichkeit, und er fragte ihn, welche Belohnung er ihm dafür anbieten könne. Er sagte, er würde sich nicht weigern, ihm das kostbarste Ding zu geben, das er besitzt.

Und so sagte der Kaufmann zu dem Hund: »Nimmst du einen Fisch an, den ich besitze und der zwölf Sprachen spricht?«

»Nein«, sagte der Hund, »den will ich nicht.«

»Oder eine Gans, die goldene Eier legt?«

»Nein«, sagte der Hund, »die will ich nicht.«

»Oder einen Spiegel, in dem du sehen kannst, was jeder denkt?«

»Nein«, sagte der Hund, »den will ich nicht.«

»Was willst du dann haben?« sagte der Kaufmann.

»Ich will kein solches Geschenk haben«, sagte der Hund, »aber laß mich deine Tochter holen und sie in mein Haus nehmen.«

Als der Kaufmann das hörte, war er bekümmert, aber was er versprochen hatte, mußte geschehen. Und so sagte er zu dem Hund: »Du kannst kommen und meine Tochter holen, wenn ich eine Woche zu Hause gewesen bin.«

So kam der Hund am Ende der Woche zum Haus des Kaufmanns, um dessen Tochter zu holen. Aber als er hinkam, blieb er vor der Tür und wollte nicht hereinkommen.

Aber die Tochter des Kaufmanns tat, wie ihr der Vater gesagt hatte, und kam aus dem Haus heraus. Sie war für die Reise gekleidet und bereit, mit dem Hund zu gehen.

Als der Hund sie sah, sah er erfreut drein und sagte: »Spring auf meinen Rücken, und ich werde dich mit mir nehmen zu meinem Haus.«

So stieg sie auf den Rücken des Hundes, und fort ging es mit großer Geschwindigkeit, bis sie das Haus des Hundes erreichten, und das war viele Meilen weit weg.

Aber nachdem sie einen Monat im Haus des Hundes gewesen war, fing sie an, den Kopf hängen zu lassen und zu weinen.

»Warum weinst du?« sagte der Hund.

»Weil ich zu meinem Vater zurückgehen möchte«, sagte sie.

Der Hund sagte: »Wenn du mir versprichst, daß du zu Hause nicht länger als drei Tage bleibst, will ich dich hinbringen. Aber zuerst«, sagte er, »wie nennst du mich?«

»Einen großen, ekelhaften Hund mit kleinen Zähnen«, sagte sie.

»Dann werde ich dich nicht gehen lassen«, sagte er.

Aber sie weinte so jämmerlich, daß er wieder versprach, sie nach Hause zu bringen. »Aber bevor wir aufbrechen«, sagte er, »sag mir, wie du mich nennst.«

»Oh, dein Name ist Süß-wie-eine-Honigwabe«, sagte sie.

»Spring auf meinen Rücken«, sagte er, »und ich bringe dich nach Hause.«

So trabte er mit ihr auf dem Rücken fort und dahin vierzig Meilen weit, bis sie an einen Zaunübersteig kamen.

»Und wie nennst du mich?« sagte er, bevor sie über den Zauntritt gelangten.

Das Mädchen dachte, sie wäre schon sicher auf ihrem Weg, und sagte: »Einen großen, ekelhaften Hund mit kleinen Zähnen.«

Aber als sie das sagte, sprang er nicht über den Zaun, sondern drehte auf der Stelle um und galoppierte zurück zu seinem eigenen Haus, und das Mädchen hatte er auf dem Rücken.

Es verging eine weitere Woche, und wieder weinte das Mädchen so bitterlich, daß der Hund ihr wieder versprach, sie zu ihres Vaters Haus zu bringen.

So setzte sich das Mädchen wieder auf den Rücken des Hundes, und sie erreichten den ersten Zauntritt wie vorher. Und da hielt der Hund an und sagte: »Und wie nennst du mich?«

»Süß-wie-eine-Honigwabe«, antwortete sie.

Da sprang der Hund über den Zaun, und es ging zwanzig Meilen weiter, bis sie dann an einen anderen Zauntritt kamen.

»Und wie nennst du mich?« sagte der Hund und wedelte mit dem Schwanz.

Sie dachte mehr an ihren Vater und an ihr Zuhause als an den Hund, und so antwortete sie: »Einen großen, ekelhaften Hund mit kleinen Zähnen.«

Da geriet der Hund in großen Zorn, und er drehte auf der Stelle um und galoppierte wie zuvor zurück zu seinem eigenen Haus.

Nachdem sie eine weitere Woche lang geweint hatte, versprach ihr der Hund wieder, sie zu ihres Vaters Haus zurückzubringen. So stieg sie noch einmal auf seinen Rücken, und als sie zu dem ersten Zauntritt kamen, sagte der Hund: »Und wie nennst du mich?«

»Süß-wie-eine-Honigwabe«, sagte sie.

Da sprang der Hund über den Zaun, und weiter ging's. Nun nahm sich aber das Mädchen vor, die liebevollsten Dinge zu sagen, die ihr einfallen wollten, und so erreichten sie ihres Vaters Haus.

Als sie zu der Haustür des Kaufmanns kamen, sagte der Hund: »Und wie nennst du mich?«

Gerade in dem Augenblick vergaß das Mädchen, welche liebevollen Worte sie eigentlich sagen wollte, und fing an: »Einen großen –«, aber der Hund begann sich umzudrehen, und sie hielt sich am Türriegel fest und wollte gerade sagen: »ekelhaften«, als sie sah, wie bekümmert der Hund dreinschaute. Und weil sie sich erinnerte, wie freundlich und geduldig er mit ihr gewesen war, sagte sie: »Süßer-als-eine-Honigwabe.«

Als sie dies gesagt hatte, dachte sie, der Hund würde es zufrieden sein und davongaloppieren. Statt dessen aber stellte er sich plötzlich auf seine Hinterbeine, und mit den Vorderpfoten zog er seinen Hundekopf herunter und warf ihn hoch in die Luft. Sein Fellgewand fiel ab, und da stand der hübscheste junge Mann der Welt, und er hatte die schönsten und kleinsten Zähne, die man je gesehen hat.

Natürlich heirateten sie und lebten miteinander glücklich und in Frieden.

Großbritannien (Schottland)

Der Page und der Silberkelch

Es war einmal ein kleiner Page, der diente auf einem stattlichen Schloß. Er war ein gutmütiger Bursche und erfüllte seine Pflichten so willig und gut, daß ihn jedermann gern hatte, von dem hohen Grafen, dem er täglich mit gebeugtem Knie aufwartete bis zu dem dicken, alten Kellermeister, dessen Aufträge er ausführte.

Das Schloß stand auf einer Klippe hoch über der See, und obwohl die Mauern auf dieser Seite sehr stark waren, befand sich in ihnen eine kleine Hintertür. Sie ging auf eine schmale Treppenflucht hinaus, die an der Vorderseite der Klippe zum Ufer hinabführte, so daß jeder, der es mochte, an schönen Sommermorgen dort hinuntergehen und im schimmernden Meere baden konnte.

Auf der andern Seite des Schlosses waren Gärten und Spielgründe, die an einen langen Streifen heidebedeckten Ödlandes grenzten, und in der Ferne ragte eine Hügelkette empor. Der kleine Page liebte es sehr, die Heide aufzusuchen, wenn seine Arbeit getan war; denn dann konnte er so viel herumtollen, wie er wollte: Hummeln jagen und Schmetterlinge fangen und nach Vogelnestern ausgucken, wenn es Brutzeit war.

Und der alte Kellermeister war sehr damit einverstanden; denn er wußte, wie gesund es für einen solchen Burschen war, sich viel im Freien herumzutreiben. Aber bevor der Junge hinausging, pflegte ihm der alte Mann immer eine Mahnung mitzugeben: »Paß gut auf, mein Kerlchen, und halte dich fern von dem Elfenhügel; denn dem kleinen Volk ist nicht zu trauen.«

Dieser Elfenhügel, von dem er sprach, war eine kleine grüne Anhöhe, die nicht zwanzig Ellen vom Gartentor entfernt auf der Heide lag, und die Leute sagten, sie sei die Wohnstätte von Feen, die jeden voreiligen Sterblichen, der sich ihnen näherte, bestraften. Deswegen gingen die Landleute lieber eine halbe Meile daran vorbei, selbst am hellen Tage, als daß sie Gefahr liefen, zu nah an den Feenhügel zu geraten und sich den Zorn der kleinen Geister zuzuziehen. Und nachts hätten sie die Heide überhaupt nicht durchquert; denn jeder weiß, daß die Feen in der Dunkelheit umherschweifen und die Tür zu ihrer Behausung offensteht; und der unglückliche Sterbliche, der nicht aufpaßt, kann dann hineingeraten.

Nun war der kleine Page ein kecker Bursche, und anstatt vor den Feen Angst zu haben, war er sehr begierig, sie zu sehen und ihr Versteck aufzusuchen und auszuspüren, wie es dort zuging. So schlich er sich eines Nachts, als alle im Schloß im Schlafe lagen, durch die kleine Pforte und stahl sich die Steintreppen hinunter und am Meeresufer entlang, bis schließlich herauf zum öden Heideland, und dann ging er stracks auf die Erhebung los. Zu seinem

Entzücken fand er die Spitze des Feenhügels aufgekippt. Aus der klaffenden Öffnung strömten Lichtstrahlen hervor.

Sein Herz schlug heftig vor Erregung, aber er nahm sich den Mut, beugte sich nieder und schlüpfte ins Innere des Hügels. Dort fand er einen weiten Raum, der von zahllosen winzigen Kerzen erleuchtet war, und um einen blanken Tisch saßen Scharen von Feen und Elfen und Gnomen, in Grün und Gelb und Rot, in Blau und Lila und Scharlach gekleidet, kurz, in allen Farben, die man sich nur denken kann.

Er stand in einer dunklen Ecke und belauschte das geschäftige Treiben mit Staunen. Er wunderte sich, wie seltsam es doch sei, daß eine solche Anzahl winziger Wesen ihr eigenes, den Menschen ganz unbekanntes Leben führte, als plötzlich jemand – er konnte nicht sagen wer – einen Befehl erteilte.

»Hole den Kelch!« rief der Eigentümer der unbekannten Stimme, und sogleich flitzten zwei kleine Feenpagen, ganz in scharlachroter Livree, vom Tische zu einem kleinen Schrank im Felsen und kehrten taumelnd unter der Last eines überaus wertvollen Silberkelches zurück, der von schön getriebener Arbeit und innen mit Gold gefaßt war. Er setzte ihn mitten auf den Tisch, und unter Händeklatschen und Freudengeschrei begannen alle Feen, daraus zu trinken. Der Page konnte von seinem Platz aus sehen, daß niemand Wein hineingoß und der Kelch doch ständig voll war. Sogar der Wein, der darin funkelte, blieb nicht immer derselbe, sondern jeder Elf, wenn er nach dem Fuße griff, wünschte sich den Wein, den er am liebsten mochte, und schau, im Augenblick war der Kelch voll davon.

»Es wäre eine feine Sache, hätte ich den Kelch bei mir zu Haus«, dachte der Page. »Niemand wird glauben, ich sei hier gewesen, wenn ich nicht etwas vorzuweisen habe.« So nahm er sich Zeit und paßte auf.

Plötzlich bemerkten ihn die Feen. Anstatt ärgerlich über seine Kühnheit und sein Eindringen zu sein, wie er wohl erwartete, schienen sie sehr erfreut, ihn zu sehen, und luden ihn ein, am Tische Platz zu nehmen. Aber allmählich wurden sie grob und unverschämt und spotteten über ihn, daß er damit zufrieden sei, bloßen Sterblichen zu dienen. Sie erzählten ihm, sie sähen alles, was auf dem Schlosse vorginge, und machten sich lustig über den alten Kellermeister, den der Page von ganzem Herzen liebte. Außerdem lachten sie über sein Essen und sagten, es wäre für Tiere gerade gut genug. Und wenn irgendeine neue Leckerei aufgetragen wurde von den scharlachroten Pagen, schoben sie die Schüssel zu ihm hinüber und meinten: »Koste einmal; denn solche Sachen bekommst du im Schloß doch nicht zu schmecken!«

Zuletzt konnte er ihre spöttischen Bemerkungen nicht länger mitanhören; außerdem wußte er, wenn er sich den Kelch sichern wollte, durfte er keine Zeit mehr verlieren. So sprang er plötzlich auf und faßte den Fuß fest mit der Hand: »Ich trinke euch mit Wasser zu!« rief er, und sofort verwandelte sich der rubinrote Wein in klares kaltes Wasser. Er hob den Kelch an die Lippen, aber er trank nicht davon. Mit einem plötzlichen Schwung schüttete er das Wasser über die Kerzen, und im Nu war der Raum in Dunkelheit gehüllt.

Er drückte den kostbaren Becher fest in die Arme, eilte zur Öffnung des Hügels, durch die er klar die Sterne schimmern sah. Es war die höchste Zeit; denn mit einem Krach schlug der Spalt hinter ihm zu. Und bald hastete er über die nasse, taubedeckte Heide, die ganze Schar der Feen auf den Fersen. Sie waren außer sich vor Ärger, und nach dem schrillen Wutgeheul, das sie ausstießen, konnte sich der Page wohl denken, daß er keine Gnade von ihren Händen zu erwarten hatte, wenn sie ihn griffen.

Und ihm sank der Mut; denn war er auch flink zu Fuß, so war ihm das Elfenvolk doch weit überlegen und gewann ständig an Raum. Alles schien verloren, als eine geheimnisvolle Stimme aus der Dunkelheit ertönte:

»Willst du an der Schloßtür stehn,
Mußt über die schwarzen Steine am Ufer gehn!«

Es war die Stimme eines armen Sterblichen, der von den Feen gefangengenommen war und der nicht wollte, daß ein gleiches Schicksal den abenteuerlustigen Pagen befiel; aber das wußte der kleine Bursch natürlich nicht. Er hatte einmal gehört, wenn jemand über den feuchten Sand ginge, über den die Wellen gerollt, so konnten ihn die Feen nicht mehr berühren, und der geheimnisvolle Vers erinnerte ihn daran.

So wandte er sich um und stürmte keuchend ans Ufer hinunter. Seine Füße sanken tief ein in den trockenen Sand, sein Atem ging stoßweise, und er merkte, er werde den Kampf aufgeben müssen. Aber er riß seine Kräfte zusammen, und gerade als die vorderste der Feen Hand an ihn legen wollte, sprang er über die Wassermarke auf den festen, feuchten Sand, von dem sich die Wogen eben zurückgezogen hatten, und da wußte er, daß er gesichert war.

Das kleine Volk konnte keinen Schritt weiter vordringen, sondern stand auf dem trockenen Sand und kreischte vor Wut und Enttäuschung, während der siegesstolze Page unbehelligt am Ufer entlangrannte, den köstlichen Kelch in den Armen, behende die Treppen im Felsen aufstieg und durch die Hintertür verschwand. Und noch viele, viele Jahre, lange nachdem der Page groß und ein tüchtiger Kellermeister geworden war, blieb der wunderbare Kelch in dem Schlosse als Zeugnis seines Abenteuers.

Irland

Der Riese mit den fünf Köpfen

Es war einmal vor langem ein König in Irland, der hatte drei Söhne und eine Tochter. An einem strahlenden Sonnentage war die Jungfrau draußen im Sommerhaus und kämmte ihr Haar. Sie achtete gar nicht darauf, wo sie sich befand, bis ein Kerl von einem Riesen mit fünf Köpfen, fünf Schöpfen und fünf Hälsen kam. Der steckte bloß den Finger unter ihren Gürtel, hob sie auf und entführte sie. Ihre Brüder waren traurig, daß sie nicht wußten, wo ihre Schwester geblieben war. Eines Tages nun sagte der älteste Sohn zu seiner Mutter, sie möge ihm Mundvorrat für die Reise zurichten, er werde keine zwei Mahlzeiten an demselben Tische einnehmen noch zweimal aus dem gleichen Becher trinken, bis er seine Schwester ausfindig gemacht habe, tot oder lebendig.

Die Mutter buk zwei Kuchen und bereitete sie ihm für die Reise zu. Sie fragte ihn, was ihm lieber sei: der große Kuchen und ihr Fluch oder der kleine Kuchen und ihr Segen. Er erwiderte, er ziehe den großen Kuchen und ihren Fluch vor. Er machte sich auf den Weg. Unterwegs setzte er sich nieder, um sich ein wenig am Essen gütlich zu tun. Da flog ein Rotkehlchen herbei und sagte zu ihm, er möge ihm doch ein Krümlein oder ein Krämlein abgeben, damit es dies seinen Jungen bringe; die Jahreszeit sei zu kalt und zu kahl, um auf Nahrungssuche auszugehen. Er schlug es dem Rotkehlchen ab und gab ihm keinen Bissen.

Danach machte er sich wieder auf den Weg. Er war noch nicht weit gekommen, da traf er auf einen wilden Stier. Der forderte von ihm die Hälfte seines Reisevorrates, sonst müsse er mit ihm kämpfen.

»Ich werde mit dir kämpfen«, sagte der Königssohn. Sie kämpften miteinander, und der Stier tötete den Königssohn und verwandelte ihn in einen grauen Pfeilerstein mitten auf dem Berge.

Einige Zeit danach sagte der zweite Königssohn zu seiner Mutter, sie möge ihm Mundvorrat für die Reise zurichten, da er sich auf die Suche nach seiner Schwester machen wolle. Er werde keine zwei Mahlzeiten an demselben Tische einnehmen noch zweimal aus dem gleichen Becher trinken, bis er sie ausfindig gemacht habe.

Als er sich aufmachte, fragte ihn die Mutter, was ihm lieber sei: ein großer Kuchen und ihr Fluch oder ein kleiner Kuchen und ihr Segen. Er erwiderte, er ziehe den großen Kuchen und ihren Fluch vor.

Er machte sich nun auf den Weg wie sein Bruder. Unterwegs setzte er sich nieder, um etwas zu essen. Da kam das Rotkehlchen und sagte, er möge ihm doch ein Krümlein oder ein Krämlein abgeben, damit es dies seinen Jungen bringe; die Jahreszeit sei zu kalt und zu kahl, um auf Nahrungssuche auszugehen. Er schlug es dem Rotkehlchen ab und gab ihm kein Krümlein und kein Krämlein ab.

Dann machte er sich wieder auf den Weg. Er war noch nicht weit gekommen, da traf er auf den Stier. Der forderte von ihm die Hälfte seines Reisevorrates, sonst müsse er mit ihm kämpfen. Sie kämpften miteinander, und der Stier tötete ihn und verwandelte ihn in einen grauen Pfeilerstein mitten auf dem Berge, wie er es gerade vor einem Jahre mit seinem Bruder gemacht hatte.

Als keine Kunde von ihnen nach Hause kam, da sagte der dritte Sohn zu seiner Mutter, sie möge ihm Mundvorrat für die Reise zurichten. Er wolle sich auf die Suche nach seinen Brüdern und nach seiner Schwester machen, von denen sie seit zwei Jahren nichts gehört hätten.

Die Mutter buk einen großen und einen kleinen Kuchen und fragte ihn, als er im Begriff war aufzubrechen, was ihm lieber sei: der große Kuchen und ihr Fluch oder der kleine Kuchen und ihr Segen. Er erwiderte, er ziehe den kleinen Kuchen und ihren Segen vor.

So machte er sich auf den Weg, und als er sich niedergesetzt hatte, um eine Kleinigkeit zu essen, da kam das Rotkehlchen geflogen und sagte zu ihm, er möge ihm ein Krümlein oder ein Krämlein abgeben, damit es dies seinen Jungen bringe, denn die Jahreszeit sei zu kalt und zu kahl, um auf Nahrungssuche zu gehen. Er gab dem Rotkehlchen von seinem Reisevorrat ab.

Dann machte er sich wieder auf den Weg. Er war noch nicht weit gegangen, da traf er auf den Stier. Der sagte zu ihm, er müsse ihm die Hälfte seines Reisevorrates abgeben oder mit ihm kämpfen. »Ich werde mit dir kämpfen«, erwiderte er, »denn was ich an Vorrat habe, brauche ich selbst.«

Sie kämpften miteinander vom Mittag bis zum Abend. Sie machten weiche Stellen aus harten Stellen des Erdbodens und Erhebungen aus Vertiefungen. Als das weiße Pferd unter den Schatten des Wegerichs ging und der Wegerich davonlief, da gewann der Königssohn die Oberhand über den Stier und tötete ihn.

Darauf wanderte er weiter und erkundigte sich, wo der große Riese mit den fünf Köpfen, den fünf Schöpfen und den fünf Hälsen wohne. Und endlich bekam er heraus, wo dieser war.

Als er zur Türe des Riesen kam, klopfte er an. Und wer öffnete ihm da? Seine Schwester! Als sie ihn erblickte, da erstickte sie ihn mit Küssen und benetzte ihn mit Tränen und trocknete ihn dann wieder mit sauberen, vornehmen Tüchern ab. Er erzählte ihr die ganze Geschichte von Anfang bis Ende, was sich alles ereignet hatte.

Nicht lange danach aber hörten sie, wie sich ein Lärmen der Türe näherte. Der große Riese kam nämlich heim. Das Mädchen versteckte ihren Bruder unter einem Zuber mitten auf dem Estrich. Als der Riese hereinkam, sagte er: »Du hast einen Menschen versteckt, denn ich rieche den Geruch eines Iren auf dem unrechten Soden!«

Sie leugnete es ab.

Derweile kam das Rotkehlchen und schlug Funken aus den Türpfosten mit den Worten: »Männchen, Männchen unter dem Kännchen, wo er erstickt.«

»Du Metze!« sagte da der Riese zu dem Mädchen, »du hast doch einen Menschen versteckt, denn ich rieche den Geruch eines Iren auf dem unrechten Soden!«

Sie leugnete es wieder ab.

Das Rotkehlchen kam wieder und sagte die gleichen Worte und schlug Funken aus der Türe: »Männchen, Männchen unter dem Kännchen, wo er erstickt.«

»So geht es nicht weiter«, sagte da der Riese, »du m u ß t einen Menschen versteckt haben; am besten, wenn du mit der Sprache herausrückst!«

Unterdessen kam wiederum das Rotkehlchen, setzte sich auf den Zuber und sagte wieder: »Männchen, Männchen unter dem Kännchen, wo er erstickt.«

»Da ist doch irgendein Mensch drin«, sagte der Riese, »und den muß ich fangen, denn ich rieche den Geruch eines Iren auf dem unrechten Soden.« Er sprang auf den Zuber zu und kehrte ihn mit der Öffnung nach oben; da kam der Königssohn unter dem Zuber zum Vorschein. »Schön!« sagte der Riese, »Nun mußt du auf der Stelle mit mir kämpfen. Was ziehst du vor: heißes, hartes, heftiges Ringen oder Schwertkampf, bei dem es an die Rippen geht?«

»Ich ziehe heißes, hartes, heftiges Ringen vor, denn das pflegte ich daheim auf den Wiesenplanen mit den Kindern der Edlen zu üben.«

Sie kämpften miteinander, und sie waren schaurig anzusehen. Sie machten Erhebungen aus Vertiefungen im Erdboden und weiche Stellen aus harten, und so ging das vom Mittag bis die Sonne unterging.

Da kam das Rotkehlchen und sagte: »Königssohn aus Irland, mit dem ersten Schwung treibe den Riesen bis zum Bauch in die Erde, mit dem zweiten Schwung bis zum Hals, und mit dem dritten Schwung hau ihm den Kopf ab!«

So geschah es: bei dem ersten Schwung trieb er den Riesen bis zum Bauch in die Erde, beim zweiten Schwung bis zum Hals.

»Warte, warte, Königssohn aus Irland!« rief da der Riese, »Töte mich nicht, ich will dir auch mein Reich schenken und meinen Zauberstab für immer!«

»Wo ist denn dein Zauberstab?« fragte der Königssohn.

»Da oben ist er, in einem Zipfel meiner Mütze«, sagte der Riese.

Der Königssohn nahm den Zauberstab, dem Riesen aber versetzte er einen Schwerthieb und schlug ihm den Kopf ab.

Dann ging er ins Haus und erzählte seiner Schwester, wie es ausgegangen war. Er meinte: »Das beste wird sein, wenn wir uns nun zusammen auf den Heimweg nach Irland machen.«

»Wir können den Ort hier nicht verlassen«, wandte sie ein, »solange die alte Hexe noch am Leben ist.«

»Wo ist sie denn jetzt?« fragte der Königssohn.

»Draußen auf dem See zusammen mit ihren Kindern. Dort treibt sie ihr Wesen in Gestalt einer Ente. Ihre fünf Töchter schwimmen mit ihr als Enten auf dem See und ihr Sohn als Enterich.«

»Ich werde einen Pfeil auf meinen Bogen legen«, sagte er, »und sie töten.«

»Es wird dir kaum gelingen, die Hexe auf diese Weise zu töten, denn ihr Leben steckt dort drin: siehst du den Holzblock da am Herd? Den mußt du in zwei Hälften spalten, dann ist da eine Ente drin. Im Bauch der Ente ist ein Ei, darin steckt das Leben der Hexe – und ehe dieses Ei nicht zerbrochen ist, kannst du auch jene nicht töten.«

»Wie dem auch sei«, entgegnete der Königssohn, »ich werde auf sie schießen, vielleicht kann ich sie doch mit einem Pfeile töten.«

Er ging zum Ufer des Sees, legte einen Pfeil auf den Bogen und rief: »Haltet euch auseinander, ihr kleinen, häßlichen Entchen, damit ich den Enterich in eurer Mitte treffen kann!« Er wollte aber gar nicht den Enterich treffen, sondern die große Ente.

Als aber die Enten seine Worte hörten, da tauchten sie unter Wasser und waren seinem Blick entschwunden.

Nun ging der Königssohn zum Hofe des Riesen zurück und fragte seine Schwester, ob er ein Beil haben könne. Sie bejahte. »Gib es mir!« sagte er. Sie gab es ihm. Er holte weit aus und führte einen Hieb mit dem Beil auf den Holzklotz. Auf der Stelle spaltete er ihn glatt in zwei Hälften. Er packte die Ente und preßte das Ei aus ihr heraus. Mit dem Fuße zertrat er nun das Ei auf dem Estrich.

In dem Augenblick gerade trat die alte Hexe zur Türe herein. Im gleichen Augenblick aber, wo der Königssohn das Ei unter dem Fuße zertrat, entfloh ihr ihre Seele.

»Nun sind wir fertig«, sagte die Schwester, »und können heimkehren.«

Sie wanderten einen Tag. Da trafen sie auf die beiden Pfeilersteine am Berge. »Das da«, sagte sie, »sind deine beiden Brüder, die in zwei Pfeilersteine verwandelt worden sind. Berühre sie mit dem Zauberstab, dann werden sie wieder ihre menschliche Gestalt annehmen!«

Er tat, wie sie sagte: er berührte die Steine mit dem Zauberstab, da nahmen sie wieder ihre menschliche Gestalt an – als zwei schöne, stattliche junge Männer. »Und nun«, sagte der jüngste Königssohn zu ihnen, »geht zusammen zurück zum Hofe des Riesen! Sein Reich soll euch gehören. Ich aber werde mit meiner Schwester nach Irland zu Vater und Mutter zurückkehren.«

Island

Lini, der Königssohn

Es waren einmal ein König und eine Königin in ihrem Reiche. Er hieß Ring, aber wie sie hieß, wird nicht erwähnt. Sie hatten einen Sohn, der Lini hieß. Früh schon schien er mächtig und ein großer Kämpe. Außerdem wird erzählt, daß da ein alter Mann mit seinem alten Weib in einer schlechten Hütte lebte; sie hatten eine Tochter, die Signy hieß.

Eines Tages ging der Königssohn mit den Hofleuten seines Vaters auf die Jagd. Wie sie abends wieder heimwollten, fiel ein dichter Nebel, und die Hofleute verloren den Königssohn. Sie suchten ihn lange, fanden ihn nicht, kehrten ohne ihn heim und erzählten die Sache dem König in der Halle. Der war sehr betrübt und ließ viele Leute suchen, drei Tage hindurch, aber immer vergebens. Da wurde er vor Kummer so krank, daß er sich zu Bett legte. Auch ließ er verkündigen, wer ihm den Sohn wiederbringe, bekäme das halbe Königreich. Davon hörte auch Signy; sie ließ sich von ihren Eltern Proviant und neue Schuhe geben und machte sich auf den Weg.

Nach mehreren Tagen kam sie zu einer Höhle, darin sie zwei Betten fand, das eine hatte eine silberdurchwirkte, das andere eine golddurchwirkte Decke. Dann entdeckte sie, daß der Königssohn in dem Bett mit der golddurchwirkten Decke lag. Sie wollte ihn wecken, aber es gelang ihr nicht. Einige Runen waren in das Bettgestell geritzt, aber sie konnte sie nicht lesen. Da versteckte sie sich am Eingang hinter der Tür. Nun ward auch schon von draußen ein starkes Dröhnen laut, und zwei ungeheure Riesinnen kamen herein. Die eine von ihnen sagte sogleich: »Pfui, Teufel, hier ist Menschengeruch.« Die andere sagte, das käme von dem Königssohn. Dann gingen sie an dessen Bett und sagten.

»Singet, singet, meine Schwäne,
Daß Lini erwache!«

Da sangen die Schwäne, und Lini erwachte. Die jüngere Riesin fragte ihn, ob er essen wolle. Er sagte nein. Dann fragte sie ihn, ob er sie nicht zum Weibe haben wolle. Er sagte standhaft nein. Da schrie sie auf und sagte:

»Singet, singet, meine Schwäne,
Daß Lini einschlafe!«

Die Schwäne sangen, und er schlief ein. Dann legten sie sich selbst in das Bett mit der Silberdecke. Am Morgen weckten sie Lini und boten ihm Speise an; er aber wollte keine. Darauf fragte ihn die jüngere, ob er sie nicht haben wolle; aber er verneinte das wie vorher. Da schläferten sie ihn wieder ein und verließen die Höhle.

Als sie ein Weilchen weg waren, kam Signy aus ihrem Versteck und weckte den Königssohn, so wie sie es von den Riesinnen gelernt hatte. Sie begrüßten sich freundlich, und er fragte sie nach Neuigkeiten. Signy erzählte ihm alles und auch von dem Schmerz seines Vaters um ihn. Dann fragte sie, was denn mit ihm geschehen sei. Er sagte, kurz nach der Trennung von dem Hofgesinde seien zwei Riesinnen gekommen und hätten ihn in ihre Höhle geschleppt. Die eine hätte ihn zwingen wollen, sie zu heiraten, wie sie ja wisse; er aber habe es immer verweigert. »Nun sollst du«, sagte Signy, »wenn die Riesin dich heute abend wieder fragt, ob du sie haben willst, dein Jawort geben unter der Bedingung, daß sie dir sagen, was auf den Betten steht und was sie den Tag über treiben.« Das dünkte dem Königssohn nicht schlecht; dann brachte er ein Brettspiel, und sie spielten Schach bis zum Abend. Als es dunkel wurde, schläferte sie ihn ein und ging wieder in ihr Versteck.

Kurz danach hörte sie die Riesinnen kommen, sie zündeten ein Feuer an, die ältere machte das Essen, die jüngere ging zum Bette, weckte Lini und fragte ihn, ob er essen wolle. Er sagte ja. Als er mit Essen fertig war, fragte sie ihn, ob er sie nicht haben wolle. Er sagte ja, falls sie ihm sage, was die Runen auf dem Bette bedeuten. Sie sagte, es stände darauf:

»Renne, renne, mein Bett,
Renne, wohin man will.«

Er war froh darüber, sagte aber, sie müsse ihm auch noch sagen, was sie tagsüber im Walde trieben. Sie jagten Wild und Vögel, sagte sie, und zwischendrin setzten sie sich unter eine Eiche und spielten Ball mit ihrem Lebensei. Er fragte, ob das etwas sei, womit man vorsichtig umgehen müsse. Sie sagte, das Ei dürfe nicht zerbrochen werden, sonst müßten sie beide sterben. Der Königssohn gab sich damit zufrieden, sagte aber, nun wolle er noch bis morgen ruhen. Die Riesin war damit einverstanden und schläferte ihn wieder ein. Am Morgen weckte sie ihn zum Essen, und er nahm es an. Auch fragte sie ihn, ob er heute nicht mit ihnen in den Wald hinauskommen wolle. Er sagte, er bliebe lieber daheim. Dann nahm die Riesin von ihm Abschied, schläferte ihn ein, und hierauf verließen sie beide die Höhle.

Nach einer Weile trat Signy zum Bette, weckte den Königssohn und bat ihn aufzustehen. »Wir werden jetzt«, sagte sie, »in den Wald hinausgehen, dahin, wo die Riesinnen sind. Du sollst deinen Spieß mitnehmen, und sobald sie mit ihrem Lebensei Ball spielen, sollst du den Spieß nach dem Ei werfen. Aber dein Leben hängt davon ab, daß du es triffst.« Dem Königssohn schien das nicht schlecht geraten; sie stiegen nun beide zusammen in das Bett und sprachen:

»Renne, renne mein Bettchen,
Hinaus in den Wald.«

Da rannte das Bett mit ihnen davon in den Wald und machte erst an der Eiche halt. Da hörten sie lautes Lachen. Signy hieß ihn nun auf die Eiche klettern, und er tat das auch. Da sah er die beiden Riesinnen unter der Eiche sitzen und Ball spielen mit einem goldenen Ei, das sie einander zuwarfen. Er warf seinen Spieß und traf das Ei im Flug, daß es zerbrach. Da sanken die Riesinnen tot um, und Geifer trat ihnen aus dem Munde.

Sie fuhren nun mit dem Bett in die Höhle, beluden beide Betten mit den Kostbarkeiten der Riesinnen, fuhren auf ihnen heim zur Hütte der Alten, wo sie wohl empfangen wurden, und blieben die Nacht. Am Morgen ging Signy zum König und verlangte die ausgesetzte Belohnung. Der König bezweifelte stark, daß die Häuslerstochter seinen Sohn gefunden habe, sagte aber die Belohnung schließlich zu. Da holte Signy den Königssohn. Der König war froh, ließ sich alles erzählen, gab dem Sohne das Mädchen zur Frau und rüstete ein großes Hochzeitsmahl. Lini und Signy aber lebten lange zusammen und liebten einander sehr.

Italien (Venetien)

Der unsichtbare Großvater

Es war einmal eine Frau, die war sehr, sehr arm. Sie hatte drei Töchter. Eines Tages sagte eine von den Mädchen: »Hör: es ist besser, wenn ich in die Welt gehe, um mein Glück zu versuchen, als euch hier zur Last zu fallen.« Und sie umarmte Mutter und Schwestern und machte sich auf den Weg. Sie ging und ging, bis sie zu einem großen Palast kam. Da sah sie, daß die Türe offen war, und sprach bei sich: »Ich werde einmal hineingehen und fragen, ob man nicht eine Magd braucht.« Gesagt, getan. Sie ging hinein und rief: »He, holla!« Aber niemand antwortete. Sie ging in die Küche und sah, daß Feuer im Herd war und daß ein Kessel kochte. Sie öffnete den Küchenschrank, und dort fand sie Brot, Reis, Flaschen mit Wein und alles, was man sich denken kann. Da sprach sie: »Hier gibt es alles, und ich habe so sehr Hunger. Ich will mir doch gleich eine gute Suppe machen.«

Kaum, daß sie das gesagt hatte, sah sie zwei Hände erscheinen und den Tisch richten. Die Hände stellten einen Teller mit Reis auf den Tisch, und das Mädchen sprach bei sich: »Also, essen wir!« Und sie setzte sich an die Tafel und ließ es sich schmecken. Nachdem sie den Reis gegessen hatte, brachten die Hände ein gebratenes Huhn, und das Mädchen verzehrte auch dieses. Dann sagte sie: »Ich war wirklich ganz schlapp, aber jetzt fühle ich mich wieder besser.«

Dann machte sie sich daran, den Palast näher zu besehen. Sie ging durch eine Reihe schöner Zimmer, und schließlich kam sie in eine Kammer, da stand ein üppiges Bett mit einem Baldachin. – »Schau einmal an, was für ein herrliches Bett!« sprach das Mädchen, »Da will ich mich doch gleich hineinlegen.« Und sie legte sich zur Ruhe und schlief die ganze Nacht hindurch.

Am nächsten Morgen, kaum daß sie aufgewacht war, erschienen wieder die beiden Hände und brachten ihr eine Tasse Kaffee. Sie trank den Kaffee, und die beiden Hände trugen die Tasse auf einem Tablett wieder ab. Das Mädchen erhob sich und zog sich an, dann ging sie und kam in einen großen Saal, in dem ein großer Kleiderschrank voll der prächtigsten Röcke stand. Das Mädchen legte gleich seine Lumpen ab und kleidete sich üppig wie eine Königin. Wenn sie schon zuerst schön gewesen war, so schien sie nun unsagbar schön.

Dann ging sie weiter und kam in eine Laube, dort setzte sie sich nieder. Gerade in dem Augenblick kam ein König vorbei. Der sah das hübsche Mädchen und fragte sie, wie er sie sprechen könne, denn er empfand sogleich eine große Zuneigung ihr. Das Mädchen erklärte, daß sie weder Vater noch Mutter habe und daß sie ihm eine Antwort geben wolle, wenn er ein andermal vorbeikäme. Der König machte ihr viele Verneigungen und fuhr mit seinem Wagen weiter.

Das Mädchen aber ging wieder ins Haus hinein, setzte sich an den Kamin und begann zu sprechen: »Lieber Herr, ich bin in diesen Palast gekommen, ohne eine Seele zu sehen, und jetzt ist ein König vorbeigekommen, der eine Zuneigung zu mir hat. Was soll ich ihm sagen, wenn er wieder kommt und eine Antwort haben will?«

Da hörte sie aus dem Kamin eine Stimme antworten: »Ah, sei gesegnet! Wie schön bist du, und immer schöner wirst du werden. Sage dem König, daß du einen armen, kranken und einsamen Großvater hast, der damit zufrieden ist, daß du dich verheiratest. Er sei zufrieden, wenn er nicht zulange auf die Hochzeit warten müsse. Jetzt geh, die du schön bist und immer schöner wirst.« Und das Mädchen wurde wirklich immer schöner.

Einige Tage darauf ging sie auf den Balkon, und da kam gerade der König vorbei, und kaum hatte der sie gesehen, da bat er sie um eine Antwort. Da sagte sie zu ihm, daß sie ihn leider nicht ins Haus hereinlassen könne, weil da ihr armer, kranker Großvater sei. Aber der Großvater hätte nichts dagegen, wenn sie sich vermählen wolle, wenn sie das nur bald machen wollten. Und einstweilen könnten sie sich ja so sprechen.

Der König war sehr vergnügt über diesen Bescheid, und er kam jeden Tag eine ganze Woche lang, um sich mit dem Mädchen auf dem Balkon zu unterhalten. Dann ging das Mädchen wieder zum Kamin und sprach: »Großvater, schon sein acht Tagen haben wir uns unsere Liebe erklärt. Was meinst du jetzt?« – »Nimm ihn also zum Gemahl«, erwiderte der Großvater, »und beginne, alle Kleidung aus dem Hause zu tragen. Was ich dir befehle, ist folgendes: trage alles hinaus und lasse mir nichts da! Erinnere dich wohl und achte darauf: du mußt alles forttragen! Und jetzt geh, du bist schön, und immer schöner wirst du werden.«

Und das Mädchen wurde in der Tat immer schöner. Es ging auf den Balkon, und kaum sah es der König, da befahl er, die Hochzeit vorzubereiten. Und in der Zwischenzeit ließ er seine Wagen kommen und Lastpferde, um die Aussteuer des Mädchens abholen zu lassen. Es vergingen acht Tage, und man brachte alle Sachen weg. Und der König sagte zu seinem Vater: »Schau, Papa, was für schöne Dinge doch meine Braut besitzt. Selbst wir, die wir doch Könige sind, besitzen nicht so schöne Sachen. Und du wirst sehen, das Mädchen selbst ist noch viel schöner!«

Die Verlobte hatte indessen den ganzen Palast ausgekehrt und Müll und Kehricht fortgeworfen. So war nun alles leer geworden. Es blieb nur eine goldene Kette, die wollte sie sich im Augenblick des Aus-dem-Hause-Gehens um den Hals hängen, und sie hatte sie deshalb an einen Nagel gehängt. Da sah sie vom Balkon aus den König kommen mit seinem Zweigespann, da eilte sie schnell zum Kamin und sagte: »Großvater, schau, ich gehe jetzt weg; mein Gemahl ist gekommen, um mich abzuholen. Sei ruhig, denn ich habe alles weggeschafft und den Palast ausgekehrt.« – »Brav«, sagte der Großvater, »ich danke dir sehr: schön bist du, und immer schöner wirst du werden.«

Das Mädchen wurde wirklich noch schöner, es eilte zum Wagen, stieg auf und umarmte den König. Doch auf halbem Wege griff sie sich an den Hals und rief: »Halt, halt! Ich Arme habe meine goldene Kette vergessen. Schnell, schnell, kehr um und fahre zurück, damit wir sie holen.« – Da sagte der König: »Ach, laß sie doch dort! Ich werde dir eine andere, noch schönere kaufen!« Aber das Mädchen wollte davon nichts wissen, und so kehrten sie um und fuhren zu dem Palast zurück. Sie stieg aus dem Wagen und ging in den Palast, während der König draußen wartete. Das Mädchen lief zum Kamin und sagte: »Großvater?« – »Ja, was gibt's?« – »Kannst du mir verzeihen? Ich habe vergessen, meine goldene Kette mitzunehmen.« Und indem sie das sagte, nahm sie die Kette vom Nagel. »Scher dich weg!« schrie da die Stimme vom Kamin. »Geh weg, häßliche Bärtige! Ich habe dir befohlen, alles wegzutragen und nichts zu vergessen! Geh weg, häßliche Bärtige!«

Und im gleichen Augenblick, da das Mädchen sich die Kette um den Hals hing, spürte sie den Bart unter ihren Fingern. Sie blickte in einen Spiegel: da hatte sie einen langen Bart, der reichte bis fast auf die Brust.

Als sie so aus dem Hause kam, da griff sich der Bräutigam verzweifelt in die Haare und schrie: »Ich hatte dir gesagt, du sollst nicht zurückkehren! Wie aber soll ich es jetzt machen, wo ich doch meinem Vater erzählt habe, wie schön du seist? Ich kann dich nicht nach Hause begleiten. Ich bringe dich in den Wald, da besitze ich ein Häuschen, darin kannst du dich verstecken.«

So machte er es, und jeden Tag ging er dorthin, um sie zu besuchen, denn er hatte sie immer noch lieb, und er ließ es ihr an nichts fehlen.

Die Sache ging zunächst gut, bis endlich dem Vater des Königs zu Ohren kam, daß sein Sohn eine Liebschaft mit einer Bärtigen unterhielte. Da ließ der Königvater seinen Sohn rufen und sagte zu ihm: »Was glaubst du denn? Meinst du, ein König kann sich eine Bärtige als Liebste halten? Das geht gegen die Würde der Krone! Entweder verläßt du sie, oder ich werde sie töten lassen.«

Da ging der Jüngling zu seiner Liebsten und sagte: »Hör einmal, ich muß dir etwas sagen. Mein Vater hat erfahren, daß ich eine Bärtige zur Liebsten habe, und er hat mir befohlen, dich zu verlassen, sonst wird er dich töten lassen. Sag mir, wohin wir fliehen sollen!«

»Du mußt mir nur einen Gefallen tun«, sagte das Mädchen, »laß mir einen schwarzen Schleier und ein schwarzes Gewand machen und bring mich in den Palast des Großvaters. Darin wollen wir ihn um Hilfe bitten.«

Der König tat, wie ihn das Mädchen geheißen hatte, brachte ihr den schwarzen Schleier und das schwarze Gewand und brachte sie zum Palast des Großvaters. Das Mädchen ging hinein und begab sich zum Kamin: »Großvater?« – »Wer ist da?« – »Ich bin es, Großvater.« – »Was willst du, häßliche Bärtige?« – »Hör, Großvater, ich bin zum Tode verurteilt durch deine Schuld.« – »Durch meine Schuld? Nein! Ich hatte dir befohlen, alles aus dem Hause zu tragen und nichts, gar nichts, zu vergessen. Wenn du nicht deine goldene Kette vergessen hättest, wäre ich jetzt von meiner Verzauberung erlöst, und so beginnt meine Verwünschung von neuem.« – »Großvater«, sagte das Mädchen, »ich verlange nicht meine Schönheit zurück, die ich in deinem Palast erhalten habe. Ich möchte nur das Gesicht, wie es war, als ich zum ersten Mal gekommen bin. Großvater, kannst du mir aus Gnade und Barmherzigkeit nicht mein altes Antlitz zurückgeben?« – »Gut«, sagte der Großvater, »hast du auch nichts vergessen?« – »Nein, ich habe die goldene Kette in der Hand.« Da sagte der Großvater: »Lege dir die Kette um den Hals: die du schön warst, wirst noch schöner sein!«

Da legte sich das Mädchen die Kette um den Hals, und der Bart war von einem Augenblick zum andern verschwunden.

»Großvater! Ich danke dir! Lebe wohl!« – »Geh nur«, sagte der Großvater, »die du schön bist und noch schöner werden wirst!« Und das Mädchen wurde so schön, daß es der Sonne glich. Sie eilte schnell die Treppe hinunter und lief zum Wagen ihres Geliebten. Der umarmte sie stürmisch, als er sah, wie schön sie wieder geworden war. Dann sagte er: »Jetzt kann dich mein Vater nicht mehr zum Tode verurteilen; und er kann auch nicht sagen, daß eine Heirat mit dir gegen die Würde der Krone ginge.«

Und sie fuhren schnell zur königlichen Residenz. Der Bräutigam führte seine Braut vor den Vater und sagte: »Das ist die häßliche Bärtige, die meine Liebste ist.« – »Ah!« sagte der König, »Sohn, du hast Vernunft! Schöner als diese kann kein Mädchen sein.« Er umarmte sie und gab Befehl, die Hochzeit vorzubereiten. Dann führte er seine künftige Schwiegertochter auf den Balkon, damit alles Volk sie sehen könne. Und sowie das Mädchen auf dem Balkon erschien und alle ihre Schönheit sahen, riefen sie: »Hoch, hoch! Es lebe die neue Königin!«

Nach wenigen Tagen war die Hochzeit der jungen Leute.

»Es gab Radieschen in Marmeladen,
Saftigen Mäuse- und Katzenbraten,
Affenfleisch ganze Tiegel voll,
Sie aßen alles und zahlten nicht Zoll;
Zuletzt tranken sie Wein mit Rosmarin,
Da hielt auch ich meinen Becher hin,
Doch gaben sie nichts und schenkten nichts ein
Als einen Schluck voll Gänsewein.«

Italien (Sardinien)

Du gehst und kehrst nicht wieder

Ja, lieber Herr, wie soll ich Ihnen das erzählen? Sie werden mich wahrscheinlich nicht verstehen; und wenn Sie mich verstehen, dann werden Sie sagen: der alte Massimo schwatzt Unsinn. Herr, ich bin zweiundachtzig Jahre alt. Zweiundachtzig Jahre, da erlebt man viel. Und das geht so hin und her, und man sieht und hört so allerlei. Auch diese Geschichte habe ich gehört von jemand, der den gekannt hat, der sie erlebt hat. Ist noch gar nicht so lange her. Oder eigentlich doch, denn, mein Gott, da war ich noch jung, und der sie mir erzählt hat, die Geschichte, war damals ein alter Mann, und auch ihm ist sie passiert, als er ein junger Bursche war.

Nun also, früher hat es oft vergrabene Schätze gegeben. Heute, da kommen Leute aus der Stadt, Professoren und Studenten, und die graben alles aus. Aber sie finden selten etwas. Und wenn sie etwas finden, sind das zerbrochene Schalen, ja, und Totenknochen. Und das bringen sie dann ins Museum, nach Cagliari. Ja, aber sowas meine ich nicht. Ich rede hier von Schätzen aus Silber und Gold. Blankes Geld, Herr. Das gab es da und dort, aber man mußte es finden können. Ich habe mein Lebtag gesucht, aber ich habe nie etwas gefunden. Kein Glück.

Aber da war jener, den Namen habe ich vergessen, der hatte Glück. Er ja, viele andere nicht. Er war auch Hirt, so ein Hirte wie ich, nur jünger. Geht also eines Tages mit seiner Herde ins Gebirge – Juni mag es gewesen sein. Geht ins Gebirge mit seiner Herde und seinem Hund. Und trifft da einen alten Hirten, der sitzt da allein und trinkt Schnaps. Da fragt er ihn: »He, was machst du da?« »Ich?« sagt der, »Was ich mache? Ich trinke Schnaps.« Und er läßt jenen auch trinken. »Aber wo hast du denn deine Schafe?« fragt der Bursche. »Was? Schafe?« sagt der Alte, »Schafe brauche ich keine mehr. Ich habe genug Geld. Ziehe nur so zum Vergnügen durch die Welt. Daheim, da gefällt es mir nicht«, sagt er, und da setzen sich beide ins Gras. »Und wo hast du das Geld her?« fragt der Bursche, »Hast du die Herde verkauft?« »Eh, verkauft? Nein, verschenkt habe ich sie an meinen Neffen. Ich habe Geld.« »Und woher«, sagt der Junge, »woher hast du das Geld?« »O, Bursche, das ist eine Sache, eine Sache. Schon so eine Sache, ich weiß nicht, wie ich dir das sagen soll.« Nun, er redet hin und her, aber schließlich rückt er doch mit seiner Geschichte heraus.

Und so war's! Der Alte geht einmal mit seiner Herde durchs Gebirge, und weil es ihm langweilig ist, bläst er auf seinen Launeddas. Nun, Herr, Ihr habt meine auch schon gehört. Er bläst und bläst und bläst, und da: plötzlich geht vor seinen Augen die Erde auseinander, eine Höhle tut sich auf! Der Alte ist so verdattert, so erschreckt, zu blasen hört er auf, und: schrumm, das macht die Erde wieder zu. Er geht hin, nichts sieht er dort. Scharrt mit dem Fuß: Fels, harte Steine. Und er bläst wieder, und da geht es wieder auf, und er hört auf, und da geht es wieder zu. Immer auf und zu!

Nun, der Kerl hatte Mut! Ich hätte ihn nicht. Er bläst, und wie sich der Felsen wieder auftut, da geht er hinein in die Höhle, und immer bläst er weiter, blas, wie du kannst! Und drinnen, da ist eine große Höhle. Und da nimmt er seine Launeddas ab: schrumm, geht hinter ihm der Felsen zu. Er ist nicht schlecht erschrocken. Aber dann schaut er sich um: Kisten stehen da. Und als er sie aufmacht: alles voll Geld! Aber neben den Kisten, da liegen Knochen! Menschenknochen! Und da weiß er, er ist in ›Du-gehst-und-kehrst-nicht-wieder‹. Schon viele Hirten sind verschwunden, spurlos verschwunden. Auf einmal findet man die Herde allein. Der Hirte? Weg! Nun, die Leute sagen: ›Er ist in Du-gehst-und-kehrst-nicht-wieder‹. Da weiß er, wenn er wieder hinaus will, dann muß er alles umgekehrt blasen, was er vorher geblasen hat, als er hineinging.

Seht Herr, als er hineinging, da hat er so geblasen: *(der Erzähler bläst eine Melodie auf seinen Launeddas).* Nun muß er also alles umgekehrt blasen. Seht, so: *(der Erzähler bläst eine andere Melodie).* Jaja, ich weiß das nun, aber dem Alten damals, dem geht es schlechter. Er weiß nicht mehr: habe ich jetzt das geblasen? Oder das? Und er probiert alles aus. Und auf einmal: da geht die Erde wieder auf. Und jetzt kennt er die Melodie, die er blasen muß, damit er wieder hinauskommt. Und er ist schlauer als die anderen. Und da steckt er sich alles voll Geld, und dann bläst er ... *(Der Erzähler spielt wieder.)* ... Und wie er draußen ist, da zählt er das Geld. ›Nicht genug!‹ denkt er. Und er bläst wieder andersherum ... *(Wieder spielt der Erzähler, diesmal die erste Weise.)* Und schon ist er drinnen. Und einen Sack hat er sich umgehängt, und in den hinein stopft er Geld, so viel er tragen kann. Und dann ... *(Erneut bläst der Erzähler, diesmal die zweite Melodie.)*

Ja, Herr, so wird's gemacht. Aber wenn man nicht das richtige trifft, dann muß man drinnen bleiben und verhungern. Oder wenn man beim Herausgehen zu früh aufhört, dann wird man zerquetscht, wenn die Erde zumacht.

Nun also, so hat es der Alte gemacht. Und dem jungen Burschen hat er noch Geld geschenkt. Aber nicht viel. Und da hat der Junge gefragt: »Und wo ist die Höhle?« »Die«, sagt der Alte, »das Geld, die Höhle und das Geld, das ist da und da.« Und er sagt, er könne es ihm ja sagen, denn er, der Alte, braucht nichts mehr. Er hat genug.

Und der Bursche geht also dahin, wie es ihm der andere gesagt hat. Aber er bläst und bläst, bis er nicht mehr kann. Aber geholfen hat es gar nichts. Keine Erde ist aufgegangen. Vielleicht war er nicht genau vor der Höhle? Vielleicht hat er auch falsch gespielt? Ich weiß es nicht. Ich war nicht dabei.

Kroatien

Das Mädchen von nirgend her

Es war einmal ein König, der hatte nur einen einzigen Sohn. Als der Sohn erwachsen war, lag ihm der Vater beständig an, sich zu verheiraten. Darauf antwortete er: »Ich möchte mich wohl verheiraten, aber hier gibt es keine Mädchen für mich, ich muß in die Welt ziehen, ein Mädchen zu suchen, das von nirgend her ist. Gib mir ein gutes Pferd, einen Diener und Geld, dann will ich suchen.« Auf seiner Reise kam er in einen großen Wald und traf dort auf einen schönen Brunnen; da befahl er seinem Diener, das Pferd zu tränken. Der wollte das gerade tun, aber zufällig sah er in den Brunnen hinein, und darin leuchtete es so schön, daß es lieblich anzusehen war. Da rief der Diener seinen Herrn, er möge doch auch sehen, was da in dem Brunnen leuchtet. Der Herr verwunderte sich und blickte in die Höhe, über dem Brunnen, da sieht er ein schönes Mädchen auf einer Eiche sitzen, wie es schöner nicht sein konnte, goldnes Haar bis zu den Knien und funkelnd wie die Mittagssonne. Als er sie ordentlich betrachtet hatte, rief er sie herab: er wolle sich ein wenig mit ihr unterhalten, und als sie unten war, fragte er sie, woher sie sei und worauf sie da warte. Sie antwortete ihm, sie gehöre niemand an, sie sei von nirgend her und warte hier auf ihr Glück. Darauf sagte er: »O! So eine suche ich gerade, die von nirgend her ist; aber willst du mein werden?« – »Ich will.« – Da nahm er den Ring von seinem Finger und gab ihn ihr, und sie gab ihm ihren. »Jetzt bleib du hier«, sprach er weiter, »bis ich wiederkomme und das Hochzeitsgefolge mitbringe.«

Während so der Prinz nach Hause ging, tappte eine Zigeunerin zu dem Brunnen heran, sah hinein, und es leuchtete ihr hell daraus entgegen. Als sie nun hinaufblickte, bemerkte sie das Mädchen und sagte zu ihr: »Aber nein, Herrin, bist du schön! Komm herab, gib mir deine Kleider, ich gebe dir meine, dann wollen wir in den Brunnen gucken und sehen, wessen Bild schöner ist.« Das Mädchen kam herab, zog die Kleider der Zigeunerin an und die Zigeunerin ihre. Darauf bückten sie sich und sahen in den Brunnen, die Zigeunerin aber packte das Mädchen, warf sie in den Brunnen und setzte sich an ihren Platz, um abzuwarten, was nun wird. Da hörte sie auf einmal Musik spielen, und es kommt ein Hochzeitszug. Als die Herren an die Stelle kamen, betrachteten sie das Mädchen von nirgend her, was das für eine ist, und alle wunderten sich, wie schwarz sie ist, auch der Prinz selbst wunderte sich, wie häßlich sie ist. Aber was will er machen? Jetzt müssen sie sie schon mitführen. Da befahl der Prinz einem Diener, die Pferde zu tränken; der läßt den Eimer in den Brunnen hinab, und hinein springt ein Goldkarpfen. Der Diener rief seinen Herrn, der sah den Karpfen an und befahl dem Diener, ihn in ein Tuch zu wickeln und in einen Kasten zu legen. Das tat der Diener, und darauf begaben sie sich nach Hause.

Dort wurde die junge Frau krank, Doktoren kamen, konnten ihr aber nicht helfen, doch fragten sie, was sie essen möchte, und sie antwortete, sie möge nichts als den Karpfen. Der Prinz redet ihr ab: »Laß doch, du siehst ja, es gibt nichts so Schönes wie den.« Aber vergebens, sie wollte nichts als den Karpfen. Da man jetzt nicht aus noch ein wußte, mußte man ihr den Karpfen schlachten, und der Prinz befahl demselben Diener, der ihn gebracht hatte, das zu tun. Gerade neben ihrem Garten war ein kleiner Bach, und dort schlachtete er ihn. Er hatte ihn schon abgeschuppt und wollte ihn ausnehmen, als ein altes Weib durch den Garten da vorbeikam und ihn fragte, was er mache. Er antwortete ihr: »Du siehst ja, ich nehme einen Fisch aus.« Dabei bewegte sich innen das Herz in dem Fische. »Gib mir doch das Herz, ich bitte dich.« Darauf antwortete er: »Das wage ich nicht, denn wenn der Prinz es merkt, hängt er mich auf.« Die Alte fing wieder an: »Ich bitte dich, gib es mir doch! Niemand wird davon erfahren, ich verberge es.« Da gab er es ihr, sie nahm es mit nach Hause und warf es hinter den Ofen, daß es niemand sehen sollte.

Als der Fisch gekocht war, aß die Prinzessin ihn, und ihr wurde besser, der Prinz aber hatte dem Diener befohlen, Flossen und Schuppen in den See zu werfen. Er hatte auch alles hineingeworfen, nur eine Schuppe war draußen geblieben; und sieh da! Am nächsten Morgen war aus der Schuppe ein großer Birnbaum erwachsen, himmelhoch, mit goldnen Ästen und Blättern. Als der Diener am Morgen aufgestanden war, verwunderte er sich sehr, ging gleich zu seinem Herrn, es zu melden, und auch der Herr erstaunte sehr. Als aber die Frau aufgestanden war und sah, was war, sagte sie gleich: »Das ist gar zu hell, das muß abgehauen und in den Ofen geworfen werden.« Der Prinz antwortete: »Laß es doch so, wie schön ist es doch, niemand hat etwas so Schönes.« Sie blieb aber dabei: »Das ist gar zu hell, das muß abgehauen werden.« Da mußte denn der Diener den Baum abhauen, und als er dabei war, kam wieder das alte Weib und wollte ein Stück von einem Zweiglein haben; er antwortete aber: »Ich wage es nicht, denn wenn's der Prinz hört, läßt er mich aufhängen.« – »Gib nur, ich bitte dich, es wird niemand davon erfahren, ich werde es gut verstecken.« Darauf gab er ihr ein Stück von einem Zweiglein, sie nahm es mit nach Hause und warf es dahin, wo das Karpfenherz lag. Der Diener aber hieb alles ab und warf es in den Ofen.

Eines Morgens, als die Alte aus dem Schlafe erwachte und einen Blick hinter den Ofen warf, sah sie dort ein schönes Mädchen, wie es nicht schöner sein kann. Die Alte erschrak, aber das Mädchen sagte: »Hab keine Angst; ich danke dir, daß du das Herz und das Zweiglein verlangt hast; hättest du es nicht bekommen, würdest du von mir nichts gewußt haben. Ich bitte dich, laß mich bei dir bleiben, ich will dir alle Arbeit tun, die du brauchst.«

In dem Jahre war dem König viel Korn gewachsen, und schon zeigte sich der Kornwurm darin. Da ordnete er an, daß aus jedem Hause eins kommen solle zum Kornworfeln. Die Reihe kam so auch an die Alte, und das Mädchen sagte zu ihr: »Ich will für dich gehen, geh du nicht selbst.« Die Alte ließ sie gehen: »Also geh, Töchterchen!« Als sie nun so beim Kornsieben waren, kam der Prinz, nahm einen Sessel, setzte sich zu ihnen und sagte: »Jetzt muß jede eine Geschichte erzählen.« Da erzählten alle, aber als die Reihe an das Mädchen kam, sagte sie: »Ich weiß nichts.« Der Prinz befahl ihr aber: »Du mußt, du weißt schon irgendwas.« – »Nun, ich bin ein Mädchen von nirgend her und war im Walde über dem Brunnen da. Da kam ein Prinz und wollte seine Pferde tränken, bemerkte mich und rief mich herab. Er gab mir gleich seinen Ring und ich ihm meinen, dann stieg ich wieder hinauf. Danach kam eine Zigeunerin, sah in den Brunnen und bemerkte mich; dann bat sie mich, ich möchte ihr meine Kleider geben, sie wollte mir ihre geben, wir sollten uns dann in dem Brunnen spiegeln und sehen, wie es jeder von uns ließe. Ich kam herab, und wir spiegelten uns, als sie mich auf einmal in den Brunnen stieß.«

Als das der Prinz gehört hatte, wollte er sehen, ob sie die goldnen Haare hätte; sie nahm ihr Tuch ab, und alles erglänzte von lauter Gold. Da nahm sie der Prinz zur Frau, und die Zigeunerin ließ er hinrichten.

Lettland

Die Hexe auf der Espe

Zwei Brüder gingen einst auf die Jagd. Im Walde trafen sie einen Hund. Fragte der ältere Bruder den jüngeren: »Soll ich schießen?« – »Ach, schieß mich nicht!« antwortete der Hund; »Ich will jedem von euch drei Junge geben: das erste Paar heißt Packan, das zweite Zerbrich, das dritte Splittereisen. Wenn die ersten zupacken, so wird es stauben, wenn die zweiten brechen, so wird es krachen, wenn die dritten reißen, so wird es splittern.« Gut. Nach einer kleinen Weile trafen sie einen Wolf. Fragte der ältere Bruder den jüngeren: » Soll ich schießen?« – »Schieß mich nicht!« antwortete der Wolf; »ich will jedem von euch einen Welpen geben, das werden gute Spürer sein.«

Gut. Nach einer Weile trafen sie einen Bären. Fragte der ältere Bruder den jüngeren: »Soll ich schießen?« »Schieß mich nicht!« antwortete der Bär; »ich will jedem von euch ein Junges geben, das werden gute Trotter sein.«

Gut. Nach einer Weile trafen sie einen Luchs. Fragte der ältere Bruder den jüngeren: »Soll ich schießen?« »Schieß mich nicht!« antwortete der Luchs; »ich will jedem von euch ein Junges geben, das werden gute Springer sein.«

Gut. Nach einer Weile trafen sie einen Fuchs. Fragte der ältere Bruder den jüngeren: »Soll ich schießen?« »Schieß mich nicht!« antwortete der Fuchs; »ich werde jedem von euch ein Junges geben, das werden treffliche Heilkünstler sein.«

Nach einer Weile trafen sie einen Elch. Fragte der ältere Bruder den jüngeren: »Soll ich schießen?« – »Schieß nicht!« antwortete der Elch; »ich werde jedem von euch ein Junges geben, das werden gute Träger sein.«

Nach einer Weile trafen sie ein Reh. Fragte der ältere Bruder den jüngeren: »Soll ich schießen?« – »Schieß mich nicht!« antwortete das Reh; »ich werde jedem von euch ein Junges geben, das werden gute Läufer sein.«

Nach einer Weile trafen sie einen Hasen. Fragte der ältere Bruder den jüngeren: »Soll ich schießen?« »Schießt mich nicht!« antwortete der Hase; »ich werde jedem von euch ein Junges geben, das werden gute Ausreißer sein.«

Nun nahm jeder der Brüder seine Tiere, seine Helfer, und dann gedachten sie sich zu trennen. Aber bevor sie sich trennten, verabredeten sie, jeder sein Messer in eine große Eiche zu bohren: wenn einer von ihnen heimkehrte und fände das Messer des Bruders verrostet, werde das ein Zeichen sein, daß es dem Bruder schlecht gehe; wäre es dagegen blank, so stehe es natürlich sehr gut. Der ältere Bruder wandte sich seitwärts, der jüngere ging geradeaus. Am nächsten Tage kam der ältere Bruder in ein Schloß. Das war wie ausgestorben, keine lebende Seele war darin als ein einziges Mädchen. »Mägdlein, Schwesterchen, wo sind denn die übrigen Leute?« – »Die übrigen Leute sind einem weißen Elch nachgelaufen und zu Stein geworden; auch Väterchen ist fortgegangen.«

»Ja, ja, Mädchen, die sind ohne Helfer fortgelaufen, aber ich habe Helfer in Hülle und Fülle, da will ich den Elch schon fangen.« Er geht hinaus, ja, der weiße Elch streicht am Schlosse vorbei, er eilt also mit seinen Helfern hinterher. Plötzlich ist der weiße Elch verschwunden. Da schaut der ältere Bruder aufwärts und sieht auf einer alten Espe eine garstige Hexe. »Komm herunter, alte Hexe, sonst schicke ich dir meinen Bären nach, daß er dich fein säuberlich herunterträgt.«

»Ich komme, ich komme, erlaub mir nur, mit diesem Stäbchen deine Tiere zu berühren, daß sie mich nicht beißen.«

Er erlaubt es; aber kaum hat die Hexe sie mit dem Stäbchen berührt, als alle Tiere, alle Helfer mitsamt dem älteren Bruder zu Stein werden.

Nach geraumer Zeit kommt der jüngere Bruder zur Eiche zurück und sieht, daß seines Bruders Messer ganz verrostet ist. Sogleich kehrt er um, seinen Bruder zu suchen, und kommt in dasselbe Schloß, wo nur das einzige Mädchen ist.

»Mägdlein, Schwesterlein, wo sind denn die übrigen Leute?«

»Die übrigen Leute sind einem weißen Elch nachgelaufen und zu Stein geworden. Einmal ist auch ein Jüngling mit allerhand Tieren als Helfern gekommen, der gedachte, den Elch zu fangen; aber umsonst, auch sie sind zu Stein geworden.« – »Das ist mein Bruder, das ist mein Bruder, wie kann ich ihn befreien?« »Den Bruder wirst du nicht befreien, bring dich lieber selbst in Sicherheit, und wenn es dir möglich ist, so nimm mich mit. Du weißt ja nicht, mein Lieber, was dort auf der Espe für eine Hexe haust: mit einem Wort und mit einem kleinen Stäbchen verwandelt sie dich, mich und deine Tiere für alle Zeiten in Steine. Und sie wird sich auch zu rächen suchen, wenn sie erfährt, daß ich dich hier festhalte. Fliehen wir lieber beizeiten, mein Junge!«

Der jüngere Bruder stieg nun auf den Rücken des Wolfes, nahm das Mädchen auf den Schoß und floh. Da erdröhnte die Erde, und die Hexe jagte hinterher. Der jüngere Bruder sah, daß er mit dem Wolfe nicht entkommen werde, verließ deshalb den Wolf und stieg mit dem Mädchen auf den Rücken des Bären. Aber die Hexe kam trotzdem näher und immer näher. Da sprang der jüngere Bruder mit dem Mädchen auf den Rücken des Elches. Aber die Hexe kam trotzdem näher und immer näher. Das Häschen lief wohl, so schnell es konnte; das Rehchen rannte immer geradeaus, so schnell es vermochte; das Wölfchen, das Bärchen und das Füchschen setzten über Stock und Stein; das Lüchschen-Krummbein humpelte immer drauflos; nur Packan, Zerbrich und Splittereisen fletschten ihre Zähne, aber was wollten sie allein machen? Auch der Elch, der Träger, merkt zuletzt, daß die Hexe flinker ist als sie alle. Er sagt daher dem jüngeren Bruder: »Reibe mein rechtes Geweih, dann wird aus ihm eine Hechel entstehen. Die wirf über die linke Schulter, doch schau nicht zurück!« Der jüngere Bruder wirft die Hechel über die linke Schulter, und sieh da, hinter seinem Rücken entsteht ein dichter, dichter, schwarzer Wald. Aber die Hexe beißt sich auch durch ihn hindurch. Da sagt der Elch zum jüngeren Bruder. »Reibe mein rechtes Geweih, dann wird aus ihm ein Schleifstein entstehen, den wirf über die linke Schulter; nur schau nicht zurück.« Der jüngere Bruder wirft den Schleifstein über die linke Schulter, und sieh da, hinter seinem Rücken entsteht ein gewaltiges, hohes Felsengebirge. Aber die Hexe dringt auch über das Gebirge hinüber. Da sagt der Elch zum Jüngling: »Reibe mein rechtes Geweih, dann wird aus ihm ein Tüchlein entstehen, das wirf über die linke Schulter, nur schau nicht zurück.« Der jüngere Bruder wirft das Tüchlein über die linke Schulter, und siehe da, hinter seinem Rücken entsteht ein Feuerstrom. Über den Strom kann die Hexe nicht hinüber. Nun steigt der jüngere Bruder vom Elch und verschnauft sich.

Indes lange kann er sich auch nicht verschnaufen, er muß sich doch eine Hütte herrichten zum Übernachten. Jetzt sind alle am Werk: Nein, wie flink das ging! Der eine trug herzu, der andere warf, der dritte hob, der vierte streckte, der fünfte schichtete, der sechste deckte. Als sich alle zur Ruhe gelegt hatten, führte der Elch den jüngeren Bruder hinaus und sprach: »Jetzt schlachte mich und vergrabe meinen Kopf unter der Schwelle, meinen Rumpf unter der Diele. Hier hast du ein Strumpfband, das hüte wohl. Und wenn du dich einmal aus dieser Hütte entfernst, so schwenke das Strumpfband dreimal von rechts nach links und binde damit meinen Kopf an den Rumpf, so werde ich wieder lebendig werden!«

»Aber sag, lieber Elch, wie soll ich es übers Herz bringen, dich, meinen Retter, zu schlachten?«

»Verlier keine Zeit, ich rate dir doch zum Guten, es soll dein eigener Vorteil sein.« Da tat der jüngere Bruder, wie ihm geheißen war, und legte das Strumpfband ans Fenster. Am Morgen aber kam es ihm in den Sinn, mit seinen Tieren, seinen Helfern, ein wenig zu jagen, um nicht zu frieren. Das Mädchen blieb zu Hause und bemerkte das Strumpfband. Da dachte sie: »Ein so schönes Band darf man nicht herumliegen lassen, ich will es um meinen Strumpf binden.«

Doch indem sie ihren Strumpf zuband, schwenkte sie das Strumpfband von links nach rechts. In demselben Augenblick entstand über dem Feuerstrom eine eiserne Brücke, und die Hexe war über den Strom hinüber. Jetzt stürzten sich die Tiere, die Helfer, auf die Hexe. Sie kann auch wirklich nichts ausrichten, denn ihre Stäbchen hat sie in der Eile an der Espe vergessen, aber so eine findet doch immer einen Ausweg: eins, zwei, drei ist eine große Grube fertig, und wie nun die Tiere, die Helfer, herankommen, stürzt eins nach dem andern hinein. Und als alle drinnen auf einem Haufen liegen, legt sie, klauks! eine dicke, dreimalneunfache eiserne Tür darüber, und was jetzt? Jetzt ist der jüngere Bruder mit dem Mädchen in der Klemme. Die Hexe grinst vor Vergnügen und sagt: sie sollen sofort die Badstube heizen und sich sauber waschen, dann sollen sie sich ihr zum Frühstück bereithalten. Jene heizen also die Badstube, und die Hexe legt sich inzwischen in den Sonnenschein.

Das Ofengewölbe ist aber noch kaum lauwarm, da erscheint der Elchkopf und sagt: »Ihr Toren, was eilt ihr denn so mit dem Einheizen? Packan, Zerbrich und Splittereisen haben eben erst drei Eisentüren durchbrochen, jetzt fackelt recht lange, bis alle Türen erbrochen sind.«

Kaum hat sich der Elchkopf entfernt, da war auch die Hexe zur Stelle. »Ich liege und liege und kann euch nicht erwarten. Wie steht's, ist das Bad bald gerüstet?« »Für einen Badenden wäre es so halb und halb gewärmt, für zwei muß man noch Holz nachlegen.«

»Nun, wenn es sich so lange hinzieht, dann will ich gar nicht zwei zum Frühstück.« So sprechend, ergriff die Hexe das Mädchen und riß ihr den Vorderzahn aus, der war aus reinem Golde und ein Geschenk der Glücksmutter selbst. Hatte sie aber den nicht im Munde, so mußte sie sterben. Und so war es auch: als der Zahn aus dem Munde des Mädchens heraus war, war sie tot. Die Hexe legte sie in einen eisernen Sarg und begrub sie am Kreuzwege. Während sich die Hexe damit abmühte, war der Elchkopf wieder zur Stelle: »Packan, Zerbrich und Splittereisen haben wieder drei Türen erbrochen.«

Die Hexe kam vom Begräbnis des Mädchens herbeigelaufen und war noch mehr ausgehungert. Sie brüllte: »Heiz schnell; bist du nicht bald fertig, so fresse ich dich ungewaschen.« – »Ich bin gleich fertig, das Wasser muß nur noch etwas wärmer werden.«

Die Hexe legte sich in den Sonnenschein, da erschien der Elchkopf abermals: »Packan, Zerbrich und Splittereisen zerbrechen eben die letzten Türen. Wart jetzt nur auf deine Helfer.« Es währte auch nicht lange, da waren alle Tiere, alle Helfer, zur Stelle. Jedes verbarg sich an seinem Ort: das Häschen unter der Bank, das Reh unter der Pritsche, der Fuchs hinter der Tür, der Wolf im Zuber, der Bär im Ofenwinkel, der Luchs in der Darrenluke, Packan, Zerbrich, Splittereisen und der jüngere Bruder im Ofenloch. Kommt nach einer Weile die Hexe und brüllt: »Ist es jetzt einmal soweit?« – »Jawohl, komm nur herein!«

Tschihks! öffnet sich die Tür, und die Hexe schleicht herein. Nun gab es was zu sehen. Packan packte zu, Zerbrich riß, Splittereisen fetzte, der Bär sengte, der Wolf zerriß, der Fuchs biß, der Luchs kratzte, das Reh feuerte aus, der Hase lief, und der jüngere Bruder schlug mit dem Gießeimer drauflos; aber der Hexe ganz den Garaus machen konnten sie doch nicht, denn die Tür der Badestube war offengeblieben, und sie entwischte. Jetzt waren alle froh. Als aber der jüngere Bruder vom Mädchen zu erzählen begann, wurden die fröhlichen Gesichter wieder betrübt, und alle unternahmen es einmütig, das Mädchen aufzusuchen. Das Häschen sprang voran, der Wolf und der Hund schnupperten nach ihrer Spur, und sieh da, sie schnupperten so lange, bis sie sie gefunden hatten. Der Luchs und das Reh scharrten sogleich den eisernen Sarg heraus, der Bär hob ihn hervor, Packan, Zerbrich und Splittereisen erbrachen den eisernen Deckel, und der Fuchs, der Heilkünstler, fand unter ihrem Kopfe den goldenen Zahn. Der jüngere Bruder fügte nun den Zahn in die Lücke, und das Mädchen wurde zusehends lebendig und gesund. Danach riefen alle durch das Strumpfband auch noch den Elch ins Leben zurück, und dann ritten sie ebenso, wie sie hergeritten waren, ins Schloß zurück. Unterwegs sagte der schlaue Fuchs: »Alles können wir aufspüren, nur das eine haben wir damals nicht erschnüffeln können, daß die Hexe ihr Stäbchen auf der Espe vergessen hatte. War es nötig, daß wir soweit flohen?« – »Einerlei«, antwortete der Elch, »jetzt wollen wir der Hexe befehlen, ohne ihr Stäbchen von der Espe herabzusteigen, und gehorcht sie uns nicht, so stürzen wir die Espe um.«

Gut. Sie kommen zur Espe. Die Hexe hockt wie ein Heuschober und ächzt: »Mich friert, mich friert. Laß mich hinuntersteigen, mich zu wärmen; aber erlaube mir, deine Tiere mit dem Stäbchen zu berühren, damit sie mich nicht beißen.«

Der jüngere Bruder aber achtet gar nicht auf ihr Jammern, sondern sagte: »Komm nicht mit dem Stäbchen herunter, sondern sag uns zuerst, was das für Steine sind.« – »Das sind Menschen und Tiere.«

»Nun gut, wenn es Menschen und Tiere sind, wie ruft man sie ins Leben zurück?« Sie wollte es auf keinen Fall sagen, da wollten sie die Espe umstürzen.

»Stoßt sie nicht um, stoßt sie nicht um, ich will es sagen: nimm etwas vom vermoderten Holz der Espe und streu es auf die Steine, so werden sie lebendig werden.«

So geschah es, da erschienen Menschen, da erschien auch der ältere Bruder, ferner die Tiere, seine Helfer, Vater und Mutter des Mädchens und alle ihre Untertanen; da gab es ein Gewimmel, ärger als auf dem Jahrmarkt. Dann umringten sie alle die Espe und stürzten sie mitsamt der Hexe zu Boden. Im Fallen fand sie weder Zeit, jemand mit ihrem Stäbchen zu berühren, noch die Hand zu heben: alle Tiere überfielen sie und rissen sie in Stücke. Der jüngere Bruder heiratete das Mädchen und lebte mit dem älteren Bruder in Liebe und Eintracht im ererbten Schlosse. Der Vater des Mädchens aber übergab dem Schwiegersohn die Herrschaft.

Litauen

Die drei Seelen, der Stern und der Mond

Ein Königssohn fuhr durch alle Königreiche, denn er wollte sich eine Frau suchen, doch nirgends fand er ein passendes Mädchen für sich. Da nahm er von seinem Vater, dem König, drei Groschen und wanderte los in die Welt.

Er begegnete einem Alten, der sagte zu ihm:

»Ach, erlauchter König, ich habe dich schon woanders gesehen, und nun treffe ich dich hier. Hast du nicht ein Almosen für mich?«

»Ich habe drei Groschen. Einen gebe ich dir, zwei bleiben für mich.«

Und wieder ging er, und wieder traf er den Alten, doch er meinte, das wäre ein anderer. Und wieder bat der ihn. Und er gab ihm den zweiten Groschen. Und zum dritten Male geschah es ebenso, und er gab ihm den dritten Groschen.

Doch er fragte ihn wieder:

»Wohin, o erlauchter König, gehst du?«

»Ich bin durch alle Königreiche gefahren, und nirgends fand ich ein passendes Mädchen für mich. Ich gehe jetzt auf Wanderschaft in die Welt, ob ich nicht irgendwo eins finde.«

»Kehre zurück, baue eine eiserne Brücke über den Fluß, an dem du wohnst. Das Mädchen wird von selbst zu dir gefahren kommen, du mußt nur drei Nächte wachen und auf sie warten. Wenn sie angefahren kommt, frage sie: ›Wer fährt da?‹ Sie wird antworten: ›Ein Mädchen.‹ Und du sage dem Mädchen: ›Kannst du eine Naht ohne Naht zusammennähen, kannst du einen Flicken ohne Flicken aufsetzen, kannst du drei Seelen zurückhalten, wenn sie des Weges gehen?‹ Das Mädchen, das das tun will, die heirate!«

Darauf baute er die Brücke und stellte eine Nachtwache auf.

In der ersten Nacht kam ein Mädchen mit vier Pferden angefahren. Als sie herangefahren kam, rief er ihr zu, sie solle halten. Er fragte sie, wie es ihn der Greis gelehrt hatte, und sie antwortete auch, wie es der Alte gesagt hatte.

Der Königssohn fragte sie alles und sagte dann:

»Wenn du alles so machen kannst, dann nehme ich dich zur Frau.«

»Ich kann das nicht so machen«, antwortete sie.

In der nächsten Nacht kam ein anderes Mädchen mit sechs Pferden gefahren. Auch sie kam heran, er hielt sie an und fragte wieder, und auch sie antwortete wie die erste, auch sie wollte die Arbeit nicht übernehmen.

In der dritten Nacht kam eine mit acht Pferden angefahren.

Er hielt sie wiederum an und fragte wieder:

»Wer fährt da?«

»Ein Mädchen.«

Als sie aus dem Wagen gestiegen war, fragte er sie:

»Kannst du eine Naht ohne Naht zusammennähen, kannst du einen Flicken ohne Flicken aufsetzen, kannst du drei Seelen zurückhalten, wenn sie des Weges dahingehen? Wenn du das kannst, dann nehme ich dich zur Frau. Ich werde dich heiraten.«

»Ich kann das alles machen: eine Naht nähen –.«

Darauf nahm sie von ihrem Finger ein Ringlein und steckte es ihm an den Finger. Und während sie das tat, sagte sie:

»Schnüre ihn, Ring, sei ruhelos, Herz! Ich habe dich gesucht, doch nun sollst du mich suchen. Du findest mich über dem Strom aus Milch, hinter dem Wald aus Honig, in dem hohen Wohnspeicher – hoch oben ein Schwan!«

Dann fuhr sie davon, und er blieb stehen.

Jetzt muß er sie suchen gehen, denn sein Herz ist voller Unruhe, und der Ring schnürt seinen Finger. Er muß gehen. Er überlegt: Ich bin durch alle Königreiche gefahren, nirgends habe ich einen Strom aus Milch und einen Wald aus Honig gefunden!

Wieder zog er aus auf Wanderschaft. Und wenn er geht, schnürt ihn das Ringlein nicht mehr. Also geht und geht er, und wieder begegnet er dem Alten.

Da fragt er sogleich den Greis:

»Ach, liebes Väterchen, weißt du nicht, wo der Strom aus Milch und der Wald aus Honig ist?«

»Ich weiß das nicht. Doch geh hier entlang, du wirst ein kleines Häuslein finden. In diesem Häuschen findest du einen Stern. Vielleicht geht er jenen Weg und zeigt ihn dir«, antwortet der Alte.

Der Königssohn geht in das kleine Häuschen und grüßt:

»Gelobt sei –.«

Eine Kerze brennt auf dem Tisch.

Das Sternlein:

»Ach«, sagt es, »erlauchter König, ich habe dich schon woanders gesehen, und nun bist du hierhergekommen!«

»Weiß Euer Gnaden nicht, wo der Strom aus Milch und der Wald aus Honig ist?«

»Ich weiß es, doch ich ziehe diesen Weg nicht. Geh in das andere Häuschen, dort wohnt der Mond, vielleicht zieht der jenen Weg.«

Schließlich fand er auch jenes Häuschen. Er grüßte ebenfalls »Gelobt sei –«, als er den Mond darin sitzen fand.

»Ach, erlauchter König, ich habe dich schon woanders gesehen, und nun bist du hierhergekommen!«

»Ich bin hierhergekommen, denn ich bin unterwegs, ein Mädchen zu suchen. Sie sagte zu mir: ›Du findest mich über dem Strom aus Milch, hinter dem Wald aus Honig, in einem hohen Wohnspeicher – hoch oben ein Schwan.‹ So beschrieb es das Mädchen.«

Der Mond sagt:

»Ich weiß es, ich ziehe den Weg. Ich kann dich dahinführen!«

Der Mond gab ihm ein kleines Zaumzeug und brachte vier Ellen schmales Blech und band es ihm um den Bauch. Dann sagte er:

»Geh hinter mein Häuschen und klirre mit dem Zaumzeug. Wenn mein Pferd angelaufen kommt, dann höre zu, was es sagt.«

So tat er auch. Da kam ein schönes Pferdlein angelaufen, es schnupperte und sagte dann:

»Das ist wohl mein Zaumzeug, aber nicht mein Reiter. Er ist nicht würdig, aufzusitzen noch zu reiten!«

Und als er wieder ins Häuschen zurückgekehrt war, fragte ihn der Mond:

»Was hat mein Pferd gesagt?«

»›Es ist wohl mein Zaumzeug‹, sagte es, ›aber nicht mein Reiter. Er ist nicht würdig, aufzusitzen noch zu reiten.‹«

Und wieder brachte er weitere vier Ellen Blech und wickelte es ihm um den Bauch.

»Jetzt klirre mit dem Zaumzeug, wirf es dann von dir und höre gut zu, was das Pferd sagt«, sprach der Mond.

Und wieder schnupperte das Pferdchen und sagte wieder dasselbe. Und zum dritten Male umwand ihn der Mond mit dem schmalen Blech und sprach:

»Jetzt klirre mit dem Zaumzeug, wirf es von dir und sieh zu, was das Pferd sagt.«

Das Pferd kam angelaufen, schnupperte und sagte:

»Jetzt ist das mein Zaumzeug und mein Reiter, er ist würdig, aufzusitzen und zu reiten. Dann trage ich dich jetzt«, sagte es, »durch den Strom von Milch. Wenn ich aber müde werde, drehe ich mich auf die Seite, dann setze dich auf meine andere Seite. Aber koste ja nicht von der Milch des Stromes!«

Schon sind sie nicht mehr weit vom Ufer, doch die Milch duftet so wunderbar, und er möchte so gern einmal lecken! Da machte das Pferd einen Satz und flog – husch! – hinaus.

»Nun siehst du, ich habe es dir ja gesagt, daß du nicht widerstehen kannst und kosten wirst!« sagte das Pferd. (Dieser Strom war nämlich von Zauberern verhext.) »Jetzt habe ich dich nur durch den Milchstrom getragen, und du konntest das Kosten nicht unterlassen, doch wenn ich dich durch den Honigwald trage, da duftet es noch viel lieblicher. Ich will dich nicht mehr sehen!«

»Ich werde nicht mehr kosten!« bittet er das Pferd, »Ich werde bestimmt nicht mehr kosten!«

»Na, sitz auf, aber koste nicht mehr! Denn wenn du das tust, dann sind wir beide verloren!«

Er stieg auf. Der Honig duftet so lieblich, von den Ästen tropft es herab. Er war schon durch den Wald bis zum Rande geritten, wo nur noch kleine Sträucher standen.

»Ich streife nur ein wenig ab«, sagte er.

Das Pferd machte ein paar Sätze – husch-husch! – und brauste heraus, daß er nichts mehr abwischen konnte.

»Du siehst: Wie fest du es auch versprochen hast – du kannst nie widerstehen!« sagte das Pferd.

Doch schon war ein schönes, großes Herrenhaus mit drei Stockwerken zu sehen.

»Na«, sagt das Pferd – oder der in das Pferd verwandelte Mond –, »ich werde dich in ein kleines Käferchen verwandeln. Doch bewege dich nie in der Mitte der Gemächer, sondern immer nur an den Wänden entlang, bis du in den dritten Stock gekommen bist. Wenn du da hinaufsteigst, wirst du wieder ein Königssohn sein wie vorher, und du findest dort dein Mädchen.«

Als er dort eintrat, sagte sie zu ihm:

»Ach, erlauchter Königssohn, es ist wunderbar, daß du mich trotz allem gefunden hast! Du bist sehr müde – lege dich nieder, ruhe dich ein wenig aus. Ich werde dir etwas zu essen machen.«

Er schlief auch ein. Da stürzte ihre Mutter, eine Hexe, herein.

»Wer schläft denn hier?« fragt sie, »Ist das nicht mein Schwiegersohn?«

»Ja, dein Schwiegersohn«, antwortete die Tochter.

Und die Mutter ging hinaus.

Die Tochter lief schnell, Holzstückchen zu holen, doch die Mutter schnitt ihm den Bauch auf und riß die Lunge heraus.

Die Tochter läuft hinein, sie eilt sehr. Sie schaut und sieht: Die Mutter schleift die Lunge in der Hand über den Lehmfußboden. Sie entreißt der Mutter die Lunge, legt sie zurück und näht den Schnitt wieder zu. Und er schläft wie zuvor.

Das Mädchen lief hinaus, um Wasser zum Frühstück zu holen, da riß die Hexe dem Schwiegersohn wieder die Lunge heraus, doch das Mädchen legte sie hinein und nähte wieder zu.

Und zum dritten Male, als die Tochter hinausgegangen war, kam die Mutter wieder hereingestürzt und riß dem Gast die Lunge heraus. Die Hexe wollte die Lunge unbedingt in das Kesselchen werfen, in dem das Wasser kochte, doch die Tochter griff sofort zu, obwohl die Lunge an einer Stelle schon den Rand des eisernen Kessels berührt hatte. Wieder legte sie sie hinein und nähte alles schön zu.

Der Gast schlief sich aus und stand auf; das Mädchen fragt ihn:

»Hast du dich ausgeschlafen?«

»Gut habe ich mich ausgeschlafen, nur hat mir etwas wehgetan.«

Denn es tat ihm die Stelle weh, mit der die Mutter den heißen Kessel berührt hatte.

»Das ist eine Kleinigkeit«, sagt das Mädchen, »ich gebe dir eine Arznei, und du wirst wieder gesund!«

Da kamen alle zusammen zum Frühstück. Die Mutter legte sich einen silbernen Löffel zum Essen hin.

Als sie gegessen hatte, steckte sie ihn in ihre Tasche und sagte:

»Nun, Gast, wenn du mir morgen zum Frühstück meinen Löffel gibst, dann wirst du mein Schwiegersohn, doch wenn nicht, dann wirst du es nicht!«

Sie trug aber den Löffel mit sich herum. Sie, die Mutter, und zwei ihrer Töchter sind verdammte Zauberinnen. Doch die dritte Tochter fährt nicht zu den Teufeln zum Festgelage und Tanz, denn sie war gut.

Sie mußten nun in ein Boot steigen und über einen Fluß setzen. Doch sein Mädchen sagte ihm:

»Du mußt mit ihnen zusammen über das Wasser fahren und ihr den Löffel wegnehmen. Wenn sie in das Boot steigen, werden sie sagen: ›Ich in das Boot! Ich in das Boot!‹ Auch du mußt so sagen: ›Auch ich in das Boot, auch ich in das Boot!‹«

So belehrte ihn das Mädchen. Doch die Mutter sagt, als ob sie etwas geahnt hätte:

»Was ist denn das: als ob hier die Stimmen von vieren wären!«

Aber ihre jüngste Tochter sagt:

»Das ist heute ein Echoabend.«

Als sie ausstiegen, sagten sie:

»Ich aus dem Boot! Ich aus dem Boot! Ich aus dem Boot!«

Und er sagt:

»Auch ich aus dem Boot!«

Da stiegen sie schon aus, und es war nahe am Palast der Teufel.

Als sie dort zur Festgesellschaft kamen, wie haben sie die Teufel da tanzen lassen – einer ließ eine los, da greift sie schon der nächste.

Na, als die Zauberin etwas müde geworden war, sagt sie zu den Teufeln:

»Ich habe einen Schwiegersohn!«

Sie nahm den Löffel aus der Tasche, zeigte ihn den Teufeln und fragte, wo sie ihn hinlegen könnte.

»Der Ofen brennt, wirf ihn in den Ofen, er wird dort zerschmelzen.«

Der Schwiegersohn paßte auf und wartete, ohne daß die Zauberinnen ihn sahen. Er ergriff den Löffel und behielt ihn nun bei sich. Na, da ist auch schon die Stunde herangekommen, wo die Hähne zu krähen beginnen, und sie müssen nach Hause zurückkehren.

Und wieder, als sie über das Flüßchen setzen, sagen sie:

»Ich in das Boot! Ich in das Boot!«

Auch der Schwiegersohn sagt als vierter so. Beim Aussteigen sagen die Hexen wieder:

»Ich aus dem Boot! Ich aus dem Boot!«

Die Hexe sagt:

»Aber hier sind doch die Stimmen von vieren!«

»Das ist wie ein Echoabend, Mütterlein«, sagen die Töchter, »deshalb antworten auch vier Stimmen.«

Da erwartet ihn auch schon das Mädchen und fragt:

»Nun, wie ist's? Hast du den Löffel? Hast du ihn bekommen können?«

»Ja, ich habe ihn, dem Herrgott sei Dank!«

»Ja, dem Herrgott sei Dank, daß du ihn hast!« sagt das Mädchen. »Hier ist vielleicht ein Riemenschneider in der Nähe. Er soll drei so dicke Riemenpeitschen machen. Wir werden sie zum Heiligen Geist bekehren.«

Nun, da hatte er sie fertig. Er brachte die drei Riemenpeitschen mit. Da kamen sie alle zusammen zum Frühstück.

Die Mutter sagt:

»Na, Schwiegersöhnchen, wo ist nun mein Löffel, den ich dich gestern hieß mir zu geben?«

»Nun, da, wo du ihn niedergelegt hast!«

Sein Mädchen hielt die Tür zu, und er schlug auf die Hexen ein, und er prügelte und schlug sie so, daß schon das Fleisch von ihren Knochen flog:

»Ihr werdet nicht mehr zu dem Tanzvergnügen gehen!«

Nun heirateten die beiden. Das Mädchen hatte, als sie seine Lunge zunähte, gezeigt, daß sie eine Naht nähen kann ohne Naht, daß sie einen Flicken aufsetzen kann ohne Flicken und drei Seelen festhalten kann, die schon auf dem Wege dahingehen. (Und die Seelen, das heißt, daß sie die Lunge, nämlich die Menschenseele, in seine Brust zurücklegte.)

Niederlande (Friesland)

Sieben goldene Federn

Es war einmal eine Königstochter, deren Mutter war gestorben. Ihr Vater, der König, nahm sich eine zweite Frau. Aber die Stiefmutter konnte das Mädchen nicht leiden.

Es war ein gutes Kind und stand beim Volke weit höher in der Gunst und im Ansehen als sonst jemand aus der königlichen Familie. Die Dienerschaft des Palastes trug sie auf Händen. Das mochte die Stiefmutter nicht – sie hatte selbst auch Töchter. Die Prinzessin sollte ausgetilgt, fortgeschafft werden.

Der Vater stand so sehr unter dem Einfluß seiner zweiten Frau, daß er sie in allem gewähren ließ. Die Prinzessin wurde an die Grenze des Reiches gebracht. Dort, in großen, finsteren, unzugänglichen Wäldern mit Sümpfen, Tümpeln und reißenden Gewässern, wurde sie in ein Versteck, in eine enge Hütte eingeschlossen.

Nur wenig Essen wurde bei ihr zurückgelassen, dann mußte sie verhungern. Im letzten Augenblick gelang es ihr, aus der Hütte zu fliehen. Sie hatte aber nicht mehr die Kraft, die bewohnte Welt zu erreichen, und Hunger und Elend verwirrten ihr den Sinn. »Nicht weit von hier ist ein Wasser«, dachte sie. »Ich springe hinein, dann ist alles vorbei.« Aber weil sie so schwach war, stolperte sie über eine Wurzel, sie fiel – und fand dort eine goldene Feder.

Eine seltene und schöne Feder war es. Sie hob sie mit ihrer schwachen Hand, bewunderte sie und nahm sie mit. Kaum noch dachte sie daran, daß sie ins Wasser gehen wollte.

Sie kam an einen Kreuzweg. Ein Weg führte zum Wasser, der andere nicht. Da erblickte sie auf dem Weg, der vom Wasser wegführte, wieder eine Feder. »Sonderbar, noch eine Feder«, dachte sie, bog in den Pfad ein, hob die Feder auf, vergaß das Wasser und ging immer weiter.

Der Hunger quälte sie, mühsam ging sie vorwärts, meinte, auf dem Boden läge ein Stück Brot. Sie stürzte sich darauf, da lief es davon, es war ein Igel. Aber sie fand wieder eine goldene Feder, die dritte, und nahm sie mit. Noch einmal geschah es ihr, daß sie einen Stein für Brot ansah, und sie fand die vierte goldene Feder.

Immer weiter ging sie, kam an einen reißenden Fluß. Ein runder, glatter Baum lag darüber, der war aber naß und glitschig. Sie schrak zurück, verlor den Mut, wollte aufgeben. Da sah sie etwas glänzen – mitten auf dem Baumstamm lag die fünfte goldene Feder. »Ja«, dachte sie, »ja, die Feder will ich haben.« Sie wußte nicht warum, sie wollte die Feder haben und kroch über den glatten Stamm. Sie nahm die Feder und gelangte wohlbehalten ans andere Ufer.

Weiter ging sie und war nah am Verschmachten. Da sah sie, wie eine Taube aus einem Baum von ihrem Nest aufflog. »Das ist nicht hoch«, dachte sie, »ich will ein paar Eier essen.« Sie griff hinauf in das Nest – es lagen keine Eier darin, aber sie hielt die sechste goldene Feder in der Hand.

Sie ging weiter und erblickte ein sonderbares altes Gebäude, eine Ruine, wie die Trümmer eines Schlosses, brüchig und baufällig.

Der Weg führte über eine halbzerfallene Brücke, eine Zugbrücke auf morschen Pfählen. Sie schauderte. »Ich kann nicht, ich will nicht dahin«, dachte sie. Aber dann sah sie auf der Brücke, schon fast auf der anderen Seite, wieder eine solch goldene Feder liegen. Da lief sie über die Brücke und stand, die sieben Federn in der Hand, vor dem verschlossenen Tor der alten Ruine.

Sie klopfte an, aber niemand öffnete. Mutlosigkeit überkam sie, und in ihrer Verzweiflung und Verlassenheit wollte sie wieder ins Wasser gehen. Aber die sieben Federn bewahrten sie davor. Sie tat einen Schritt, ihr Fuß glitt aus, und um nicht zu fallen, griff sie nach dem Knauf des großen Tores. Da öffnete sich das Tor, und vor ihr stand ein Prinz.

Die goldenen Federn hatten die Königstochter über die Grenze ihres Reiches geführt, und so war sie in das Land und zum Schloß des Prinzen geraten. Eine böse Macht hatte diesen Königssohn in einen Vogel verwandelt. Ich weiß nicht, in welchen Vogel, aber er hatte sieben goldene Federn. Gleichzeitig war sein Reich verfallen, sein Schloß zur Ruine zerbröckelt, Diener und Hofleute waren von der bösen Macht vertrieben oder vernichtet worden.

Der Prinz war geblieben – als Vogel. Ihm wurde geweissagt: Wenn eine Prinzessin die Klinke zum großen Tor des Palastes aufdrücken würde, so wäre er erlöst.

Ob das jemals geschähe? Wälder, Seen und Flüsse umringten das Schloß, es war vergessen worden, niemand konnte es finden. Das hatte schon lange Zeit gedauert, niemand wußte mehr davon, auch die Königstochter nicht. Wie sollte je eine Prinzessin den Weg dahin finden?

Der Königssohn flog als Vogel aus, und so hatte er die Prinzessin erblickt. Er begriff, daß sie seine einzige Rettung wäre, und er nahm seine sieben goldenen Federn, um sie den weiten Weg durch die Wildnis zu seinem Schloß zu locken. Der Zufall hatte sie die Klinke ergreifen und drücken lassen. In diesem Augenblick war der Zauber gebrochen, der Vogel wieder ein Königssohn. Zugleich verwandelte sich die alte Ruine in den glänzenden Palast aus alten Zeiten.

Beide, Prinz und Prinzessin, waren erlöst, und sie heirateten.

Bald schon kamen Diener zu ihnen, denn in das andere Reich war die Kunde gedrungen, daß die Prinzessin, ihre Prinzessin, noch lebte und Hilfe brauchte. In kurzer Zeit fand sich Hofstaat und Gesinde. Die Menschen hatten es der Stiefmutter sehr übelgenommen, daß ihre Prinzessin verschwunden war.

Nun hatte sie einen Prinzen, und die Prinzessin hatte ein Reich. Aber sie kehrte auch als Prinzessin zu ihrem eigenen Volk zurück. Bald darauf bekam sie dieses ganze Königreich dazu, denn der alte König mußte zurücktreten und ihr den Thron überlassen. Zu lange hatte er geduldet, was die Stiefmutter angestiftet hatte. Auch mußte die Stiefmutter mit ihren Töchtern den Hof verlassen; arm und einsam sind sie bald gestorben.

Das junge Paar aber lebte und regierte noch lange und glückliche Jahre.

Norwegen

Zottelhaube

Es waren einmal ein König und eine Königin, die bekamen keine Kinder, und darüber war die Königin so betrübt, daß sie kaum jemals eine frohe Stunde hatte. Beständig klagte sie, daß es so einsam und still im Schloß sei: »Wenn wir nur Kinder hätten, so gäbe es Leben genug da.« Wo sie in ihrem ganzen Reich hinkamen, da fand sie Kindersegen, sogar in der armseligsten Hütte; wo sie hinkam, da hörte sie die Hausfrau auf die Kinder schelten, sie hätten wieder das oder jenes angestellt; das fand die Königin vergnüglich und wollte es auch so haben. Zuletzt nahmen der König und die Königin ein fremdes kleines Mädchen zu sich; das wollten sie im Schloß bei sich haben und aufziehen und es zanken wie ihr eigenes Kind.

Eines Tages sprang das kleine Fräulein, das sie angenommen hatten, unten im Hof vor dem Schloß herum und spielte mit einem goldenen Apfel. Da kam eine arme Frau des Wegs; sie hatte auch ein kleines Mädchen bei sich, und es dauerte nicht lange, da waren das Mädchen und das kleine Fräulein gute Freunde und fingen an, zusammen zu spielen und sich den goldenen Apfel zuzuwerfen. Das sah die Königin, die oben im Schloß am Fenster saß; da klopfte sie ans Fenster, daß ihr Pflegetöchterchen heraufkommen sollte. Sie kam auch, aber das Bettelmädchen blieb dabei, und als sie in den Saal zur Königin kamen, hielten sie einander bei der Hand. Die Königin schalt auf das kleine Fräulein: »Das gehört sich nicht für dich, mit so einem lumpigen Bettelkind zu spielen!« sagte sie und wollte das Mädchen hinunterjagen.

»Wenn die Frau Königin wüßte, was meine Mutter kann, so würde sie mich nicht jagen«, sagte das kleine Mädchen, und als die Königin sie genauer ausfragte, erzählte sie, daß ihre Mutter der Königin Kinder verschaffen könnte. Das wollte die Königin nicht glauben, aber das Mädchen blieb dabei und sagte, jedes Wort sei wahr, und die Königin sollte nur versuchen, die Mutter dazu zu bringen. Da ließ die Königin das kleine Mädchen hinuntergehen und sie holen.

»Weißt du, was deine Tochter sagt?« fragte sie die Frau. Nein, die Bettlerin wußte es nicht.

»Sie sagt, daß du mir Kinder verschaffen kannst, wenn du willst«, sagte die Königin wieder.

»Das schickt sich nicht für die Königin, darauf zu hören, was einem Bettelkind in den Sinn kommt«, sagte die Frau und ging wieder hinaus.

Die Königin wurde zornig und wollte beinahe das kleine Mädchen hinunterjagen, aber sie versicherte, es sei alles aufs Wort wahr. »Die Königin sollte meiner Mutter nur einschenken, daß sie auftaut, dann wird sie Rat genug wissen«, sagte das Mädchen. Das wollte die Königin probieren; die Bettlerin wurde noch einmal heraufgeholt und mit Wein und Met traktiert, soviel sie haben wollte, und da dauerte es nicht lange, bis ihr die Zunge gelöst war. Da kam die Königin wieder mit ihrem Anliegen.

Einen Rat wüßte sie wohl, sagte die arme Frau: »Die Königin soll zwei Schüsseln mit Wasser hereintragen lassen am Abend, wenn sie sich legen will. Darin soll sie sich waschen und sie dann unters Bett ausschütten. Wenn sie dann am anderen Morgen nachsieht, so sind da zwei Blumen gewachsen, eine schöne und eine häßliche. Die schöne soll sie verspeisen, die häßliche soll sie stehen lassen. Aber vergeßt das letzte nicht!« sagte die Frau.

Die Königin tat, wie die Frau ihr geraten hatte. Sie ließ Wasser in zwei Schüsseln heraufbringen, wusch sich darin und schüttete es unters Bett aus, und als sie am Morgen nachsah, standen zwei Blumen da; die eine war häßlich und garstig und hatte schwarze Blätter, die andere aber war so hell und schön, daß sie niemals so etwas Schönes gesehen hatte, und die aß sie schnell auf. Aber sie schmeckte so gut, daß sie nicht anders konnte, als die andere auch essen; es wird weder schaden noch nützen, dachte sie.

Nach einer Weile kam die Königin ins Kindbett. Zuerst brachte sie ein Mädchen zur Welt, das hatte einen Rührlöffel in der Hand und ritt auf einem Bock; es war häßlich und garstig, und kaum war es auf der Welt, so rief es: »Mama!«

»Gott helf mir, wenn ich deine Mama sein soll!« sagte die Königin.

»Mach dir keine Sorgen deswegen, es kommt gleich noch eines, das ist schöner«, sagte das, das auf dem Bock ritt. Und darauf brachte die Königin noch ein Mädchen zur Welt, das war so schön und lieblich, daß man nie ein so schönes Kind gesehen hatte; und man kann sich vorstellen, daß die Königin sich darüber besonders freute. Die älteste nannten sie Zottelhaube, weil sie so schlampig und häßlich war und eine Kappe hatte, die ihr in Zotteln ums Gesicht hing; die Königin wollte nichts von ihr wissen, und die Zofen versuchten, sie in ein anderes Zimmer einzusperren. Aber das half nichts; wo die jüngste war, wollte sie auch sein, und sie waren durchaus nicht zu trennen.

Wie sie beide halbwüchsig waren, geschah es am Weihnachtsabend, daß sich ein ganz fürchterlicher Lärm und Trubel auf dem Hausgang vor der Stube der Königin erhob. Zottelhaube fragte, was das sei, das auf dem Gang so knurre und poltere.

»Das ist der Mühe nicht wert, daß du fragst«, sagte die Königin. Aber Zottelhaube gab nicht nach, sie wollte endlich Bescheid darüber, und so erzählte ihr die Königin, das seien die Trollweiber, die da außen ihre Julfeier hielten. Zottelhaube sagte, sie wolle hinaus und sie jagen; und was sie auch baten, sie möchte das doch nicht tun, das half gar nichts, sie wollte und mußte hinaus, um die Trollweiber zu jagen. Nur bat sie, die Königin sollte alle Türen wohl verriegelt halten, so daß nicht eine einzige auch nur angelehnt sei, sagte sie. Dann ging sie hinaus mit ihrem Rührlöffel und machte sich daran, die Trollweiber zu jagen und zu hetzen, und da war ein solcher Lärm auf dem Hausgang, wie ihr niemals einen gehört habt; es knarrte und krachte, als ob das Haus aus allen Fugen gehen wollte. Aber wie es nun gekommen sein mochte, die eine Türe stand nur angelehnt; jetzt wollte die Schwester hinausschauen und sehen, wie es Zottelhaube ging, und steckte den Kopf durch den Türspalt. Ratsch, da kam eine Trollhexe, riß ihr den Kopf ab und setzte ihr statt dessen einen Kalbskopf auf, und stracks ging die Prinzessin hinein und brüllte. Als Zottelhaube wieder hineinkam und die Schwester erblickte, da zankte sie und wurde böse, daß man nicht besser auf sie aufgepaßt hatte, und fragte, ob sie es für schön hielten, daß die Schwester in ein Kalb verwandelt worden sei. »Aber ich will doch sehen, ob ich sie nicht erlösen kann!« sagte sie. Sie verlangte vom König ein Schiff, wohl ausgerüstet und reisefertig, aber einen Steuermann und Mannschaft wollte sie nicht haben, sie wollte mit ihrer Schwester ganz allein fortgehen, und schließlich mußten sie ihr den Willen lassen.

Zottelhaube fuhr fort und steuerte gleich auf das Land zu, wo die Trollhexen wohnten, und als sie in den Hafen gekommen war, sagte sie ihrer Schwester, sie solle auf dem Schiff bleiben und sich ganz still verhalten; aber Zottelhaube selbst ritt auf ihrem Bock hinauf zum Schloß der Trollhexen. Wie sie hineinkam, war ein Saalfenster offen, und da sah sie den Kopf ihrer Schwester auf dem Fensterbrett stehen; da ritt sie in vollem Schwung in den Hausgang, packte den Kopf und machte sich mit ihm davon. Die Trollhexen waren hinterdrein und wollten den Kopf wiederhaben, und sie kamen so dicht in ihre Nähe, daß es nur so schwärmte und schwirrte, aber der Bock knuffte und stieß mit den Hörnern, und sie selbst schlug und hieb mit dem Rührlöffel drein, und so mußte der Trollschwarm sich besiegt geben. Zottelhaube kam zum Schiff zurück, nahm der Schwester den Kalbskopf ab und setzte ihr ihren eigenen Kopf wieder auf, so daß sie wieder ein Mensch wurde wie vorher. Und so fuhren sie weit, weit fort in ein fremdes Königreich. Der König dort war ein Witwer und hatte nur einen einzigen Sohn.

Wie er das fremde Schiff zu Gesicht bekam, sandte er Leute an den Strand, um zu hören, wo es her sei und wem es gehöre. Aber als sie an den Strand hinunterkamen, sahen sie keine lebende Seele auf dem Schiff außer Zottelhaube, sie ritt auf dem Deck hin und her auf ihrem Bock, daß die Haarsträhnen ihr um den Kopf flogen. Die Leute vom Hof waren höchst verwundert über den Anblick und fragten, ob denn sonst niemand an Bord sei. Doch, sie hätte eine Schwester bei sich, sagte Zottelhaube. Da wollten die Leute sie sehen, aber Zottelhaube sagte nein: »Es bekommt sie keiner zu sehen außer dem König«, sagte sie und ritt auf ihrem Bock herum, daß das Deck dröhnte.

Wie nun die Diener wieder zum Schloß kamen und berichteten, was sie von dem Schiff gesehen und gehört hätten, da machte sich der König stracks auf den Weg, um die zu sehen, die da auf dem Bock ritt. Als er kam, führte Zottelhaube ihre Schwester heraus, und sie war so schön und lieblich, daß der König sich sogleich auf der Stelle in sie verliebte. Er nahm sie beide mit auf sein Schloß, und die Schwester wollte er zu seiner Königin machen, aber Zottelhaube sagte, der König könne ihre Schwester auf gar keinen Fall bekommen, wenn nicht der Königssohn sie, die Zottelhaube, nehme. Begreiflicherweise wollte der Königssohn höchst ungern einen so häßlichen Kobold wie Zottelhaube heiraten, aber der König und alle im Schloß redeten ihm solange zu, bis er endlich nachgab und versprach, er werde sie zur Frau nehmen, aber er tat es nur gezwungen und war sehr traurig. Nun wurde die Hochzeit vorbereitet mit Backen und Brauen, und als alles fertig war, sollten sie zur Kirche ziehen; aber der Prinz fand das den schwersten Kirchgang, den er je in seinem Leben getan hatte. Zuerst fuhr der König mit seiner Braut; sie war so wunderschön, daß alle Leute stehenblieben und ihr nachsahen, so lange sie sie noch erspähen konnten. Dahinter kam der Prinz geritten neben Zottelhaube, die auf ihrem Bock dahertrabte mit dem Rührlöffel in der Faust, und er sah mehr danach aus, als ob er zu einem Leichenbegängnis sollte als zu seiner eigenen Hochzeit. So betrübt war er und sprach nicht ein Wort.

»Warum sagst du nichts?« fragte Zottelhaube, als sie ein Stück Wegs geritten waren.

»Was soll ich denn sagen?« antwortete der Prinz.

»Du kannst ja fragen, warum ich auf dem häßlichen Bock reite«, sagte Zottelhaube.

»Warum reitest du auf dem häßlichen Bock?« fragte der Königssohn.

»Ist das ein häßlicher Bock? Das ist das schönste Pferd, auf dem eine Braut je geritten ist!« sagte Zottelhaube, und in dem Augenblicke verwandelte sich der Bock in ein Pferd, wie der Königssohn seiner Lebtag kein prächtigeres gesehen hatte.

Jetzt ritten sie wieder ein Stück, aber der Prinz war ganz gleich traurig und konnte kein Wort herausbringen. Da fragte Zottelhaube noch einmal, warum er denn nicht rede, und als der Prinz zur Antwort gab, daß er nicht wisse, wovon er reden solle, da sagte sie: »Du kannst ja fragen, warum ich mit dem häßlichen Kochlöffel in der Hand reite?«

»Warum reitest du mit dem häßlichen Kochlöffel?« fragte der Prinz.

»Ist das ein häßlicher Kochlöffel? Das ist der schönste Silberfächer, den eine Braut nur haben kann«, sagte Zottelhaube, und zugleich wurde er in einen Silberfächer verwandelt, so prächtig, daß es nur so blitzte.

So ritten sie noch ein Stück, aber der Königssohn war ebenso traurig und sprach kein Wort. Bald fragte Zottelhaube ihn wieder, warum er nicht rede, und diesmal sagte sie, er solle fragen, warum sie die häßliche graue Haube aufhabe.

»Warum hast du die häßliche graue Haube auf?« fragte der Prinz.

»Ist das eine häßliche Haube? Das ist ja die blankste Goldkrone, die eine Braut nur haben kann«, gab Zottelhaube zur Antwort, und in dem Augenblick geschah die Verwandlung. Nun ritten sie wieder eine lange Weile, und der Prinz war so traurig, daß er dasaß, ohne ein einziges Wort zu mucksen, wie vorher; da fragte ihn seine Braut wiederum, warum er nicht rede, und nun sollte er fragen, warum sie so grau und häßlich von Angesicht sei.

»Ja, warum bist du so grau und häßlich von Angesicht?« fragte der Königssohn.

»Bin ich häßlich? Du meinst, meine Schwester sei schön, aber ich bin noch zehnmal schöner«, sagte die Braut, und als der Königssohn sie ansah, fand er, es könne kein ebenso schönes Frauenzimmer mehr geben in der Welt. Also ist es begreiflich, daß der Prinz seinen Mund wiederfand und nicht länger den Kopf hängen ließ. So feierten sie Hochzeit schön und lange, und dann zogen der König und der Prinz, jeder mit seiner jungen Frau, zum Vater der Königstöchter, und da feierten sie aufs neue Hochzeit, so daß das Fest kein Ende nehmen wollte. Lauf geschwind aufs Schloß, da ist noch jetzt ein Tropfen vom Brautbier übrig.

Österreich (Steyermark)

Die weißen Katzerl

Es war einmal ein König gewesen, der hat einen Sohn gehabt und eine wunderschöne Frau; die ist ihm aber gestorben, als der Prinz noch ein ganz kleiner Bube war. Und der König hat gar sehr getrauert um die Königin, weil er sie recht gern gehabt hat, und auch nach Jahresfrist, als die Hoftrauer vorüber war, war der König noch nicht zu bewegen, seinem Reiche wieder eine Königin zu geben.

Und so hat auch ein tief verschleiertes Frauenzimmer, das ihn hätte heiraten wollen, ein Körberl kriegt; ja und wie diese ausgeschaut hat, voller Brillanten, über und über voll, aber sie hat ein Körberl kriegt. Und so ist sie abgezogen, aber sie hat es nicht gleichgültig hingenommen, sondern hat darüber einen schiachen Zorn gehabt.

Und geschadet hat's dem König und dem Hofstaat schauderhaft, so aus Gift und Gall. Und dies Frauenzimmer ist eine Hexe gewesen, und all die Brillanten war nur angehextes Zeug. Wie sie in ihrem armen, finsteren Häusel wieder angelangt war, hat sie sofort untergeheizt auf dem offenen Herd in der Hexenkuchel und alles mögliche Kräutelwerch zusammengesucht und in einen Kessel hineingetan; dazu hat sie grausliche Hexensprüche gesprochen und geflucht, daß das Feuer in einen Winkel sich verkrochen hat.

Dabei ist ein schiaches Wetter gekommen, und es hat zu schneien angefangt und zu rumpeln und rollen, – und aus dem Schloß ist ein großer Felsofen geworden mitten im tiefen Schnee, und der König und sein Prinz und die Hofleut alle sind Raben geworden, haben keine Ruh und keine Rast gehabt und sind um den Felsen herumgeflogen und haben gottsjämmerlich gekrächzt. Und im Felsen ist ein großes Loch gewesen, und da ist Wasser herausgeflossen und hat die Gärten mit Wasser überdeckt, und dieser See ist die meiste Zeit des Jahres zugefroren gewesen.

»Und so lang sollst du verwunschen bleiben«, hat die schiache Hex gesagt, »bis eine Jungfrau auf außergewöhnlichem Gespann über den See in den Felsen hineinfährt und den alten Raben küßt.«

Nun hat die alte Hexe eine Tochter gehabt, die gerade so böse gewesen ist wie ihre Mutter; aber nur blitzdumm ist sie gewesen und hat das Hexen nie erlernt. Und so ist's auch gekommen, daß sie keinen Grafen als Mann kriegt hat, sondern einen bettelarmen Holzknecht.

O mein, das ist ein Eheleben gewesen, so elend und so voll Streit und Hader; zuerst ist er ganz gut gewesen und auch gegen sie so lieb wie gegen sein eigenes Kind, aber später ist er grob geworden und war gleich mit dem Zuschlagen da. Und zuletzt ist er nur mit seinem eigenen herzigen Mädchen, das ihm das erste Weib hinterlassen hatte, lieb umgegangen.

Um so liebloser ist aber dafür die böse Stiefmutter gegen das Mädl gewesen, wenn der Vater nicht daheim war. Da mußte das Kind so mancherlei verrichten, was ihm oft ganz zuwiderlich war, und nur die Furcht vor ihrem groben Mann hielt die Frau davon ab, das Kind in den Tod zu treiben.

Nun hatte die Hauskatze in der Holzhackerhütte vier schneeweiße, allerliebste Katzerl bekommen und war dabei umgestanden. Und so hatte das gutherzige Mädchen die vier Kätzchen aufgezogen, und seine ganze Freude waren seine vier weißen Viecherl. Da fiel es der bösen Stiefmutter eines Tages ein, dem Mädchen zu befehlen, sie solle die vier Katzerl umbringen, und zwar solle sie im zugefrorenen Teiche ein Loch machen und darinnen die vier Tierchen ertränken.

Schweren Herzens hat sie die Lieblinge genommen und dabei geweint, und so ist sie hinab zum gefrorenen Teich gegangen, die Katzen in einem Sacke, in der Rechten aber ein Hackel zum Eisaufbrechen. Und so kam sie beim Ufer an und begann, ins Eis ein Loch zu hauen; dabei faßte sie aber ein solcher Schmerz an, daß sie vor Leid umfiel und bitterlich weinte; und auch die vier Katzerl raunzten im Sack.

Und sie wußte gar nicht, wie es kam, sie versank neben dem Loch im Eise in einen kurzen Schlummer, und da ist ihr gewesen, als ob ihr jemand zurief: »Steig ein, steig ein!«

Als sie nun darob erwachte, stand vor ihr ein allerliebster goldener Schlitten, und die vier schneeweißen Katzerl waren ihm vorgespannt. Da liebkoste sie die Katzerl und stieg dann ein. Kaum aber saß sie drinnen, da liefen auch schon die Katzerl mit dem Schlitten dahin, und flugs ging es über den See und hin zum Felsen, wenn's Eis auch hinter ihnen knarrte und krachte. Und der Schlitten fuhr hinein in die Höhle zum Ufer; dort stieg das Mädchen aus, und der Schlitten mit den Katzerln verschwand, während sie sich in der Höhle etwas umsah. Doch so sehr sie auch suchte, es war allenthalben nur rauher Fels, hier und da mit Moos bewachsen, doch von den Katzerln keine Spur; zuhinterst in der Höhle aber, wo es gar finster war, leuchteten zwei matte Lichtlein hervor. Was das sei? dachte das Mädchen, und ohne sich zu fürchten, ging sie auf die zwei Lichtlein zu. Da fand sie einen alten kreischenden Raben, der trug seinen Hals mit einem Tüchel eingebunden.

»Ei«, meinte sie, »da ist ja ein liebes Vogerl und so arm und krank!« Und nahm das kranke Tier auf und küßte es.

Da gab's aber ein Krachen, als ob die Welt in Trümmer ginge und der Felsen zusammenstürzen möchte, – und augenblicklich stand sie mitten in einem großen lichten Saale, und ein König stand vor ihr. Förmlich andächtig küßte er das verblüffte Kind und sprach zu ihm: »Du hast uns errettet! So sei denn auch du meines Sohnes Braut und die Königin unseres Reiches!«

Bei der Tafel, die dann war, ging es hoch her, und ich bin auch dabei gewesen und habe mitgegessen, und dabei habe ich zu tief in die Schüssel geguckt, da habe ich das Übrige nicht bekommen und bin in die Schüssel gefallen. Da hat der Koch gemeint, ich sei ein Fleischbrocken, und hat mich einem Bettler geschenkt, der hat mich in seinen Schnappsack gepackt und hierher gebracht. Und so weiß ich von der Geschichte.

Polen

Ein Ofenhocker wird Prinz

Ein Schäfer hatte einen Sohn, der zwanzig Jahre lang nichts tat, sondern nur hinter dem Ofen hockte. Die Leute hatten ihm daher den Spitznamen ›Ofenhocker‹ gegeben. Dem Schäfer war die erste Frau gestorben, und so heiratete er eine zweite. Diese wollte einem so großen Burschen nicht gestatten, dauernd ohne Arbeit herumzusitzen. Sie bedrängte ihren Mann, seinen Sohn in die Welt auf Wanderschaft zu schicken.

Eines Tages sagte der Vater zu ihm:

»Komm, Ofenhocker, wir gehen zur Kirchweih!«

Sie gingen gemeinsam fort und kamen auf ihrem Weg durch einen großen, dichten Wald. Da sagte der Vater zu seinem Sohn:

»Warte hier ein Weilchen, ich werde mir nur mal einen Wanderstab schneiden!«

Der Vater verschwand und ließ den Sohn im Walde stehen. Dieser wartete und wartete, die Nacht rückte heran, aber der Vater kam und kam nicht. Da verbrachte er die Nacht auf einem Baum.

Am nächsten Tag wollte er aus dem Wald wieder heraus, aber er verirrte sich. Müde ging er weiter, wohin ihn seine Augen führten. Mit einemmal sah er, wie eine große Fliege eine Ameise fressen wollte. Und die Ameise rief:

»Rette mich, ich werde dir einmal nützlich sein!«

Der Ofenhocker vertrieb die Fliege und befreite die Ameise. Dafür führte ihn die Ameise auf den richtigen Weg, damit er aus dem Wald herausfand. Dann wanderte er weiter und begegnete einem Fischer mit einem Goldfisch. Der Fisch rief:

»Kaufe mich, Ofenhocker, und laß mich wieder ins Wasser, ich werde dir einmal dafür hilfreich sein!«

Der Ofenhocker kaufte den Fisch und setzte ihn ins Wasser.

Er wanderte weiter, da sah er, daß Knechte ein altes Hexenweiblein ertränken wollten. Sie bat und flehte, sie sollten sie doch freilassen, doch diese wollten nicht auf sie hören. Da bat das Hexenweiblein den Ofenhocker:

»Rette mich, ich werde dir einmal hilfreich sein!«

Der Ofenhocker vertrieb die Knechte, befreite das Weiblein und wanderte weiter. Plötzlich stieß er am Wege auf einen toten Menschen. Er kniete nieder und sprach ein Gebet für den Toten. Da packte ihn ein Gendarm am Genick, weil er dachte, er sei der Mörder dieses Menschen und steckte ihn ins Gefängnis. Der Ofenhocker beteuerte und schwor, daß er damit nichts zu tun habe, doch niemand wollte ihm dies glauben. Schließlich ließ der König einen Scheffel Mohn und einen Scheffel Sand miteinander vermischen und dem Ofenhocker zum Sortieren geben, wobei er ihm versprach, ihn freizulassen, wenn er dies an einem Tage schaffte. Der Ofenhocker saß da und war besorgt, doch dann fiel ihm die Ameise ein. Er rief sie:

»Ameise, erinnerst du dich, wie ich dich vom Tode errettet habe? Rette du mich jetzt!«

Da sah er, wie zahllose Scharen von Ameisen in sein Gefängnis gekrochen kamen. Und es dauerte nur kurze Zeit, da hatten die Ameisen den Mohn vom Sand getrennt, so daß der Mohn wieder ganz rein war. Man benachrichtigte den König, daß der Mohn vom Sand befreit sei. Der König wunderte sich sehr, glaubte seinen Dienern nicht, ging selbst ins Gefängnis und überzeugte sich, daß man ihm die Wahrheit gesagt hatte.

Er ordnete an, den Ofenhocker freizulassen, und da er dessen Brauchbarkeit sah, machte er ihn zum Schweinehirten. Die Tochter des Königs, die oftmals über die Felder spazierenging, lernte den Schweinehirten kennen, und beide verliebten sich ineinander. Später erhob ihn der König zum Kammerdiener. Und da hatten der Ofenhocker und die Prinzessin noch öfter die Gelegenheit, sich zu sehen. Doch an eine Heirat der beiden war nicht zu denken.

Eines Tages begab sich der König auf Reisen, um allenthalben in seinem Reiche nach dem Rechten zu sehen. Als er aber über die Wisła setzte, fiel ihm seine Königskröne ins Wasser. Da ließ der König im ganzen Lande bekanntmachen, daß derjenige, der ihm die Krone aus der Wisła herausholte, die Königstochter zur Frau bekäme. Viele hatten ihr Glück bereits versucht, aber niemandem war es bislang gelungen, die Krone zu finden. Da meldete sich der Ofenhocker beim König und erbot sich, die Krone vom Grunde des Flusses zu holen, wenn der König ihm dafür seine Tochter zur Frau gäbe. Danach ging der Ofenhocker an die Wisła und rief:

»Goldfischlein, ich habe dich einst gerettet, rette du mich jetzt!«

Der Goldfisch kam aus dem Wasser hervorgeschwommen und brachte die Krone. Dankend nahm sie der Ofenhocker in Empfang und übergab sie dem König. Der König hielt sein Wort und ließ Vorbereitungen für die Hochzeit treffen.

Doch plötzlich wurde die Prinzessin von Schwäche befallen. Ein Prinz, der sich seit langem um sie bemüht hatte und nicht wollte, daß sie einen anderen heiratete, hatte sie mit dem Blatt eines Gewächses vergiftet. Der König rief alle berühmten Ärzte herbei; aber helfen konnte ihr keiner. Da erinnerte sich der Ofenhocker an das Hexenweiblein und rief:

»Hilf mir jetzt, wie ich dir damals geholfen habe!«

Das Hexenweiblein riet ihm, sich zu einem König zu begeben, in dessen Garten ein Kräutlein wüchse, das der Prinzessin helfen würde. Er solle das Kräutlein kochen und den Sud der Prinzessin zum Trinken geben; sie würde dann sogleich gesunden, doch jener König müsse danach sterben. Sie schärfte ihm aber ein, das Kraut nur mit den Wurzeln auszugraben, und zwar dann, wenn besagter König eingeschlafen war, weil er dieses Kraut streng bewachte.

Der Ofenhocker begab sich zu jenem König und wartete, bis dieser sich zum Schlafen niedergelegt hatte. Rasch sprang er dann in den Garten und grub das Kräutlein aus. Danach kehrte er eiligst in das königliche Schloß zurück, bereitete die Arznei und gab sie der Kranken. Nachdem die Prinzessin die Medizin geschluckt hatte, erhob sie sich völlig gesund von ihrem Bett. Der König freute sich und richtete für die beiden eine üppige Hochzeit aus.

Portugal

Die drei Feen

Es waren einmal ein Mann und eine Frau, die hatten keine Kinder und waren daher sehr unzufrieden mit ihrem Dasein. Eines Tages schüttete die Frau dem heiligen Antonius ihr Herz aus und erzählte ihm ihren Kummer. Der Heilige gab ihr drei Äpfel, die sollte sie auf nüchternem Magen essen. Die Frau ging nach Hause, legte die Äpfel auf die Kommode und machte sich daran, das Essen zu bereiten. Als der Mann nach Hause kam, sah er die drei Äpfel und aß sie auf.

Da ging die Frau wieder zum heiligen Antonius, und er sagte zu ihr:

»Dann muß nun dein Mann die Schmerzen erdulden, die du dulden solltest.«

Als nun die Zeit kam, begann der Mann zu schreien; man holte einen Sachverständigen, der schnitt ihm den Bauch auf, um ihn zu erleichtern. Und der verzweifelte Mann befahl, das Kind im Gebirge auszusetzen. Ein Adler stieß vom Himmel herab und packte das Kind mit dem Schnabel und zog es mit der Milch auf, die er den Kühen, die auf der Weide waren, abzapfte, und kleidete es mit der Wäsche, die er auf den Trockenböden wegnahm. Er baute ihm ein kleines Häuschen aus Stroh, und da wuchs nun das arme Geschöpf heran und wurde ein wunderhübsches Mädchen. Eines Tages kam ein Prinz vorbei, der in dem Gebirge jagte. Er sah das hübsche Mädchen und fragte, ob sie mit ihm gehen wolle. Sie sagte ja, das wolle sie. Als er sie auf seinen Wagen hob, kam plötzlich der Adler herbei, um sie ihm wegzureißen; da er es aber nicht konnte, hackte er ihr im letzten Augenblick ein Auge heraus. Der Prinz aber liebte das Mädchen trotz ihres großen Fehlers wie vorher. Er nahm sie mit sich und verbarg sie im Schloß in seinem Zimmer. Als die Königin nun ihren Sohn immer in seinem Zimmer eingeschlossen fand, wurde sie argwöhnisch und wollte wissen, was wohl darin war. Und sie veranstaltete eine große Jagd, die mehrere Tage dauerte. Als alle fort waren, konnte die Königin durch eine Tür, die nur sie allein kannte, in das Gemach des Prinzen kommen. Als sie eintrat, erblickte sie das Mädchen.

»Ach, du bist es, schielendes Einaug, die meinen Sohn bestrickt? Komm heraus, um das Schloß und den Garten zu sehen!«

Das Mädchen ging mit der Königin, und als sie in den Garten kamen, führte die Königin sie an einen tiefen Brunnen und stieß sie hinein. Als der Sohn von der Jagd zurückkam, sagte sie zu ihm:

»Das schielende Einaug, das du in deinem Zimmer eingeschlossen hattest, ist in Windeseile davongelaufen, als die Tür geöffnet wurde, und niemand hat es zurückbringen können.«

In der Nacht kamen drei Feen am Brunnen vorbei und hörten darin seufzen.

»Was ist das? Was mag das sein?«

»Das ist eine Mädchenstimme.«

Sie beugten sich über den Brunnenrand, um besser zu hören. Dann sagte die eine:

»Ich schenke dir, daß du bald aus dem Brunnen herauskommst und von vollkommener Schönheit bist.«

»Und ich schenke dir eine silberne Schere, mit der sollst du demjenigen die Zunge abschneiden, der dich zweimal nach derselben Sache fragt.«

»Und ich schenke dir ein Schloß genau gegenüber dem Schloß der Königin, das soll von außen alt aussehen, aber von drinnen aus lauterem Gold und Silber sein.«

Am nächsten Tage entsetzten sich alle sehr, als sie dem königlichen Schloß gegenüber ein großes, altes Schloß sahen, ohne daß sie sich erinnerten, wie und wann es erbaut worden war. Am meisten entsetzte sich die Königin, und sie befahl ihrem alten Kammerherrn, in Erfahrung zu bringen, was das sei und wer darin wohne.

Der Kammerherr ging in das alte Schloß, blieb aber voll Verwunderung stehen, als er das Innere erblickte. Da erschien ihm ein prächtig gekleidetes Mädchen, das er nun nach den Dingen fragte, die die Königin wissen wollte. Es antwortete:

»Sage deiner Königin,
meine Mutter hat mich ersehnt,
mein Vater bekam mich,
in den Wald hat man mich gebracht;
ein Adler hat mich groß gemacht,
mich hat der Prinz dann auf der Jagd gefunden;
die Königin stieß mich in den Brunnen hinab,
drei Feen aber waren mir hold gesinnt;
sie haben mich hierher gebracht,
und nie geh ich nun von hier fort.«

Der Kammerherr konnte diese Auskunft nicht gleich im Kopf behalten und bat daher das Mädchen, sie zu wiederholen; da sagte es: »Schneide los, Schere!«

Und im selben Augenblick fiel ihm die Zunge aus dem Mund. Der Kammerherr ging ins Schloß zurück und konnte nur noch sagen: »Lo-lo-ro, lo-lo-ro.«

Da schickte die Königin einen anderen hin, aber dem geschah dasselbe. Schließlich ging der Prinz hin, und als er die Verse gehört hatte, die das Mädchen gesprochen, sagte er sie der Königin her. Sie aber wollte sich mit eigenen Augen von all dem überzeugen, und dann gab sie ihrem Sohn die Erlaubnis, das Mädchen zu heiraten.

Rumänien

Der Granatapfelbaum

Es lebten einmal, und wenn es nicht gewesen wäre, so könnte ich es nicht erzählen, ein König und eine Königin, die hatten einen einzigen Sohn, den sie sehr liebten. Aber als dieser Sohn zwanzig Jahre alt war, wurde er krank und immer kränker. Man rief alle Ärzte des Landes in den Palast und alle alten und weisen Frauen, aber niemand konnte dem Königssohn helfen. Bis endlich eines Tages ein ganz alter Mann kam, der es verstand, in den Sternen zu lesen, und dieser sagte zum König: »Es gibt nur ein Mittel, um deinen Sohn zu heilen: nämlich einen Apfel vom Granatapfelbaum. Aber jemand müßte ihn bringen, bevor der Königssohn einundzwanzig Jahre alt wird, denn bringt er ihn bis dahin nicht, so muß er sterben.« Der König sagte: »Kann es denn nicht irgend ein beliebiger Granatapfel sein? Und was heißt das: ›Vom Granatapfelbaum?‹ Ist das ein ganz bestimmter Baum, den du meinst?« »Ja, Majestät«, sagte der Magier, »das ist ein Baum, der bis zum Himmel wächst. Und die Früchte sind ganz hoch oben, und bis jetzt ist es niemandem gelungen, dort hinaufzusteigen, weil die meisten Menschen schwindlig werden und abstürzen.«

Da ließ der König einen Aufruf verkünden, daß derjenige, der einen Apfel vom Granatapfelbaum bringen könnte, so daß sein Sohn gesund würde, das halbe Königreich erhalten und dereinst mit seinem Sohne gemeinsam regieren solle. Und auf diese Nachricht hin machten sich viele junge Burschen auf den Weg, aber die meisten konnten den Granatapfelbaum gar nicht finden, und diejenigen, denen es gelang, ihn zu entdecken, stürzten ab, noch ehe sie auch nur die Hälfte des Stammes hinaufgestiegen waren.

So verging ein halbes Jahr, und niemandem gelang es, den Apfel zu beschaffen. Der Königssohn aber wurde immer schwächer.

Nun lebte da auch ein Mädchen von fünfzehn Jahren, das war ein Waisenkind und hieß Joana. Und Joana lebte bei den Großeltern und mußte für sie sorgen. Und als sie von dem Aufruf des Königs gehört hatte, fragte sie ihren Großvater: »Väterchen, was meinst du: Ist es denn so schwer, diesen Apfel vom Granatapfelbaum zu bekommen?« Da sagte ihr Großvater: »Töchterchen, ich könnte dir den Weg beschreiben, und dann wäre es für dich nicht schwer, ihn zu finden. Aber was willst du? Viele Burschen sind schon abgestürzt, und die haben mehr Mut besessen als du.« Aber Joana ließ sich nicht von ihrem Vorhaben abbringen, und so gaben die Großeltern schließlich nach. Die Großmutter buk einen Maiskuchen, und der Großvater füllte im Keller eine Flasche mit Wein ab aus seinem besten Faß, und dann umarmten sie die Kleine, und die machte sich auf den Weg.

Sie ging und ging immer gegen Sonnenaufgang, so wie ihr Großvater es ihr beschrieben hatte. Und nachdem sie zehn Tage gegangen war, kam sie zu einem hohen Berg, und auf dem Berg sah sie einen riesigen Baum stehen, dessen Stamm bis in die Wolken reichte. Und als Joana gerade den Berg hinaufsteigen wollte, sah sie vor einer Höhle einen alten Bettler sitzen, und der sprach sie an und sagte: »Joana, gib mir um der Barmherzigkeit Gottes willen zu essen, denn ich sterbe vor Hunger, und ich komme um vor Durst.« Da sagte das Mädchen: »Hab keine Angst, Großväterchen, denn was ich bei mir habe, das reicht leicht für uns beide.« Und sie setzte sich neben ihn ins Gras und packte ihren Korb aus. Bisher hatte sie nämlich nur von Früchten und von Gemüse gelebt, die sie unterwegs gefunden hatte. Und als sie den Maiskuchen zerschnitten hatte, gab sie dem Alten den größeren Teil. Und sie schob ihm die Weinflasche zu und sagte: »Trink du ruhig den Wein allein, denn ich bin gewohnt, Wasser zu trinken, es sei denn in der Kirche.« Und der Alte ließ es sich schmecken und aß den Maiskuchen und trank den Wein. Und als sie mit dem Essen fertig waren, fragte er: »Joana, wohin willst du gehen?« Da antwortete die Kleine: »Ich habe gehört, daß der Sohn des Königs sehr krank geworden sein soll, und daß ihn nur ein Apfel vom Granatapfelbaum heilen kann. Deshalb habe ich mich aufgemacht, um diesen Apfel zu holen. Und wenn mein Großvater alles richtig beschrieben hat, muß der Baum dort auf dem Berg der Granatapfelbaum sein.« »Ja«, sagte der Alte, »dein Großvater hat recht. Aber hat er dir auch gesagt, daß alle, die bisher versucht haben, den Baum zu erklettern, abgestürzt sind?« Joana erwiderte: »Freilich hat er das gesagt. Aber ich will mich schon gut festhalten, damit ich nicht herunterstürze.« Und der Alte sagte weiter: »Ja, aber das ist nicht alles. Du mußt wissen, daß man beim Hinaufsteigen nicht herunterschauen darf, weil man sonst schwindlig wird und vor Schreck losläßt. Und du mußt wissen, daß der Gipfel des Baums hoch über den Wolken liegt, dem Paradies näher als der Erde. Wenn du aber auf dem Gipfel angekommen bist, so wirst du drei Zweige sehen: einen mit Zitronen, einen mit Orangen und einen mit Granatäpfeln. Du wirst von der Mühe des Kletterns viel Durst haben, und deshalb rate ich dir: pflück für dich je eine Zitrone und eine Orange oder auch mehrere und iß und trink davon, denn so wird dein Durst gestillt. Achte aber darauf, daß du keinen Granatapfel ißt, du könntest davon schwanger werden.»

Das Mädchen dankte dem Alten sehr herzlich für seinen Rat und machte sich daran, auf den Berg hinaufzusteigen, und als sie oben war, fand sie auch richtig den Granatapfelbaum. Sie hielt sich nicht lange damit auf, zu betrachten, wie sich sein dorniger Stamm in den Wolken verlor, sondern wickelte sich ein Tüchlein um die Hände, um sich beim Klettern nicht zu verletzen, schürzte ihr Kleid bis über die Knie hinauf und begann den schwierigen Aufstieg.

Sie kletterte und kletterte den ganzen Tag, und es wurde schon finster, als sie in die Wolken kam. Aber sie kletterte weiter, und als sie über den Wolken herauskam, war es wieder heller, denn dort steht immer die Sonne. Und endlich kam sie ganz erschöpft oben an, und vor Durst war ihr die Zunge geschwollen. Da pflückte sie schnell eine Zitrone und eine Orange, und nachdem sie die eine ausgetrunken und die andere Frucht gegessen hatte, pflückte sie auch noch einige Granatäpfel, und dann setzte sie sich hin, um sich etwas auszuruhen.

Und nach längerer Zeit, denn sie war sehr müde, machte sie sich an den Abstieg. Und als sie durch die Wolken hindurch war, kam sie in eine so große Finsternis, daß sie nicht mehr die Hand vor den Augen sehen konnte, und sie traute sich nicht mehr weiter abzusteigen. So hielt sie sich fest, um den Morgen abzuwarten. Aber sie wurde immer schwächer und immer durstiger, und sie wäre wohl abgestürzt, wenn sie nicht etwas Erfrischendes hätte essen oder trinken können. Und so nahm sie denn einen Granatapfel und hat ihn gegessen. Und sogleich fühlte sie sich gestärkt, und am Morgen, als es hell genug geworden war, ist sie den Rest des Baumes hinuntergestiegen. Und als sie unten am Berg angekommen ist, da hat sie den Alten wieder gesehen. Und der hat gesagt: »Töchterchen, ich sehe, du hast doch einen Granatapfel essen müssen. Solltest du in Schwierigkeiten kommen, so kehre hierher zu mir zurück, denn wo einer lebt, da können auch mehrere leben.«

Und dann ist Joana in die Stadt zurückgekehrt und gleich zum Palast des Königs gegangen. Inzwischen war es dem Königssohn immer schlechter ergangen, und er konnte sich ohne fremde Hilfe im Bett nicht mehr aufsetzen. Als der König hörte, es sei ein Mädchen da, das den richtigen Granatapfel hätte, wußte er sich vor Freude nicht mehr zu helfen, und er führte sie selbst zu seinem Sohn. Und kaum hatte der Königssohn den Granatapfel gegessen, da fühlte er sich schon etwas besser. Der König aber küßte das Mädchen vor Freude und sagte: »Sobald mein Sohn gesund ist, aber das wird noch einige Monate dauern, bis er wieder zu Kräften kommt, sollst du meinen Sohn heiraten. Dann könnt ihr gemeinsam regieren, wenn ich einmal nicht mehr sein werde.«

Es vergingen einige Monate, und dem Königssohn ging es von Tag zu Tag besser. Das Mädchen aber merkte, daß es schwanger war, und weil sie fürchtete, man werde sie töten, beschloß sie eines Tages, den Palast zu verlassen. Und an einem frühen Morgen füllte sie ihren Korb mit Brot und nahm eine Flasche Wein und wanderte dorthin zurück, wo sie den alten Bettler getroffen hatte.

»Töchterchen«, sagte der Alte, »bist du nun wieder da? Hab keine Angst! So, wie du mit mir gut warst, will ich mit dir gut sein. Schau, ich habe einen Garten mit Gemüse und Früchten, das reicht für eine kleine Familie.« Und er stand ihr bei, und als die Geburt kam, half er, wie es keine Wehmutter besser verstanden hätte.

Indessen war der Königssohn traurig und verzweifelt, denn er hatte sich in Joana verliebt, und sie fehlte ihm sehr. Der König, sein Vater, versuchte ihn zwar zu trösten: »Was ist schon an einem Mädchen! Es gibt davon viele; das ganze Land ist voll von diesen schönen Dingen.« Aber der Königssohn konnte sich nicht damit abfinden und wollte kein anderes Mädchen ansehen. Und nach einem Jahr oder auch zweien sagte er zu seinem Vater: »Vater, ich will hinaus in die Welt ziehen und sehen, ob ich nicht das Mädchen finde, das mir das Leben gerettet hat. Denn eher finde ich keine Ruhe. Und wenn ich es nicht finden kann, dann will ich in ein Kloster gehen und dort meine Tage beschließen.« Und der König sagte: »Wenn du unbedingt meinst, daß du so handeln mußt, mein Sohn, so tu es, denn dann hat es der Herrgott so gewollt. Aber versprich mir, daß du mit dem Mädchen heimkehrst, wenn es dir gelingt, sie zu finden!« Und der Königssohn versprach es. Und eines Tages nahm er sein Pferd und ritt davon.

Und er ritt nicht weniger als sechs Jahre durch verschiedene Königreiche und bestand allerlei Abenteuer. Er erblickte viele Mädchen, Königinnen und Bettlerinnen, aber darüber vergaß er seine Lebensretterin nicht, sondern seine Sehnsucht nach ihr wurde immer größer. Und gegen Ende des sechsten Jahres fügte es sich, daß er an einem Abend an einem Haus vorbeiritt, aus dem er das Weinen von Leuten hörte. Und da hielt er sein Pferd an, stieg ab, klopfte an die Türschwelle und rief: »Warum weint man hier? Gibt es einen Toten oder eine Tote?« Da kam ein Ehepaar heraus und sagte: »Nein, Wanderer, hier weint man nicht um einen Toten, sondern um einen Geraubten. Du mußt nämlich wissen, daß hier vor drei Tagen eine Schar Türken vorbeigekommen ist, und während ich auf dem Felde war und meine Frau sich im Garten versteckt hielt, haben sie unsern Sohn, kaum sieben Jahre alt, geraubt und mitgenommen.« Da sagte der Königssohn: »Gut, ich will ihnen nachreiten und sehen, ob ich ihn den Türken abjagen kann.« Und er bestieg wieder sein Pferd und ritt Tag und Nacht.

Aber er brauchte fast zwanzig Tage, bis er in die große Stadt der Türken kam, immer den Räubern auf den Fersen. Und als er dort ankam, war es zu spät, um ihnen den Sohn jenes Mannes, der ein Pope war, wieder im Kampf abzunehmen. Und so erkundigte sich der Königssohn nur, wohin man die jungen Sklaven brachte und wann der nächste Markttag sei.

Und als dann der Tag anbrach, an dem man die Gefangenen verkaufte, nahm er all sein Geld, das er noch besaß, und ging zum Sklavenmarkt. Und obwohl er den Sohn des Popen nicht kannte, war es ihm doch nicht schwer, zu erkennen, wer er war. Und als die Reihe im Verkauf an den Popensohn kam, ging der Königssohn zum Kaufvermittler, um ihm sein Interesse anzuzeigen. Aber es gab einen Knabenliebhaber dort, und der bot mehr Geld als der Königssohn, und so sollte er diesem zugeschlagen werden. Da bat der Königssohn, man möge doch noch etwas warten, und er ging in seine Herberge und holte sein treues Pferd. Und als er mit seinem Pferd auf den Markt kam, da staunten alle über das Roß, denn sie hatten selten ein so schönes Tier gesehen. Und es fanden sich viele Käufer, dic das Pferd erwerben wollten. Und so stellte man das Feilschen um den jungen Christen zunächst ein und wollte das Pferd verhandeln. Und erst nach längerem Feilschen und Streiten ging das Tier um einen hohen Preis weg. Und nun konnte der Königssohn auch den Sohn des Popen freikaufen. Und es blieb ihm sogar noch etwas Geld, und so nahm er das Kind zunächst in die Herberge mit, damit es sich dort einige Tage erholen konnte, denn es war sehr erschöpft. Dann ließ er schöne Kleider machen, zog den Sohn des Popen von Kopf bis Fuß neu an, und als er sich genügend erholt hatte, machten sich beide auf den Weg.

Wären sie jedoch immer nur so schnell und so weit gegangen, wie es das Kind konnte, sie hätten weiß Gott ein Jahr gebraucht, um wieder heimzukehren. Und so nahm denn der Königssohn, obwohl er ein so vornehmer Herr war, den Kleinen immer auf die Schulter, sobald er müde wurde, und trug ihn, bis er wieder Kräfte gesammelt hatte, um selber ein Stück zu Fuß zu laufen. Und so gelangten sie nach einer Reihe von Tagen wieder dorthin, wo die Eltern des Kindes wohnten.

Und der Pope und die Popin waren überglücklich, als sie ihren Sohn wieder hatten. Und der Pope sagte: »Guter Mann! Wie können wir dir danken? Wir sind arme Leute und können dir nichts geben. Und uns nur darauf verlassen, daß es dir der Herrgott vergelten wird, wollen wir auch nicht.« Da sagte der Königssohn: »Ich bin auf der Suche nach einem Mädchen, das mir das Leben gerettet hat. Habt ihr nie von ihm gehört?« Und er beschrieb dem Popen das Mädchen genau nach seinem Aussehen. Da sagte der Pope: »Ja, so ein Mädchen habe ich einmal gesehen. Aber eigentlich war das kein Mädchen, keine Jungfrau, sondern es war eine junge Frau. Sie ist zusammen mit einem alten Mann gekommen, um ihren kleinen Sohn taufen zu lassen. Das ist schon viele Jahre her, aber ich habe es mir gemerkt, weil dieses junge und hübsche Mädchen und der alte, alte Mann so ein seltsames Paar waren. Und das Mädchen sagte auch Großväterchen zu ihm.« Da fragte der Königssohn: »Und auf welchen Namen hast du das Kind getauft?« »Das weiß ich nicht mehr genau«, sagte der Pope, »aber ich kann im Buch nachsehen.« Und er holte sein Buch, blätterte darin und sagte: »Demetrius heißt das Kind.« »Das ist auch mein Name!« rief der Königssohn. »Weißt du, wo das Kind und die Mutter wohnen?« Und der Pope sagte es ihm, so gut er konnte. Dann nahm der Königssohn von dem Popen und der Popin Abschied und wanderte dorthin, wo am Fuße des Berges Joana mit dem Alten und mit ihrem Sohn lebte.

Als ihn aber Joana von Ferne nahen sah, lief sie in den Garten und versteckte sich, denn sie hatte Angst, der Königssohn könnte sie töten. Aber dieser umarmte das Kind und den alten Mann und rief: »Endlich habe ich euch gefunden! Demetrius, lauf schnell und hole deine Mutter!« Und das Kind lief und holte seine Mutter. Und dann gingen sie alle zusammen zu jenem Popen, dessen Sohn der Königssohn aus der Sklaverei befreit hatte, und nachdem sie ihm die ganze Geschichte, auch das von der Schwangerschaft des Mädchens Joana, erzählt hatten, heirateten sie. Und der alte Mann machte den Brautführer. Und dann sandte der Königssohn Boten nach Hause und ließ eine Kutsche kommen, und mit der fuhren sie dann alle zum Palast. Und es gab eine große Freude in der ganzen Stadt. Möge uns der Herrgott auch eine solche Freude schenken!

Rußland

Der Hund des Zaren

Es lebten einmal ein Alter und eine Alte. Die hatten einen einzigen Sohn. Sie gedachten, ihn zu verheiraten, warben für ihn um eine Braut und feierten die Hochzeit.

Bald kamen die Neuvermählten zu Besuch. Die junge Frau aber war eine Zauberin, und sie hatte heimlich einen Geliebten. Ihren Mann hingegen liebte sie nicht. Sie kamen also zum Schwiegervater, und dort nahm und verwandelte sie ihren Mann in einen Hund. Der fing an zu bellen und lief fort. Er lief zu Vater und Mutter: »Wau – wau!« Die Frau aber fuhr allein nach Hause. Schwiegervater und Schwiegermutter fragten noch: »Wo ist denn dein Mann?« Sie antwortete: »Wie gescheit er auch immer bei euch gewesen ist, bei mir betrank er sich und lief fort, wer weiß wohin!«

Vater und Mutter weinten, der Hund aber blieb bei ihnen auf dem Hof. Einmal nahm der Vater einen Knüppel und haute ihm eins über. Er aber ertrug alles. So blieb er da eine Woche und zwei – niemand warf ihm auch nur ein Stückchen Brot hin.

Da lief er fort, von Feld zu Feld, weiter und weiter und kam schließlich zu einem Schäfer. Der Schäfer freute sich sehr über ihn. Er legte sich nieder, der Hund aber bewachte die Herde. Das sahen die Bauern vom Nachbarfeld und fragten den Schäfer: »Wo hast du denn solch einen Hund her? Solch einen klugen Hund?« – »Er ist mir hier draußen zugelaufen.« Da ging der Schäfer mit ihnen in die Kneipe und unterhielt sich weiter über ihn. Sie sagten: »Was faulenzt du hier in der Kneipe, Schäfer? Und wer sorgt für deine Herde?« – »Nun, der Hund bewacht sie!« Sie glaubten es ihm nicht. »Wir wollen um zehn Rubel wetten: Geht hin und fangt euch ein Lämmchen! Wenn er es zuläßt, so schulde ich euch zehn Rubel. Gibt er es aber nicht her, dann schuldet ihr sie mir!« Sie gingen hin. Sie wollten ein Lämmchen einfangen, aber er biß sie alle. Der Schäfer bekam die zehn Rubel und faulenzte weiter in der Kneipe, der Hund aber trieb die Herde heim. Der Mann liebte seinen Helfer und fütterte ihn mit dem, was er selber aß.

Da sollte dem Zaren ein großes Wunder widerfahren: Die Zarin ward schwanger. Sie hatte schon einmal zwei Kinder geboren, aber beide waren verschwunden. So hatte der Zar im ganzen Land suchen und fragen lassen, wer dieses Kind behüten könne. Aber solche Leute gibt es ja nicht. Niemand fand sich. Da kam einer von den Bauern zum Zaren und sagte: »Da hat ein Schäfer einen Hund. Der kann Euer Kind bewachen.« Der Zar fragte: »Wo kann ich ihn finden?« Der Bauer beschrieb es ihm. So schickte man nach dem Schäfer und dem Hund. Man fand sie und brachte sie zum Zaren. Sie bringen sie also hin, den Schäfer und den Hund. Und da sagte der Zar zu ihm: »Herr

Schäfer, verkaufe mir diesen Hund und sag, wo du ihn her hast!« Jener antwortete: »Im Feld ist er mir zugelaufen.« – »Wieviel willst du für ihn haben?« – »Ich kann ihn Euch nicht verkaufen. Aber ich kann ihn umsonst geben!« Der Zar nahm den Hund und gab dem Schäfer für unterwegs ein Schreiben, daß er sich in jeder Kneipe, in die er einkehrte, kostenlos bewirten lassen könne. Da ging der Schäfer nach Hause und weidete nun wieder selbst seine Herde.

Als die Zarin in den Wehen lag, holte man die Großmutter. Die Zarin gebar einen Jungen. Da sagte der Zar zu der Großmutter: »Du bleibst bei der Wöchnerin. Und nimm den Hund mit!« Die Großmutter nahm ihn mit. Gott hatte dem Zarenpaar ein Kindchen geschenkt. Man wusch es und legte es in eine Wiege. Dann legten sich alle selber hin, um auszuruhen. Sie ruhten so tief, daß sie fest einschliefen.

Der Hund aber lag unter einem Bänkchen und schlief überhaupt nicht! Er paßte mit wachen Äuglein auf. Es kam die dunkle Nacht, die finstere Mitternacht – da huschte plötzlich ein Wolf zu ihnen hinein, er war aufs Fensterbrett gesprungen und durchs Fenster geklettert, gerade hinter die Wiege! Der Hund packte ihn bei den Schenkeln. Er ließ den Wolf nicht weglaufen, verbiß sich in dessen Beine und fing an, ihn zu zerfleischen. Der Wolf aber biß ihn noch schlimmer. Das Blut des Hundes floß wie aus einer Quelle! Endlich aber lag der Wolf wie tot auf dem Fußboden. Da packte ihn der Hund und warf ihn zum Fenster hinaus.

Die dunkle Nacht verging. Am Morgen stand die Großmutter auf und schaute nach: Das Kind war unversehrt. Aber der Hund lag da in seinem Blute! Da kam der Zar zu ihnen und fragte: »Was ist geschehen? Seid ihr alle am Leben?« Die Großmutter antwortete: »Ja, wir sind alle am Leben und gesund und das Kind auch, Gott sei Dank!« Doch das Hündchen ist sehr krank. Es liegt da still ausgestreckt; es ist ganz schwach.

Der Zar ging daraufhin zu seiner Ratsversammlung. »Meine klugen Herren«, sagte er, »ein Hund hat mir große Dienste geleistet. Womit würdet ihr ihn belohnen?« Sie überlegten, aber keiner konnte raten, womit man einen solchen Hund belohnen sollte. Endlich meinte einer von ihnen: »Lassen wir ihm doch eine goldene Tresse auf sein Halsband nähen; und darunter schreiben wir, daß er ein Hund des Zaren ist!«

Mit diesem Halsband ging der Hund nach seiner Genesung fort, und er kam weit und immer weiter. Er gedachte, in seine Heimat zurückzukehren. Er lief und lief, und schließlich kam er zu seinem Vater.

Inzwischen suchte der Zar überall – der Hund ist weg! Da ließ er einen Aufruf verbreiten, daß derjenige, welcher den Zarenhund findet und ihn zurückbringt, bis an sein Lebensende – falls er alt ist – eine Pension erhalten soll; wenn er noch jung ist, werde er ihn ernähren, bis er erwachsen ist; und falls er gerade mündig geworden ist, werde er ihn vom Militärdienst befreien.

Doch der Hund war längst bei seinem Vater. Sowie ihn aber seine untreue Frau erblickte, wußte sie, daß ihr Mann wiedergekommen war. Sie lebte ja bei ihrem Geliebten. Der sah den Hund und wußte: »Ach, mein Liebchen, das ist ein Hund des Zaren! Der Zar kann mir die Gnade erweisen und mich vom Militärdienst befreien! Ich werde den Hund zu ihm bringen.« Da schimpfte das Weib: »Genug, du Dummkopf! Das ist kein Hund! Das ist mein Mann!« Sie fing den Hund ein und schleuderte ihn hart auf den Boden. Und da wurde er zu einem Sperling! Und der fing an zu zwitschern und flog davon.

Er flog zum Flüßchen, pickte Hirsekörnchen, trank von dem Wässerchen und flog weiter. Er flog zu einer Scheune, um mit den anderen Spätzchen dort zu übernachten, und saß nun dort. Zu dieser Scheune schickte der Bauer seine beiden Kinder: »Geht, Kinder! In der Scheune picken die Spatzen den Hanf auf. Verstopft alle Löchlein! Und morgen gehen wir die Spätzchen fangen.« Die Kinder liefen zur Scheune und stopften alle Löchlein zu. – Es kam der Morgen. Der Bauer erschien, um die Spätzchen zu fangen. Doch er ließ alle Spätzchen zur Scheune hinaus, nur das eine nicht. Das arme Ding geriet ihm in die Hände und litt große Pein.

Der Bauer hatte den Sperling also gefangen und nahm ihn mit nach Hause. Er wetzte ein scharfes Messer, schnitt ihm den Kopf ab und schleuderte ihn gegen die feuchte Erde. Da wurde er wieder zu dem Menschen, der er früher gewesen war! Er schaute den Bauern an: »Oh, ich danke dir, Herr, daß du mich nicht geschlachtet hast!« Der aber antwortete: »Ich kenne dich. Du hast mich, als ich ein Wolf war, im Zarenschloß erwischt, beinahe zerfleischt und aus dem Fenster geworfen. Dafür danke ich dir, denn du hast genau richtig gehandelt und mich von der Gier befreit. Hätte mich der Zar morgens gefunden, wäre ich totgeschlagen worden. Meine Kinderchen da – das sind die beiden verschwundenen Zarenkinder. – Nun, hier hast du eine Rute! Troll dich nach Hause. Dort liegt deine Frau mit ihrem Freund im Bett. Schlag deine Frau damit einmal und den Freund zweimal und sprich: ›Du, Frau, werde zu einer Stute! Und du, Freund, zu einem jungen Wallach!‹ Dann spanne die beiden vor den Hakenpflug und fahr mit ihnen zum Pflügen!« Und so machte es der junge Mann.

Das Märchen ist aus, und mehr gibt es nicht zu erzählen.

(Von Isidor Levin zur Verfügung gestellt,
übersetzt von Gisela Schenkowitz)

Schweden

Lasse, mein Knecht!

Es war einmal ein Prinz oder Herzog oder was er nun war, aber von ungeheuer hoher Abkunft war er auf jeden Fall, und daheim wollte er auch nicht bleiben. So zog er in der Welt umher, und wo er auch hinkam, da wurde er wohl aufgenommen und verkehrte mit den feinsten Leuten, denn Geld hatte er unerhört viel. Freunde und Bekanntschaften hatte er gleich, wo er auch hinkam, denn wer einen vollen Trog hat, findet immer Schweine, die ihre Rüssel hineinstecken wollen. Da er aber so mit seinem Geld umging, wurde es immer weniger, und zuletzt saß er so auf dem Trockenen, daß er keinen roten Heller mehr hatte.

Nun war es auch aus mit den vielen Freunden, denn die machten es wie die Schweine. Als er ganz ausgebeutelt war und ihnen nichts mehr geben konnte, fingen sie an zu grunzen und zu plärren und liefen auseinander, jeder seines Wegs. Da stand er nun genasführt und allein. Alle hatten eifrig von seinem Geld genommen, aber wieder dazu helfen wollte ihm keiner, und so blieb ihm nichts anderes übrig, als wie ein Handwerksbursch heimzuwandern und unterwegs sich Brotkrusten zusammenzubetteln.

Eines späten Abends kam er in einen großen Wald und wußte schlechterdings nicht, wo er in der Nacht unterkommen sollte. Aber wie er guckte und suchte, da fiel sein Blick auf eine alte Hütte, die zwischen dem Gebüsch hervorschaute. Das war freilich kein Quartier für einen so feinen Herrn, aber wenn man nicht haben kann, was man will, so muß man nehmen, was man kriegt, und da er sich nicht anders zu helfen wußte, so ging er eben in die Hütte. Nicht eine Katze war darin und nicht einmal ein Schemel zum Sitzen. Aber an der einen Wand stand eine große Kiste. Was könnte wohl in der Kiste sein? Wenn da am Ende etliche schimmelige Brotbrocken darin wären? Die würde er sich schmecken lassen, denn er hatte den ganzen Tag nicht das kleinste Almosen bekommen und war so hungrig und leer, daß ihm die Därme an den Rippen klebten.

Er machte die Kiste auf. Aber in der Kiste war wieder eine andere Kiste, und in dieser Kiste war noch eine Kiste, und so immer fort, die eine kleiner als die andere, bis es nur mehr ganz kleine Schächtelchen und Kästchen waren. Je mehr es wurden, um so mehr plagte er sich, denn es mußte doch etwas Wunderschönes darin sein, weil es so sorgsam versteckt war.

Schließlich kam er an ein kleines Kästchen, und in dem Kästchen lag ein Stück Papier, und das war alles, was er von seiner Mühe hatte. Das war freilich fürs erste sehr betrüblich. Aber auf einmal sah er, daß etwas Geschriebenes auf dem Fetzchen stand, und als er genauer hinsah, konnte er sogar Worte herausbuchstabieren, obgleich es zuerst kurios aussah. Da las er: »Lasse, mein Knecht!« Und kaum hatte er die Worte ausgesprochen, so gab es dicht an seinem Ohr Antwort: »Was befiehlt der Herr?« Er schaute sich um, aber er sah keinen Menschen. Das ist doch wunderlich, dachte er und las noch einmal: »Lasse, mein Knecht!« Und da kam auf die gleiche Art die Antwort: »Was befiehlt der Herr?«

»Wenn hier ein Mensch ist, der hört, was ich sage, der könnte wohl so gut sein und mir ein bißchen was zu essen verschaffen«, sagte er; und im gleichen Augenblick stand ein Tisch in der Hütte, gedeckt mit allem, was man sich Gutes nur denken kann. Er machte sich gleich ans Essen und Trinken und schlug sich tüchtig den Ranzen voll. »So gut habe ich es meiner Lebtag noch nicht gehabt«, dachte er. Als er sich nun gehörig sattgegessen hatte, wurde er schläfrig und griff wieder nach dem Fetzen. »Lasse, mein Knecht!« »Was befiehlt der Herr?« – »Nun hast du mir zu essen und zu trinken gegeben, nun sollst du mir auch ein Bett zum Schlafen verschaffen. Aber ein recht schönes Bett will ich haben«, sagte er, denn ihr könnt euch denken, daß er nun schon höher hinaus wollte, nachdem er sich sattgegessen hatte.

Und es geschah auch; und ein Bett so fein und schön stand in der Hütte, daß der König selbst nach einer ähnlichen Schlafgelegenheit suchen könnte. Nun war ja alles schön und gut, aber das Bessere ist der Feind des Guten, und als er sich gelegt hatte, fand er die Hütte doch gar zu elend für ein so schönes Bett. Da nahm er das Papier: »Lasse, mein Knecht!« »Was befiehlt der Herr?« – »Wenn du ein solches Essen und ein solches Bett in den wilden Wald hier schaffen kannst, so kannst du mir auch gewiß ein schöneres Gemach verschaffen, denn siehst du, ich bin ja einer, der sonst in einem Schloß schläft mit Goldspiegeln und goldenen Tapeten und Verzierungen und Bequemlichkeiten aller Art«, sagte er. Kaum hatte er die Worte recht gesagt, so lag er auch schon im prächtigsten Zimmer, das er jemals gesehen hatte.

Nun hatte er es schön, fand er, und war gerade zufrieden, als er das Gesicht zur Wand drehte und die Augen zumachte. Aber es war doch noch nicht genug des Prunkes, denn als er am anderen Morgen aufwachte und sich umsah, so war es ein großes Schloß, in dem er geschlafen hatte. Da war ein Zimmer neben dem anderen, und wo er hinkam, war alles voll Verzierungen und Schnörkeln aller Art, die Wände und die Decke, und alles schimmerte so herrlich, wenn die Sonne darauf schien, daß er die Hand vor die Augen halten mußte, so funkelte es überall von Gold und Silber, wo er hinsah. Da schaute er durchs Fenster, und hui! war das erst schön. Das war ein ander Ding als Tannenbäume und Wacholderbüsche, nein, da war der schönste Garten, den man sich wünschen konnte, mit herrlichen Bäumen und Rosen aller Art in Büschen und in Stöcken.

Aber kein Mensch war zu sehen, nicht einmal eine Katze, und das war ganz natürlich, daß er es so fein hatte und wieder ein großer Herr geworden war.

Da nahm er das Stück Papier: »Lasse, mein Knecht!« – »Was befiehlt der Herr?« – »Nun hast du mir Essen beschafft und ein Schloß, darin zu wohnen –

denn hier will ich bleiben – denn hier behagt es mir«, sagte er, »aber so ganz allein kann ich doch hier nicht sein. Ich muß Knechte und Mägde haben, von denen ich mich bedienen lassen kann, und sehen, was sie treiben«, sagte er. So geschah es auch; es kamen Bediente und Lakaien und Mägde und Mamsellen aller Art, und die einen verbeugten sich, und die anderen machten einen Knicks, und nun fühlte sich der Herzog wirklich zufrieden.

Nun lag aber auch ein großes Schloß auf der anderen Seite des Waldes, und da wohnte ein König, dem gehörte der Wald und große, große, weite Felder ringsumher. Als der nun nach Hause kam und zufällig zum Fenster hinausschaute, da erblickte er das neue Schloß, auf dessen Dach die goldenen Wetterfahnen sich hin und her schwangen und ihm von Zeit zu Zeit in die Augen glitzerten. »Das ist doch kurios«, dachte er und rief seine Hofherren. Die kamen eiligst herein und machten Komplimente und Kratzfüße.

»Seht ihr das Schloß dort?« sagte der König. Sie machten tellergroße Augen und guckten. Ja, gewiß sahen sie das. »Wer ist der, der gewagt hat, ein solches Schloß auf meinem Grund und Boden zu bauen?«

Sie machten Komplimente und Kratzfüße und wußten nichts. Da rief der König seine Soldaten: Die kamen hereingestampft und präsentierten das Gewehr. »Schickt alle meine Soldaten und Reiter aus«, sagte er, »und reißt das Schloß dort nieder, und hängt den auf, der es gebaut hat, und das auf der Stelle!«

In der größten Eile traten die Soldaten an und machten sich auf den Weg. Die Trommler bumsten auf das Trommelfell, und die Trompeter tuteten in die Trompeten, und die anderen Musikanten betrieben ihre Kunst, jeder auf seine Weise, so daß der Herzog sie schon längst hörte, ehe er sie sehen konnte. Aber er hatte schon früher solche Musik gehört und wußte auch, was sie bedeutete, und da nahm er wieder sein Stück Papier.

»Lasse, mein Knecht!« – »Was befiehlt der Herr?« – »Hier kommen Soldaten«, sagte er, »und nun sollst du mir Soldaten und Reiter verschaffen, daß ich noch einmal so viel habe, als die da hinter dem Wald. Und Säbel und Pistolen und Büchsen und Kanonen und alles, was dazu gehört – aber schnell muß es gehen.«

Schnell ging es auch, und als der Herzog hinausschaute, da hatte er eine unerhörte Masse Soldaten rings um das Schloß aufgestellt.

Als nun die Leute des Königs kamen, blieben sie stehen und wagten sich nicht weiter vor. Aber der Herzog war nicht schüchtern und ging direkt auf den Obersten des Königs zu und fragte, was er wolle. Der Oberst sagte seinen Auftrag.

»Das hat gar keinen Wert für euch«, sagte der Herzog. »Du siehst wohl, wieviel Leute ich habe, und wenn der König auf mich hören will, so können wir auf der Stelle Freunde werden, und ich will ihm gegen seine Feinde helfen, und das wird schon glücken.« Dem Oberst gefiel der Vorschlag, und da lud der Herzog ihn und alle seine Offiziere ins Schloß, und die Leute bekamen einen Schluck oder auch zwei und vieles Eßbare dazu.

Aber als sie nun aßen und tranken, kam man ins Erzählen, und der Herzog erfuhr, daß der König eine Tochter hatte, die noch ledig sei und so wunderschön, daß noch niemand ihresgleichen gesehen hatte. Und je mehr man den Soldaten des Königs auftrug, um so mehr waren sie der Meinung, daß die Königstochter eine gute Frau für den Herzog sei. Wie sie so sprachen, kamen auch dem Herzog selber derartige Gedanken. Das Schlimmste sei, sagten die Soldaten, daß sie sehr stolz sei und niemals einen Mann anschauen wolle. Aber da lachte der Herzog nur. »Wenn es nichts Schlimmeres ist«, sagte er, »diese Krankheit kann man schon heilen.«

Als nun die Soldaten so viel gezecht hatten, als nur in sie hineingehen wollte, riefen sie hurra, daß es in den Bergen widerhallte, und zogen davon. Und man kann sich vorstellen, daß sie einen schönen Parademarsch machten, denn sie waren ein bißchen locker in den Knien, und es war mancher darunter, bei dem diesmal nicht alle Schrauben fest waren. Der Herzog trug ihnen Grüße an den König auf. Er wolle ihn bald besuchen, sagte er.

Als der Herzog nun wieder allein war, fing er wieder an, an die Prinzessin zu denken und ob sie wirklich so fein und schön wäre, wie die Soldaten gesagt hatten, das hätte er gerne selber sehen wollen. Und nachdem an diesem Tag schon so viel Wunderbares passiert war, so wäre das auch nicht unmöglich, dachte er.

»Lasse, mein Knecht!« – »Was befiehlt der Herr?« – »Nun sollst du mir die Königstochter herbeischaffen, sobald sie eingeschlafen ist«, sagte er. »Aber sie darf auf dem Hinweg und auf dem Rückweg nicht aufwachen, hörst du?« Und es dauerte nicht lange, so lag die Prinzessin auf dem Bett. Sie schlief so gut und sah so reizend aus, wie sie so dalag. Ganz zuckersüß war sie, das muß man sagen. Der Herzog ging rund um sie herum, aber von allen Seiten war sie gleich schön, und je mehr er schaute, um so besser gefiel sie ihm.

»Lasse, mein Knecht!« – »Was befiehlt der Herr?« – »Nun sollst du die Prinzessin wieder heimtragen«, sagte er. »Denn jetzt weiß ich, wie sie aussieht, und morgen will ich um sie werben.«

Am nächsten Morgen schaute der König zum Fenster hinaus. ›Nun brauche ich doch das Schloß dort drüben nicht mehr zu sehen‹, dachte er bei sich. Aber ging das nicht mit dem Bösen zu – da stand es noch gerade so wie zuvor, und die Sonne schien so schön aufs Dach, und die Wetterfahnen glitzerten ihm in die Augen.

Nun wurde er zornig und schrie nach allen seinen Leuten; die kamen rascher herbei als gewöhnlich. Die Hofherren machten Komplimente und Kratzfüße, und die Soldaten machten Parademarsch und präsentierten. »Seht ihr das Schloß dort?« schrie der König. Sie streckten die Hälse und machten Augen wie Teller so groß und guckten. Ja freilich, sahen sie es. »Habe ich euch nicht befohlen, das Schloß niederzureißen und den Bauherrn aufzuhängen?« sagte er.

Das konnten sie freilich nicht leugnen, aber nun trat der Oberst selber vor und tat Bescheid, wie alles zugegangen war und wie unheimlich viel Soldaten der Herzog hätte und wie wunderschön es auf seinem Schloß sei.

Dann erzählte er auch, was der Herzog gesagt hatte und daß er ihm auch Grüße an den König aufgetragen hatte.

Dem König wurde es ganz kurios im Kopf, und er mußte seine Krone auf den Tisch stellen und sich am Kopf kratzen. Das konnte er denn doch nicht begreifen – obwohl er König war; denn er konnte darauf schwören, daß das alles in einer einzigen Nacht zustande gekommen war, und wenn der Herzog dort nicht der Böse selber war, so mußte er doch ein Zauberer sein.

Wie er so dasaß und sinnierte, kam die Prinzessin herein. »Grüß Gott, Vater!« sagte sie. »Weißt du, ich habe einen so schönen und wunderlichen Traum gehabt heute nacht.«

»Was hast du denn geträumt, mein Mädel?« sagte der König. »Ja, ich habe geträumt, ich sei auf dem neuen Schloß da drüben, und da war ein so schöner und prächtiger Herzog, daß ich mir nie etwas Ähnliches vorgestellt habe; und jetzt will ich einen Mann haben.« – »Was, du willst einen Mann haben und hast dich nie herabgelassen, einen Mann auch nur anzuschauen; das ist ja sonderbar!« sagte der König. »Das kann schon sein«, sagte die Prinzessin, »aber jetzt ist es so, und jetzt will ich einen Mann haben, und gerade den Herzog«, schloß sie. Der König kam aus der Verwunderung über den Herzog gar nicht mehr heraus.

Aber auf einmal hörte er einen sonderbaren Klang von Trommeln und Trompeten und anderen Instrumenten aller Art. Und es kam Botschaft, der Herzog sei da mit großer Gefolgschaft, und alle seien so prächtig, daß es von Gold und Silber an jeder Naht nur so blitze. Der König, mit der Krone und in seinem schönsten Prachtgewand, schaute die Treppe hinunter, und der Prinzessin fuhr die Eile noch mehr in die Beine.

Der Herzog grüßte freundlich, und der König tat das gleiche, und wie sie so über ihre Sachen und Angelegenheiten sprachen, so wurden sie gute Bekannte. Es gab ein großes Gelage, und der Herzog saß bei Tisch neben der Prinzessin. Was sie unter sich besprachen, weiß ich freilich nicht, aber der Herzog verstand so schön zu sprechen, daß, was er auch sagte, die Prinzessin nicht nein darauf sagen konnte, und so ging er zum König und warb um sie.

Der König konnte auch gerade nicht nein sagen, denn der Herzog war ein Mann, mit dem er lieber essen als prozessen wollte, das wußte der König wohl, aber so auf einmal seine Zusage geben, das konnte er auch nicht. Er wollte zuerst das Schloß des Herzogs sehen und wissen, wie es bei ihm aussehe in der und jener Hinsicht – das sei ja klar.

Es wurde also ausgemacht, daß er zum Herzog auf Besuch kommen und die Prinzessin mitnehmen sollte, damit sie sein Hab und Gut besehen könnten, und damit schieden sie.

Als nun der Herzog heimkam, da gab es viel zu springen für Lasse, denn nun bekam er viele Aufträge. Aber wie er sprang und schaffte, da wurde alles so schön und fein, als der König kam mit seiner Tochter, daß es tausend Leute nicht beschreiben könnten. Sie gingen durch alle Räume und schauten sich um, und es war alles, wie es sein sollte, und noch viel schöner, dachte der König, und er war sehr vergnügt.

Nun wurde die Hochzeit gefeiert, und als sie aus war, und der Herzog mit seiner jungen Frau nach Hause kam, da hielt er auch ein prachtvolles Gelage, und so war es mit der Sache.

Als eine Zeit vergangen war, hörte der Herzog eines Abends die Worte: »Ist der Herr jetzt zufrieden?« Das war Lasse, obgleich der Herzog ihn nicht sehen konnte. »Wohl zufrieden«, sagte der Herzog. »Du hast mir ja alles verschafft, was ich habe.« – »Aber was habe ich dafür bekommen?« sagte Lasse. »Nichts«, sagte der Herzog, »aber, lieber Gott! Was sollte ich dir geben können, der du nicht aus Fleisch und Blut bist, und den ich nicht einmal sehen kann«, sagte er. »Aber wenn es etwas gibt, mit dem ich dir dienen kann, so sage, was es ist, und ich will es tun.« – »Ich möchte gar so gerne das kleine Stückchen Papier haben, das Ihr in dem Kästchen habt«, sagte Lasse. »Wenn es sonst nichts ist!« sagte der Herzog. »Wenn ich dir mit so wenig helfen kann, so geht es wohl an, denn die Worte kann ich, glaube ich, nun auswendig.«

Lasse dankte und sagte, der Herzog möge das Papier auf den Stuhl vor seinem Bett legen, wenn er schlafen gehe, dann wolle er es in der Nacht schon holen. Der Herzog tat so, und dann gingen er und die Prinzessin ins Bett und schliefen.

Aber als es gegen Morgen ging, da wachte der Herzog auf und fror, daß ihm die Zähne klapperten, und wie er die Augen richtig aufbekam, da war er ganz nackt und hatte nicht einen Faden mehr am Leib, und statt des schönen Bettes und des schönen Schlafgemachs und des prächtigen Schlosses lag er auf der großen Kiste in der alten Hütte. Gleich rief er:

»Lasse, mein Knecht!« Aber er bekam keine Antwort. Da rief er noch einmal: »Lasse, mein Knecht!« Aber auch diesmal bekam er keine Antwort. Da schrie er, so laut er konnte: »Lasse, mein Knecht!« Aber auch das war vergebens.

Nun fing er an zu begreifen, wie das zuging und daß Lasse, als er das Papier bekam, des Dienstes ledig wurde, und nun hatte er selber dazu geholfen. Aber nun war es, wie es war, und da stand der Herzog in der alten Hütte ganz nackt. Aber die Prinzessin war auch nicht viel besser dran, obgleich sie ihre Kleider behalten hatte, denn die hatte sie von ihrem Vater, und Lasse hatte keine Macht darüber.

Nun mußte der Herzog der Prinzessin das alles auseinandersetzen und sie bitten, von ihm zu gehen, er würde wohl allein am besten zurechtkommen, sagte er. Aber sie wollte nicht. Sie erinnere sich besser an das, was der Pfarrer gesagt hätte, als er sie einsegnete, daß sie niemals, niemals von ihm gehen sollte, sagte sie.

Schließlich wachte auch der König auf seinem Schloß auf, und als er aus dem Fenster schaute, da sah er nicht ein Stäubchen mehr von dem anderen Schloß, wo seine Tochter und sein Schwiegersohn wohnten. Da wurde er unruhig und rief nach seinen Hofherren. Die kamen herein und verbeugten und krümmten sich. »Seht ihr das Schloß da drüben hinter dem Wald?« fragte er. Die streckten die Hälse und machten große Augen. Aber sie sahen nichts. »Wo ist das hingekommen?« sagte der König. Das wußten sie erst recht nicht.

Nun stand es nicht lange an, so machte sich der König mit seinem ganzen Hof auf, ging durch den Wald, und als er an die Stelle kam, wo das Schloß mit dem großen Garten stehen sollte, da sah er nichts anderes als Heidekraut und Wacholder und Kiefernbüsche. Aber er erblickte die kleine Hütte, die da zwischen den Büschen stand. Da ging er hinein, und – ach, der Arme! Was bekam er da zu sehen! Da stand sein Schwiegersohn ganz nackt, und seine Tochter hatte auch nicht allzuviel mehr an, und sie weinte und flennte ganz schrecklich. »Um Himmels willen! Was ist denn hier los?« sagte der König. Aber er bekam keine Antwort, denn der Herzog hätte lieber sterben wollen, als ihm die Geschichte erklären.

Der König redete gewaltig auf ihn ein, im Guten und im Bösen, aber er war immer gleich widerborstig und ließ alles an sich ablaufen. Da wurde der König wütend, was wohl niemand wundern wird, denn nun merkte er, daß dieser feine Herzog nicht der war, der er sein sollte, und darum befahl er, man solle ihn aufhängen, und zwar auf der Stelle. Wohl bat die Prinzessin so herzlich für ihn, aber nun half kein Bitten und Weinen, denn ein Schuft war er, und wie ein Schuft sollte er sterben – meinte der König.

Und so ging es auch. Die Leute richteten einen Galgen auf und legten dem Herzog eine Schlinge um den Hals. Aber als sie den Galgen zurüsteten, erwischte die Prinzessin den Henker und gab ihm und seinen Burschen ein Trinkgeld, damit sie es so einrichten sollten, daß der Herzog nicht sterben brauche. Und gegen Abend sollten sie ihn abschneiden, und dann würden er und die Prinzessin sich davonmachen. So wurde es ausgemacht. Inzwischen zogen sie ihn hinauf, und dann ging der König mit seinem Hofstaat und der ganzen Volksmenge fort.

Nun war es Matthäi am letzten mit dem Herzog. Aber er hatte auch gut Zeit, um nachzudenken, wie übel er getan hatte, daß er nicht mit den Brocken angefangen, sondern sich gleich in den vollen Brotkorb gesetzt hatte; und daß er gar so dumm gewesen war und Lasse den Papierfetzen wiedergegeben hatte, das ärgerte ihn noch am allermeisten. »Wenn ich nur den zurück hätte, so sollten alle Leute sehen, daß ich durch Schaden klug geworden bin«, dachte er bei sich. Aber wenn die Kuh hineingefallen ist, deckt man den Brunnen zu! Ja ja, so, so! Und er baumelte mit den Beinen, denn etwas anderes konnte er zur Zeit nicht anfangen.

Das war ein böser Tag für ihn, und er war nicht betrübt, als er merkte, daß die Sonne hinter den Wald hinuntersank. Aber gerade bei Sonnenuntergang hörte er auf einmal ein schreckliches Hoiho! Und als er hinunterschaute, kamen da sieben Wagen voll zerrissener Schuhe, und zuoberst auf der letzten Fuhre saß ein kleiner Alter in grauen Kleidern und mit einer Zipfelmütze auf dem Kopf. Das Gesicht hatte er wie das greulichste Gespenst, und sonst war er auch nicht viel schöner.

Er fuhr geradewegs auf den Galgen zu, und als er darunter war, hielt er und schaute zu dem Herzog hinauf, und dann lachte er – der abscheuliche Alte. »So dumm bist du gewesen?« sagte er, »Aber was sollte so ein Kerl mit seiner Dummheit anfangen, wenn er sie nicht benützen wollte!« – Und da lachte er wieder. »Ja, dort hängst du nun, und hier fahre ich mit all den Schuhen, die ich für dein dummes Zeug zerrissen habe. Es wundert mich nur, ob du lesen kannst, was auf dem Fetzen da steht und ob du ihn kennst«, sagte er und lachte wieder und machte wüste Faxen und fuhr dem Herzog mit dem Fetzen unter die Nase.

Aber es sind nicht alle tot, die am Galgen hängen, und diesmal war doch Lasse der Dümmere.

Der Herzog packte zu und riß ihm den Fetzen aus der Hand. »Lasse, mein Knecht!« – »Was befiehlt der Herr?« – »Nun schneid mich vom Galgen herunter und richte das Schloß und alles wieder her, genau wie es war, und wenn es Nacht wird, so führe die Prinzessin wieder her!«

Es ging unheimlich schnell, und bald war alles wieder genau, wie es war, ehe sich Lasse davonmachte.

Als der König am andern Morgen aufwachte, schaute er zum Fenster hinaus, wie gewöhnlich, und da stand das Schloß wieder, und die Wetterfahnen glänzten wunderschön im Sonnenschein. Er rief nach seinen Hofherren, und die kamen herein und machten Komplimente und Kratzfüße.

»Seht ihr das Schloß dort?« sagte der König. Sie streckten die Hälse so lang sie konnten und glotzten und stierten. Ja, ja, sie sähen es schon.

Da schickte der König nach der Prinzessin, aber sie war nicht da. Nun ging der König, um zu schauen, ob der Schwiegersohn an seinem Ort hinge, aber da war weder Schwiegersohn noch Galgen zu sehen.

Da mußte er die Krone absetzen und sich am Kopf kratzen. Aber es wurde deswegen nicht anders, und wie es so richtig zusammenhing, das konnte er wahrhaftig nicht begreifen. Schließlich machte er sich mit seinem ganzen Hofstaat auf den Weg, und als er an die Stelle kam, wo das Schloß stehen sollte, da stand es auch. Die Gärten und die Rosen waren ganz wie sonst, und die Leute des Herzogs waren scharenweise überall unter den Bäumen zu sehen. Der Schwiegersohn selber und seine Tochter kamen ihm in den feinsten Kleidern auf der Treppe entgegen.

»Das geht mit dem Teufel zu!« dachte der König, und er wagte kaum seinen Augen zu trauen, so kurios kam ihm das vor.

»Grüß Gott und willkommen, Vater!« sagte der Herzog. Der König starrte ihn nur so an. »Bist du mein Schwiegersohn, du?« fragte er. »Ja, freilich«, sagte der Herzog, »wer soll ich denn sonst sein?«

»Hab' ich dich nicht gestern wie einen Dieb und Landstreicher hängen lassen?« sagte der König.

»Nun glaube ich wirklich, der Vater ist unterwegs irr geworden«, sagte der

Herzog und lachte. »Glaubt Vater denn, daß ich mich so ruhig hängen ließe? – Oder ist hier jemand, der das zu glauben wagt?« sagte er und richtete die Augen fest auf die Leute, daß sie genau merkten, daß er sie anschaute.

Sie krümmten sich und machten Komplimente und Kratzfüße. Wer könnte auch so etwas glauben? Wäre das denn möglich? »Oder ist hier einer, der zu sagen wagt, daß der König mir übel will, der soll es sagen«, sagte der Herzog und schaute sie noch schärfer an als das erste Mal.

Sie krümmten sich und machten Komplimente und Kratzfüße. Wie könnte auch einer auf so etwas kommen? Nein, so dumm sei keiner von ihnen, sagten sie.

Nun wußte der König wirklich nicht, was er glauben sollte. Denn wenn er den Herzog anschaute, so glaubte er, daß er ihm nie in seinem Leben hätte Übles tun können, aber ganz sicher war er seiner Sache nicht.

»Bin ich denn nicht gestern hierhergekommen, und war da nicht das ganze Schloß weg und statt dessen eine alte Hütte da, und war ich denn nicht in der Hütte, und bist du denn nicht ganz nackt gerade vor meinen Augen gestanden?« fragte er. »Was der Vater nicht alles sagt!« sagte der Herzog. »Ich glaube, ich glaube, Trolle haben Euch das Gesicht verwirrt und Euch im Walde irregeführt – oder was dünkt euch?« sagte er und wandte sich an die Mitglieder des Hofstaats.

Die verbeugten sich und katzbuckelten gleich fünfzehnmal hintereinander und hielten es allesamt mit dem Herzog, das war ja doch selbstverständlich. Der König rieb sich die Augen und schaute sich um. »Es muß wohl so sein, wie du sagst«, sagte er zum Herzog, »und ich glaube, ich bin jetzt wieder zu Verstand gekommen und habe wieder meine Augen im Kopf. Denn es wäre doch Sünd und Schad gewesen, wenn ich dich hätte aufhängen lassen.« Und da wurde er wieder froh, und niemand dachte mehr an die Sache.

Aber »Durch Schaden wird man klug«, sagen die Leute, und der Herzog fing nun an, das meiste selber zu schaffen und zu besorgen, so daß Lasse nicht viel Schuhe zu zerreißen hatte. Der König gab ihm gleich das halbe Reich, und er hatte viel Arbeit damit, und die Leute sagten, einen solch guten Regenten könne man weit und breit suchen.

Da kam Lasse eines Tages zum Herzog, und er sah nicht viel schöner aus als beim erstenmal, aber nun war er manierlicher und traute sich nicht zu grinsen und zu feixen. »Nun braucht Ihr meine Hilfe nicht länger«, sagte er, »denn wenn ich früher Schuhe zerrissen habe, so kann ich nun nicht einmal ein einziges Paar auftragen und glaube fast, daß an meinen Beinen Moos wächst; da könnte ich wohl meinen Laufpaß bekommen.«

Der Herzog war der gleichen Meinung. »Ich habe mich sehr bemüht, dich zu schonen, und ich glaube wirklich, ich kann dich entbehren«, sagte er. Aber das Schloß hier und alle die anderen Sachen, die kann ich nicht entbehren, denn einen solchen Baumeister wie dich kann ich nie mehr bekommen, und daß ich nicht noch einmal den Galgen schmücken möchte, das kannst du wohl begreifen, also das Papier hergeben, das tu ich nicht mit freiem Willen.« –

»Solange Ihr es habt, ist keine Gefahr für mich«, sagte Lasse. »Aber wenn nun das Papier in fremde Hände kommt, so darf ich wieder anfangen zu rennen und zu schaffen, und das, ja, das möchte ich eben nicht. Denn wenn einer tausend Jahre lang so geschafft hat wie ich, so wird er schließlich müde.«

Wie sie so verhandelten, kamen sie überein, daß der Herzog das Papier in das Kästchen legen und sieben Ellen unter die Erde graben solle, unter einen Stein, der da gewachsen war und auch da bleiben würde. Dann dankten sie einander für die gute Gesellschaft und trennten sich. Der Herzog tat nach dem Übereinkommen, und keinen Menschen ließ er es sehen. Er lebte glücklich und vergnügt zusammen mit der Prinzessin und bekam Söhne und Töchter. Als der König starb, erbte er das ganze Reich, und, ihr könnt euch denken, er stand sich nicht schlechter dabei, und dort lebt und regiert er wohl noch, wenn er nicht gestorben ist.

Aber das Kästchen mit dem Papier darin, nach dem graben und suchen viele.

Schweden (Lappland)

Die Königstochter, die Angst vor den Männern hatte

Es lebte einmal ein König, der nur eine einzige Tochter hatte. Obwohl sie erwachsen war, war sie niemals aus ihres Vaters Haus gekommen und hatte so auch nie einen Jüngling oder einen Mann vor ihre Augen bekommen. Nun traf es sich, daß sie eines Tages einen Mann sah und so große Angst vor ihm bekam, daß sie in ihrer Verwirrung nicht wußte, was sie tun und wohin sie fliehen sollte ... denn sie hatte ja in ihrem ganzen Leben immer nur Mädchen und Weibervolk um sich gehabt.

Als der König alt wurde, sagte er: »Ich habe nur diese eine Tochter, und niemand kann nach meinem Tode das erben, was ich besitze – nur sie allein. Aber sie ist so unerfahren und einfältig, daß sie immer noch vor allen Männern Grauen und Furcht bekommt. Und eine Königstochter darf doch keine Angst vor Männern haben! Aber ich will versuchen, einen zu finden, der ihr diese Angst austreibt. Derjenige, der das vermag, soll einen guten Lohn von mir bekommen. Ja, wenn er dann meine Tochter als Frau haben will, soll es mir recht sein. Und er soll dann alles erben, was ich besitze ... alles Land und alle Rechte, die auf ihm ruhen.« Diese, des Königs, Botschaft ging nach vielen Landen.

Nun lebte in einer Gegend ein Junge, der auch davon vernahm, daß dort in dem Königshaus ein so hoher Preis zu erwarten war. Er war ein ruhiger, bedachtsamer Bursch, der immer zuerst alles genau überlegte, ehe er etwas ausführte. Er sagte eines Tages zu seinem Vater: »Ich will mich auf den Weg machen und versuchen, daß ich diese Königstochter gewinne. Auch wenn ich das Mädchen nicht als Frau bekomme, so erhalte ich doch einen großen Lohn – viele, viele tausend Taler! Dieser Weg wird sich schon lohnen.« »Nein, mein Kind«, erwiderte der Vater, »bleib nur zu Hause, du bist allzu jung, du mußt doch mindestens dreißig Jahre alt sein, ehe du auf eine so ferne Reise gehst. Du wirst in der Welt vieles sehen, was dir fremd ist und wirst dein Leben vielen Nöten und Gefahren aussetzen müssen.« »Ja, Vater, du hast schon recht«, erwiderte der Junge, »aber wenn ich draußen bin, will ich meine Augen offen halten und erst alles bedenken, bevor ich etwas tue.« »Nun, du kannst tun, was du willst, ich habe dir gesagt, was ich darüber denke.« »Vater, ich will reisen, du brauchst keine Sorge um mich zu haben, ich komm schon einmal wieder. Du kannst den guten Glauben haben, daß ich eines Tages wiederkomme.« In aller Frühe des nächsten Tages machte sich der Jüngling auf den Weg ... er ging und ging den ganzen Tag, ohne selbst zu wissen, wohin ihn sein Weg führte. Er wanderte durch Wälder und Täler, über Berge und Moore und Flüsse. Als es dunkel wurde und die Nacht kam, richtete er sein Lager her, kochte sein Essen und legte sich zum Schlafen nieder. Da hörte er, daß etwas wie ein Sturm über das Land gebraust kam. Es war wie ein Wirbelwind, und alle Bäume zitterten. Er dachte: ›Ich werde wohl bald sehen, was das zu bedeuten hat.‹ Da kam auch schon ein Bär in springender Fahrt, setzte sich neben den Jungen und sprach: »Hast du etwas zu essen für mich?« »Ja, Essen habe ich.« »Willst du mir etwas Essen geben?« »Ja, du kannst von meinem Essen haben, wenn du willst, doch ich habe nur Fleisch und Brot.« »Fleisch esse ich, aber dein Brot mag ich nicht haben.« Der Bär aß von dem Fleisch. Dann sagte er. »Vuoí, dein Fleisch war aber gesalzen, nun habe ich ordentlich Durst bekommen; hast du Wasser in der Nähe?« »Nein, Wasser habe ich nicht, aber du kannst Bier bekommen, wenn du willst.« Der Bär war sehr erfreut, Bier zu bekommen. Und als er eine Schale in einem Zug ausgetrunken hatte, sagte er zu dem Jungen: »Nun ist die Zeit gekommen, daß wir schlafen. Leg deinen Kopf an meinen Leib, so liegst du weich und warm.« Sie schliefen, und als die Nacht vorüber war und sie beide ihren Morgenimbiß eingenommen hatten, sagte der Bär zu dem Jungen: »Nun mußt du ein Stück von meinem linken Ohr abschneiden. Und wenn du dir dann später einmal wünschst, ein Bär zu sein, wirst du dich auf der Stelle in einen Bären verwandeln und kannst viel besser laufen und springen, als wärest du ein Mensch.« Dem Jungen schien das eine gute Sache. Er schnitt sich ein Stückchen von dem Bärenohr ab, und dann gingen beide ihren eigenen Weg.

Als der Junge eine Weile gewandert war, dachte er: ›Ja, wenn ich jetzt ein Bär sein könnte, wäre das eine herrliche Sache.‹ Sogleich bekam er die Gestalt eines Bären und sprang so schnell, daß er doppelt so weit an einem Tage kam, wie ein gewöhnlicher Mann gehen kann.

Als der Abend vorgeschritten war, dachte der Junge: ›Nun ist es das beste, nicht mehr weiterzugehen und hier die Nacht über zu bleiben. Denn hier ist schöner Wald, und Wasser gibt es auch in der Nähe.‹ Er machte Feuer an, richtete sein Essen her und legte sich zum Schlafen nieder. Da hörte er, daß ein starker Wind über sein Lager brauste, und die Birkenzweige auf der Erde regten sich und knarrten und knisterten. Es dauerte nicht lange, so kam ein Löwe des Wegs. Der sagte zu ihm: »Ich treffe dich hier?« »Ja, ich bin hier«, erwiderte der Junge. »Hast du etwas zu Essen für mich?« fragte der Löwe. »Wohl, ich habe etwas Fleisch, aber es wird dir kaum munden, denn es ist sehr gesalzen. Wenn du es aber essen willst, kannst du es bekommen.« »Ja, Fleisch will ich gerne haben«, erwiderte der Löwe. Der Junge gab ihm von dem Fleisch, und der Löwe aß ein wenig davon. Und da er großen Durst bekam, fragte er weiter: »Hast du Wasser in der Nähe?« »Ich habe Bier für dich, willst du kein Bier trinken?« »Oh, das ist viel besser als Wasser!« Und als der Löwe seinen Durst gelöscht hatte, sagte er: »Nun wollen wir beide uns zum Schlafen legen. Lege deinen Kopf an meinen Leib, so hast du es weich und warm.«

Als die Nacht vergangen war, sagte der Junge: »Jetzt laß uns noch unseren Imbiß nehmen, ehe wir auseinandergehen. Was für Essen willst du am frühen Morgen haben?« »Ich habe immer Milch getrunken, wenn ich sie bekam.« »Milch habe ich nicht, aber etwas Sauermilch ist noch in meinem Ledersack, versuch sie nur.« Der Löwe trank einen Mund voll – sie war sehr sauer – und sagte: »Sie ist gut, aber kräftig, daß mir der eine Schluck genügt. Nun kann ich es den ganzen Tag aushalten. Jetzt aber schneide, ehe unsere Wege sich trennen, mein linkes Ohr ab. Und wenn du dann einmal wünschst, des Löwen Schritt und Stärke zu bekommen, wirst du auf der Stelle ein Löwe sein.« Der Junge schnitt sich ein Stück von dem Löwenohr ab, und als das getan war, trennten sie sich, und jeder ging seinen eigenen Weg. Als der Junge wohlgelaunt ein Stück des Weges gegangen war, nahm er des Löwen Ohr in seine Hand und dachte sich: ›Oh, wenn ich jetzt nur ein Löwe wäre und so rasch wie ein Löwe springen könnte!‹ Sogleich war er ein Löwe und lief so schnell, daß er viele, viele Meilen am Tage laufen konnte, ohne Müdigkeit zu verspüren.

Es dunkelte, und immer war er noch nicht in das Königshaus gekommen. Deshalb wählte er sich eine Stelle zum Schlafen aus, die von Wald und Gras bestanden war. Und wie er nun sein Essen kochte, drang ein Laut wie das Surren eines Spinnrads an sein Ohr. ›Was ist das nur?‹ dachte er, ›Ah, laß es sein, was es will – ich habe keine Angst.‹ Da sah er, daß eine kleine Fliege geflogen kam. Die sagte zu dem Jungen: »Bist du hier?« »Ja, ich bin hier.« Die Fliege sagte: »Ich suche mir einen Schlafplatz, und wenn es dir recht ist, bleibe ich bei dir. Die Sonne ist untergegangen, und in der Nacht gehen meine Schwingen so schwer, weil sie kalt werden und frieren. Hast du etwas Essen für mich?« »Ja, das habe ich – Brot und Käse, was willst du essen?« »Am liebsten will ich etwas Käse haben.« So bekam sie etwas Käse ... oh, sie aß nicht viel. Dann wurde die Fliege müde und sagte: »Jetzt wollen wir uns zum Schlafen legen.«

Als sie geschlafen und am Morgen gemeinsam etwas gegessen hatten, sagte die Fliege: »Nun müssen wir uns trennen, du mußt deinen Weg gehen und ich den meinen. Aber schneide zuerst ein Stück von meinem Flügel ab. Und wenn du einmal den Wunsch hast, wie eine Fliege zu werden, so wird er sich erfüllen.« Der Junge schnitt ein Stückchen von dem Flügel ab, und dann ging jeder seinen eigenen Weg.

Der Junge schritt rüstig aus, er ging und ging, und als er eine gute Strecke gegangen war, dachte er: ›Nun will ich wie eine Fliege sein, ich will wie die Fliege werden, mit der ich das Lager geteilt habe.‹ Sogleich wurde er eine Fliege. Und er flog lange und weite Wege, über Täler, Flüsse und Berge. Auf seinem Flug kam er bald auf eine hohe Bergspitze, und als er oben angekommen war, sah er weit in der Ferne eine Stadt liegen. Da er ja Fliege geworden war und keinen schweren Körper mehr fühlte, kam er so rasch wie der Wind nach der Königsstadt. Noch stand die Sonne am Himmel, da war er schon da. Sogleich nahm er wieder Menschengestalt an und begann, mit den Leuten zu sprechen: Ob das wohl wahr sei, was zu allen Leuten gedrungen war? Ja, er bekam bald zu hören, daß der König eine Tochter hatte, die nicht ertrug, Mannsvolk zu sehen, und daß der König seinen ganzen Reichtum dem Manne geben wollte, der ihr die Angst vor den Mannsleuten nähme. Als der Junge das gehört hatte, sagte er: »So ist es die Wahrheit, was ich gehört habe, und deswegen bin ich gekommen, um der Königstochter die Furcht vor den Männern zu vertreiben.«

Bald war dem König zu Ohren gekommen, daß ein Fremder in der Stadt wäre.« Bringt mir den Jungen her«, sagte er zu seinen Leuten, »daß ich mit ihm sprechen kann.« Zwei Leute gingen zu ihm, führten ihn in das Königshaus und sagten: »Hier drinnen ist der König, geh nur hinein und sprich mit ihm.« Als der Junge eingetreten war, sagte der König: »Bist du der, welcher glaubt, daß er meine Tochter heilen kann? Glaubst du sie so weit zu bringen, daß sie Mannsleute zu sehen erträgt?« »Ich weiß nicht, ob es mir gelingt, aber ich will es versuchen.« Da sagte der König: »Wenn du dich an deine Arbeit machen willst, sollst du für jeden Tag deinen Lohn bekommen. Allzuviel wird es nicht sein, wenn es dir nicht gelingt, daß meine Tochter so wird wie andere Mädchen und Männer erträgt.« »Es kann mir gleich sein, ob ich viel oder wenig bekomme«, sagte der Junge »aber ich will es versuchen.«

Als sie nun alles besprochen hatten, auch über den Lohn einig geworden waren, nahm der Junge das kleine Flügelstück in die Hand und sagte: »Nun will ich eine Fliege werden!« Sogleich bekam er die Gestalt und Art einer Fliege. Er flog sogleich weg. Aber als er an das Gemach kam, in dem die Königstochter wohnte, fand er die Tür verschlossen. Innen und außen an der Tür standen Wächter. Er suchte überall hindurchzukommen, aber nirgends fand er eine Öffnung, durch die er schlüpfen konnte. Da sah er zu seinem Glück im Schloß ein kleines Loch, und durch das stahl er sich hinein.

Die Königstochter sah die Fliege kommen, aber wie konnte sie auch denken, daß die ein Mensch wie sie selber war? Die Fliege flog auf den Boden, und kaum saß sie dort, bekam sie auch schon Menschengestalt. Als nun plötzlich ein schöner Jüngling vor dem Mädchen stand, rief es: »Wehe, ein Mann ist in mein Zimmer eingedrungen, kommt und helft mir!« In aller Eile sprangen die Wächter hinzu, und ihr einziger Gedanke war, den Fremden zu erschlagen. Aber auf der Stelle verwandelte sich der Junge wieder in eine Fliege und flog hinter das Bett an die Wand des Gemachs und verbarg sich dort. Die Wächter suchten und suchten nach dem Mann, doch sie fanden keinen und gingen wieder fort.

Kaum waren sie verschwunden, so bekam der Junge wieder Menschengestalt und stand mitten im Zimmer. Abermals rief die Königstochter: »Ein Mann ist hier!« Wieder eilten die Wächter herbei. Sie suchten und suchten im ganzen Gemach umher. Aber der Junge war inzwischen wieder Fliege geworden und verbarg sich an der gleichen Stelle wie vordem. Oh, wie die Wächter in großem Eifer suchten und suchten! Aber daß sie niemanden fanden, kannst du dir denken. Ja, sie glaubten, zum Narren gehalten worden zu sein, und sagten zu der Königstochter: »Wenn du ein drittesmal lügst und uns rufst, sagen wir dem König, daß du Schindluder mit uns treibst. Dann wird er dich strafen oder töten.« Die Königstochter bekam nun große Angst, von ihrem Vater gestraft zu werden, und als der Junge sich wieder aus einer Fliege in einen Menschen verwandelt hatte und mitten im Raume stand, wagte sie nicht mehr, nach den Wächtern zu rufen. Der Junge aber lief kühnlich in dem Gemach hin und her und sah bei jedem Schritt, den er machte, auf die Königstochter. Dann begann er zu tanzen, und als das Mädchen das sah, wurde ihm wohl zumut, und es verlor jede Angst und jeden Unwillen. »Wie bist du in mein Zimmer gekommen?« fragte es. »Ich bin wie alle Menschen durch die Tür gekommen.« »Wie konntest du das, da sie doch fest verschlossen ist?« »Ich kann es eben, es ist nicht schwer für mich.« Da sagte die Königstochter: »Wenn du von der Art bist, daß du durch alle Türen kommen kannst, ohne daß dich jemand sieht, so komm doch morgen wieder zu mir.« Der Junge antwortete nicht, sondern sagte nur: »Es ist Zeit für mich zu gehen.« Sogleich war er wieder eine Fliege und kroch ungesehen durch das Schlüsselloch hinaus.

Als die Königstochter wieder allein war, dachte sie: ›Oh, er ist ein merkwürdiger Geselle, er ist ganz anders als alle Männer sonst.‹ Sie hatte so großen Gefallen an ihm gefunden und war ihm so gut, daß sie zu sich sagte: ›Ihn würde ich gerne zum Manne haben, wenn er es nur selber wollte.‹

Am nächsten Morgen kam der Junge in der gleichen Zeit zu der Königstochter. Als Fliege schlüpfte er durch das Schlüsselloch und stand als Jüngling wieder im Gemach. Er entbot der Königstochter seinen Gruß; die erwiderte ihn sogleich und sagte: »Oh, bist du wieder hier?« »Ja, ich bin wieder zu dir gekommen.« »Es scheint mir«, so fuhr die Königstochter fort, »das beste ist, daß wir Mann und Frau werden, wo du doch ein Mann bist, der durch verschlossene Türen gehen kann. Denn mein Vater ist allein, er kann bald von dieser Welt gehen, und dann kommt sein ganzer Reichtum an mich.« »Ja, von Herzen gern kannst du meine Frau werden«, erwiderte der Junge, »aber zuerst mußt du zu deinem Vater gehen und ihm erzählen, daß du Mannsvolk gesehen und keine Angst mehr vor ihm hast.« Das versprach die Tochter auch.

Kaum hatte sich der Junge wieder in eine Fliege verwandelt und war weggeflogen, da eilte die Tochter zu ihrem Vater und erzählte ihm, daß sie nun keine Angst mehr vor Männern habe. Sie hätte – so sagte sie – einen Jüngling getroffen, der wäre in ihr Zimmer gekommen und hätte vor ihr getanzt, und diesen Jüngling wollte sie heiraten, sobald es nur möglich sei. So froh und glücklich wie an diesem Tage war der König noch nie. Sogleich sandte er einen Boten ab, daß der Junge so bald wie möglich kommen sollte. Und als er kam, fragte ihn der König: »Warst du bei meiner Tochter?« »Ja, ich war bei ihr, und wir sind einig geworden, uns zu heiraten.« »Wenn es so steht«, erwiderte der König, »und wenn es wahr ist, was meine Tochter sagt, daß du durch verschlossene Türen kannst, so habe ich noch eine andere Sache für dich: in meiner Kammer ist ein Geldschrein, und wenn du durch eine verschlossene Tür eindringen kannst, kannst du wohl auch in diese Kiste kommen und für mich alles Geld zählen, das darin liegt.« »Das kann ich gerne tun«, versetzte der Jüngling. Er verwandelte sich sogleich in eine Fliege, kroch in die Geldkiste und schrieb sich auf, wieviel Geld der König in ihr angesammelt hatte. Viele, viele tausend Taler waren in dem Schrein. Als er mit seiner Rechnung fertig war, kroch er wieder heraus, nahm sogleich Menschengestalt an und sprach zu dem König: »Hier habe ich alles aufgeschrieben, was du an Geld gesammelt hast.« »Es stimmt wahrhaftig«, rief der König, »nun glaube ich, daß du durch jedes Schlüsselloch kommen kannst. Nun steht nichts mehr im Weg, meine Tochter zur Frau zu bekommen, wenn du es willst.« »Ja«, versetzte der Junge, »das will ich wohl von Herzen gern, aber erst muß ich nach Hause gehen und meine alte Mutter und meinen Vater holen, daß sie auch kommen, wenn ich Hochzeit halte.« Dem König war das recht, und auch seiner Braut war es recht. Doch sie fragte ihn: »Kann ich nicht mit dir gehen?« »Ja, das kannst du tun, wenn du willst.«

Sie machten sich zusammen auf die Reise, und kein Mensch kann schneller von der Stelle kommen als diese beiden. Denn du weißt ja, daß der Junge noch ein Stückchen von dem Flügel bei sich trug, und du kannst dir denken, daß beide als Fliegen die weite Reise begannen. Schon bald waren sie auf der hohen Bergspitze, von der aus damals der Junge das Königsschloß gesehen hatte. Und von dem Berg bis nach Hause brauchten die beiden, die ja immerzu flogen und flogen, nur einen Tag.

Als sie an Ort und Stelle waren, klopfte der Junge an die Tür des Hauses, in dem seine Eltern wohnten. Und als er eingetreten war, sagte er: »Vater, nun bin ich wieder zu euch gekommen, und wie ihr seht, habe ich ein Mädchen mitgebracht. Es ist eine Königstochter, die ich zu euch führe.« »Wie kann eine Königstochter zu mir kommen«, fragte der Vater, »der ich alt und häßlich bin?« »Du bist nicht häßlich«, erwiderte die Königstochter, »aber du bist ein alter Mann, wie mein Vater auch.«

Als die beiden bei den Eltern die Nacht verbracht hatten, sagte am Morgen der Junge zu den beiden Alten. »Nun wollen wir alle zusammen in das Königshaus reisen und Hochzeit halten.« Vater und Mutter erwiderten: »Wie sollten wir mit euch reisen können? Ach, wir sind ja beide alt, und es ist ein weiter Weg. Nein, so lange Wege können wir nicht mehr gehen.« »Zu gehen braucht ihr auch nicht«, erwiderte der Sohn, »ihr braucht nur zu sagen, daß ihr Lust habt, mit mir auf meine Hochzeit zu kommen.« Ja, Lust zum Fest zu kommen, hatten sie schon.

Nun machten sich alle auf die Reise, denn alle waren im Nu in Fliegen verwandelt und flogen durch die Luft, unter sich Berge und Täler, Moore und Flüsse. Und als sie nach dem Königshaus kamen, war es noch nicht einmal Nacht geworden, und die Sonne stand noch am Himmel. So eine schöne Reise hatten die Alten noch nie in ihrem Leben gemacht – sie flogen und flogen über alle Herrlichkeiten der Welt.

Am nächsten Tag aber wurde die Hochzeit gefeiert. Es war ein großes Fest, zu dem viel Volk aus dem ganzen Land gekommen war.

Schweiz (Graubünden)

Die weiße Katze

Es war ein König, und der hatte drei Söhne; einer war stolz, der zweite war böse und der dritte war viel zu gut. Die beiden ersten Söhne mißbrauchten seine Güte oft.

Der König war alt, hatte ein großes Reich und konnte kaum noch herrschen. Da hat er gedacht: ›Ich nehme einen meiner Söhne als Gehilfen und setze ihn mit auf den Thron. Aber wen nehme ich? Der älteste ist so stolz, daß er die Leute von oben herab behandeln und dadurch viele Ungerechtigkeiten begehen wird. Der zweite ist böse, wird die Leute unterdrücken und schlecht behandeln. Wenn ich aber den dritten nehme, werden mir die anderen beiden an den Kopf springen. Was soll ich nur tun?‹

Er hat lange überlegt und am Abend seine Söhne zu sich gerufen und ihnen mitgeteilt, daß er zum alleinigen Herrschen zu alt sei und einen von ihnen als Gehilfen benötige. »Mir gehört das Königreich!« sagte der erste. »Ach dir!« erwiderte der König, »Du bist zu hochmütig.« – »Ich habe den Mut dazu.« sagte der zweite. »Ja, Mut wohl, aber du bist zu böse.« Der dritte sagte nichts. Der König fragte ihn: »Und du?« – »Ach, ich würde gern regieren, denn ich möchte, daß alle Leute glücklich sind.« – »Das habe ich von dir erwartet«, freute sich der König. »Hört! Ich gebe euch drei Jahre, drei Monate, drei Tage und drei Stunden Zeit. Wer mir danach das allerfeinste Gewebe heimbringt, der soll auf den Thron kommen.«

Die drei Söhne sind damit zufrieden gewesen. Dabei haben die beiden älteren gedacht, daß sie den Kleinen nicht zu fürchten brauchen. Kurz und gut, alle drei machten sich auf den Weg, der eine in diese, der andere in jene Richtung. Und der Kleine? Er ging gern zur Jagd. Er war zwar gutmütig, war aber auch ein wenig leichtsinnig, ließ die Welt Welt sein und dachte: »In soviel Jahren, Monaten, Tagen und Stunden habe ich noch viel Zeit.« Er zog durch viele Länder, ging überall auf Jagd und kehrte abends in Herbergen ein. Er dachte nicht an das, was er eigentlich zu tun hatte.

Eines Tages war er wieder auf der Jagd in einem großen Wald. Da ist ein großes Unwetter gekommen, es hat zu regnen, zu stürmen und zu blitzen begonnen, so sehr, daß er den Weg ganz und gar verloren hat. Er hat sich unter einen Baum gesetzt und begonnen zu schlafen. Aber lange hat er nicht schlafen können: Die Wölfe heulten, die Füchse pfiffen und die Eulen schrien. So konnte er keine Ruhe finden, und es kam ihm auch ein wenig Furcht an.

Kurz und gut, er steht auf. Da sieht er weit, weit weg ein kleines Licht und beschließt, darauf zuzugehen. Je näher er kam, umso größer wurde das Licht. Auf einmal steht er vor einem großen Schloßtor, das geschlossen war. Er nimmt den Klopfer und pocht. Da öffnet sich die Tür, und vier Hände kommen heraus. Nur vier Hände! Zwei fassen ihn an die eine Schulter, zwei an die andere. Sie führen ihn durch einen großen, schönen Flur, eine prächtige, weiße Marmortreppe hinauf und öffnen die Tür zu einem Zimmer. Da brannte ein flackerndes Feuer in einem offenen Kamin, und auf einem Stuhl daneben lagen die Kleider für einen Ritter. Sie ziehen ihm die nassen Kleider aus, trocknen ihn ab und ziehen ihm die Ritterkleider an. Dabei hörte man kein Wort und sah nichts als die vier Hände.

Dann führten ihn die Hände in ein prächtiges Speisezimmer, in dem der Tisch für zwei gedeckt war. Sie haben ihn auf einem der Stühle am Tisch Platz nehmen lassen. Ihm gegenüber lag auf einem Teller eine gebratene Maus. Er hörte nichts und sah nur die Hände.

Auf einmal öffnet sich die Tür, und eine große weiße Katze kommt herein. Aber sie ging nicht auf allen vieren, sie ging auf den Hinterbeinen und hatte die Größe einer Frau. Auf dem Haupt trug sie einen schwarzen Schleier und eine Krone. Über die Brust hatte sie ein breites blaues Band mit einem Orden. Neben ihr auf jeder Seite waren zwei große, schwarze Kater. Einer trug ein blankes Schwert, der andere trug das Ende des Schleiers.

Die weiße Katze erwies dem Prinzen ihre Reverenz und begrüßte ihn: »Willkommen in meinem Schloß! Es freut mich, nach so vielen Jahren und Tagen hier einen Menschen zu sehen. Nimm bitte wieder Platz.« Sie gibt den Katern einen Befehl. Die gehen hinaus und bringen ein herrliches Essen herein. Aber davon nahm die Katze nichts. Sie aß ihre Maus. Sie hat ihn dieses und jenes gefragt und woher er komme. Als sie hörte, daß er gern auf die Jagd gehe, hat sie ihm gesagt, daß er am nächsten Tag auch jagen könne. Er müsse nur hinter das Schloß gehen. Dort werde er ein Pferd – ein hölzernes Pferd – finden. Das werde ihn in das Jagdrevier tragen. Am Abend werde es mit ihm nach Haus zurückkehren.

Und in der Tat, am anderen Morgen als er aufgestanden und hinuntergegangen war, stand da ein großes, hölzernes Pferd, wie es die Kinder zum Spielen brauchen. Kaum ist er aufgestiegen, erschien eine ganze Schar von Händen, die alles trugen, Flinte, Rucksack, Verpflegung und was sonst für die Jagd erforderlich war. Den ganzen Tag über sind sie jagen gegangen. Am Abend nach einer außerordentlich guten Jagd sind sie wieder nach Haus gekommen.

Der Prinz ist schließlich im Schloß geblieben. Dort wurde ihm die Zeit kurz, und er vergaß vollkommen, was er zu tun hatte. Kurz und gut, als er eines Tages aufgestanden war und auf den Kalender sah, waren es nur noch drei Monate, drei Tage und drei Stunden, daß er mit dem Gewebe nach Hause zurückkehren sollte. Da ließ er den Kopf hängen und ging nicht mehr auf die Jagd. Als die weiße Katze das sah, hat sie ihn gefragt, was los sei und was er habe. Er antwortete, daß er ihr nicht alles über sich erzählt habe. Er sei ein Königssohn. Sein Vater habe ihm drei Jahre, drei Monate, drei Tage und drei Stunden gegeben, um mit dem allerfeinsten Gewebe nach Hause zu kommen. Nun habe er aber nur noch drei Monate, drei Wochen und drei Stunden, und sein Land sei weit weg von hier.

Nun sei seine Zeit beinahe abgelaufen.

Daraufhin hat sie den Händen etwas befohlen, und diese Hände kommen mit einer Nuß zurück. Sie gibt ihm die Nuß und sagt, er solle sie vorsichtig öffnen, nicht entzweibrechen, nicht knacken. Er tut es, und in der Nuß war ein Kirschkern. Auch diesen Kirschkern solle er öffnen, aber nicht knacken.

Er drehte ihn auf, und da ist ein Gewebe herausgekommen, so schön und glänzend wie die Sonne und feiner als Spinngewebe. Es waren Meter und Meter darin. Mit diesem Gewebe solle er am vorletzten Tag nach Hause gehen. Das sei früh genug. Sie wolle schon darum besorgt sein, daß er früh genug heimkomme. Kurz und gut, jetzt da er das Gewebe hatte, war er zufrieden und ist dann noch geblieben.

Am Abend ehe er aufbrechen sollte, hat sie ihm gesagt, er solle morgen früh aufstehen und wieder sein Pferd – das hölzerne Pferd – besteigen und »Hopp, galopp!« sagen. Aber er müsse sich dann ganz fest am Pferd halten, die Augen schließen und ja aufpassen, denn das Pferd laufe so schnell, daß er herunterfallen könne.

Richtig! Er hat die Nuß genommen, ist hinuntergegangen und her mit dem Pferd! Kaum hat er »Hopp, galopp!« gesagt, hat es einen Sprung gemacht und ist über Berg und Tal und Meer und Ströme gelaufen. So schnell, wie man ein Ja oder Nein sagt, ist es dann vor dem Schloßbau gestanden.

Nun, seine Brüder waren auch zurückgekehrt, Der Vater ist zufrieden gewesen und hat den ersten kommen lassen. Der brachte ein Gewebe mit, ein Gewebe, das war so fein, daß er ich-weiß-nicht-wie-viele-Meter auf der Handfläche halten konnte. Er hat gesagt: »Nun gehört das Königreich mir!« – »Oh warte!« Nun, der zweite hat eine Tabaksdose aus seiner Tasche genommen, und aus dieser Tabaksdose hat er unaufhörlich, unaufhörlich ein Gewebe herausgezogen. »Und du?« hat der König den dritten gefragt. Der hat seine Nuß hervorgenommen, öffnet die Schalen und nimmt Meter um Meter seines Gewebes heraus. Der Vater ruft: »Ja, das muß man lassen, für ihn ist das König...« – »Nein, wir lassen es ihm nicht! Mach noch eine Probe!« Der Vater hat gesagt: »So will ich noch eine Probe machen. Aber diesmal gebe ich euch nur drei Monate, drei Wochen, drei Tage und drei Stunden und nicht mehr drei Jahre. Und ihr müßt den kleinsten Hund herbeischaffen, den ihr auftreiben könnt!«

Nun, sie sind wieder gegangen. Der dritte hat sein Pferd genommen und »Hopp, galopp« war er wieder bei der weißen Katze. Diesmal hat er ihr die ganze Sache gleich erzählt. »Ach, das wollen wir schon machen!« hat sie gesagt. Er ist wieder dort geblieben, ging auf die Jagd und ließ die Welt Welt sein, bis der letzte Tag nähergerückt ist. Am Abend hat sie ihm eine Quaste gegeben, eine Quaste, wie man sie an den Kanapees hat. Sie hat gesagt, er solle ein wenig hinhören. Er nimmt die Quaste, und da hört er: »Wau, wau, wau!« Aber ganz, ganz schwach. Daraufhin hat er die Quaste oben aufgedreht, und ein Hund ist herausgehüpft. Der Hund war so klein, daß er mit allen vier Pfoten auf einem Daumennagel stehen konnte. »Nun geh, nimm wieder dein Pferd und ab!« Und schnell kam er wieder beim Vater an.

Sein ältester Bruder war mit einem so kleinen Hund gekommen, daß er ihn in die Tasche stecken konnte. Und der andere mit einem so winzigen Hund, daß er ihn auf einem Buch springen lassen konnte. Der war also noch kleiner. Der dritte Bursche nimmt seine Quaste heraus, und dieser Hund hüpft einfach so auf seinem Daumennagel herum. Da hat der König gesagt »Ihr seht ja, da ist nichts zu machen, da ist nichts zu machen.« – »Ach, ein Gewebe herbeischaffen, einen kleinen Hund herbeischaffen, das kann jeder!« – »Und warum habt ihr's nicht gemacht?« fragt der Vater. Die älteren Brüder wußten keine Antwort, forderten aber eine dritte Probe. Der König gestand auch diese zu: »Aber diesmal ist's dann das letzte Mal!« Der älteste Sohn fügte hinzu: »Aber diesmal bestimme ich, was wir herbeischaffen müssen. Diesmal gewinnt der, welcher die schönste Braut heimbringt und das in drei Wochen! Das wird nicht so leicht sein!« Und alle waren damit zufrieden.

Der dritte hat sein Pferd genommen und ist auf und davon. Diesmal nahm er alle seine Kleider mit. Als er zur Katze zurückgekommen ist, hat er gesagt, er komme diesmal, um zu bleiben. Diesmal habe er nur drei Wochen. Und diesmal … Nein, diesmal kehre er nicht wieder zurück, die Aufgabe sei zu schwer. »Ja, warum denn?« Die Aufgabe sei für ihn leider unlösbar. Wenn er aber nicht mehr zurückkehre, dann werde das Königreich einem seiner Brüder gehören. Die werden alle Untertanen unterdrücken, und das werde ihm zusetzen. Aber er wolle lieber hier mit ihr in der Wüste bleiben. – Was er denn bringen müsse? – Das sei gleich, sie könne ihm doch nicht helfen. Er solle es doch sagen. Kurz und gut, sie mußte in ihn dringen und in ihn dringen, bis er zuletzt gesagt hat: »Ich muß die schönste Braut heimbringen.« – »Oh, wenn es nur das ist!« meint sie, wendet sich an den schwarzen Kater und sagt: »Hast du das Schwert gut geschliffen?« Der schwarze Kater sagt: »Ja!« Sie nimmt das Schwert, gibt es dem Prinzen und sagt: »Nun mußt du mir den Kopf abschlagen!« – »Nein!« sagt er, »Das tue ich nicht.« Sie habe ihm zuviel Gutes erwiesen, das mache er nicht.

Und überhaupt einem Menschen, einem Tier etwas Böses zufügen zu müssen, das könne er nicht, Sie hat ihn immer wieder so sehr und so innig gebeten, daß er das Schwert genommen und ihr schließlich den Kopf abgeschlagen hat.

Wie der Kopf abgehauen war, hat er sich weggedreht und die Augen verdeckt, um nichts zu sehen, um das Blut nicht zu sehen. Da ist im Schloß ein großer Jubel entstanden. Wie er die Augen aufmacht, sind Katze und Kater verschwunden. Auf einmal öffnet sich die Türe, und eine große, schöne Jungfrau kommt herein mit einer Krone auf dem Haupt. Sie ist zu ihm gegangen und hat gesagt, er solle sich keinen Kummer machen, er habe sie erlöst. Sie sei die weiße Katze. Vor Jahren habe eine Hexe sie verzaubert, habe allen Bedienten den Körper genommen und ihnen nur die Hände gelassen. Sie sei in eine Katze, ihre Minister in Kater verwandelt worden. »Nun hast du mich erlöst. Ich gebe dir nicht nur meine Hand, sondern auch mein Königreich.«

Dann machten sie sich alle auf den Weg und sind rechtzeitig bei seinem

Vater angekommen. Und er, der jüngste der drei Söhne, er hatte die schönste Braut. Seine beiden Brüder wollten sich in ihrer Wut töten. Aber der dritte hat ihnen gesagt, sie sollten die Bosheit und den Hochmut ablegen und sich das Königreich des Vaters aufteilen. Er habe jetzt das Königreich seiner Frau und brauche kein zweites dazu. Und damit ist das Märchen aus.

(Nach Leza Uffer bearbeitet von Walter Kahn)

Serbien

Das wundersame Haar

Es war einmal ein sehr armer Mann, der hatte das Haus voller Kinder und wußte nicht, wie er sie ernähren sollte. Schon mehrmals hatte er daran gedacht, sie eines Morgens alle umzubringen, damit er nicht den Kummer erlebe, mit ansehen zu müssen, wie sie vor Hunger sterben würden, aber seine Frau hielt ihn immer wieder davon ab.

Eines Nachts erschien ihm im Traum ein Kind und sagte zu ihm: »Mann! Ich sehe, daß du dich mit dem Gedanken trägst, deine armen Kindlein umzubringen und deine Seele zu verlieren. Ich weiß aber, daß du in Not und Elend lebst, und deshalb will ich dir helfen. Morgen früh wirst du unter deinem Kopfkissen einen Spiegel, ein rotes Taschentuch und ein gesticktes Kopftuch finden. Diese drei Sachen nimm heimlich an dich. Sag aber niemandem ein Wort davon und geh in den und den Wald. Dort wirst du an einen Fluß kommen, den geh entlang, bis du an seine Quelle kommst, und dort wirst du ein Mädchen finden, schön und leuchtend wie die Sonne, mit langem, aufgelöstem Haar, das ihr weit über die Schultern reicht, und nackt, wie sie die Mutter geboren. Hüte dich aber vor dieser giftigen Schlange! Sprich kein Wort zu ihr! Denn gleich beim ersten Wort würde sie dich verzaubern und in einen Fisch verwandeln oder in sonst etwas und dich auffressen. Wenn sie dir aber sagt, daß du sie am Kopf lausen sollst, dann lause sie und gib acht: Wenn du nämlich ihre Haare durchwühlst, wirst du ein Haar finden, rot wie Blut. Das reiß ihr aus und lauf ganz schnell zurück nach Haus. Wenn sie es aber merkt und hinter dir herläuft, dann wirf ihr zuerst das gestickte Kopftuch hin, danach das rote Taschentuch und schließlich den Spiegel. Das wird sie aufhalten. Du aber verkauf das Haar einem reichen Mann. Doch laß dich nicht betrügen, denn dieses Haar hat einen unschätzbaren Wert. So wirst du sehr reich werden und kannst deine Kinder ernähren.«

Als der Arme am nächsten Morgen erwachte, fand er alles unter dem Kopfkissen, so wie das Kind es ihm im Traum gesagt hatte, und er machte sich auf in den Wald. Und als er dort auch den Fluß gefunden hatte, ging er an ihm entlang, immer weiter, bis er an die Quelle kam. Er sah sich um, wo wohl das Mädchen sein könnte, und schon hatte er sie entdeckt. Sie saß oberhalb der Quelle, fädelte Sonnenstrahlen in eine Nadel und bestickte damit auf einem Stickrahmen einen Stoff, der aus Heldenhaaren gewebt war.

Sowie er sie erblickt hatte, verneigte er sich vor ihr. Sie aber erhob sich und fragte ihn: »Woher bist du, unbekannter Held?«

Er aber – psst! Kein Wort!

Da fragte sie ihn abermals: »Wer bist du? Warum bist du hierher gekommen?« und noch vieles andere.

Er aber blieb stumm wie ein Stein und machte mit den Händen Zeichen, als ob er nicht sprechen könne und Hilfe suche.

Da sagte sie zu ihm, er solle sich ihr zu Füßen setzen. Darauf hatte er nur gewartet, und kaum hatte er sich niedergesetzt, da hielt sie ihm auch schon den Kopf hin, damit er sie lause. Sogleich fing er an, in ihren Haaren zu wühlen und tat so, als ob er sie lause. In Wirklichkeit aber suchte er das rote Haar, und kaum hatte er es gefunden, trennte er es von den anderen Haaren, riß es aus, sprang auf und lief, so schnell er konnte, davon.

Sie aber hatte es bemerkt und jagte ihm auf der Stelle nach.

Als er sich umwandte und sah, daß sie ihn fast eingeholt hatte, warf er das gestickte Kopftuch auf den Weg, so wie das Kind es ihm im Traum gesagt hatte.

Kaum hatte sie das Kopftuch erblickt, bückte sie sich danach, betrachtete es von allen Seiten und wunderte sich über die schöne Stickerei. Unterdessen aber hatte er einen großen Vorsprung gewonnen.

Das Mädchen steckte das Kopftuch in den Busen und – wieder hinter ihm her.

Als er bemerkte, daß sie ihn bald wieder einholen würde, warf er das rote Taschentuch hin. Sie hielt sich wieder lange damit auf, es zu betrachten und zu bewundern, während der arme Mann wiederum ein schönes Stück vorangekommen war.

Da wurde das Mädchen zornig. Sie warf das Kopftuch und das Taschentuch weg und jagte wie der Wind hinter ihm her. Als er wieder bemerkte, daß sie ihm ganz dicht auf den Fersen war, warf er den Spiegel auf den Weg. Das Mädchen kam zu der Stelle und fand den Spiegel, ein Ding, das sie noch nie in ihrem Leben gesehen hatte, hob ihn auf, und als sie sich darin erblickte, wußte sie nicht, daß sie das war, sondern dachte, es sei ein anderes, ihr ähnliches Mädchen. Und während sie noch in den Spiegel starrte, hatte sich der Mann so weit von ihr entfernt, daß sie ihn nicht mehr einholen konnte. Wie sie nun sah, daß sie ihn nicht mehr erreichen würde, gab sie auf und kehrte um. Der Mann aber ging gesund und munter nach Hause.

Als er nach Hause kam, zeigte er seiner Frau das Haar und erzählte ihr alles, was er erlebt hatte. Sie aber lachte und spottete nur über ihn. Doch er achtete gar nicht darauf, sondern ging in eine Stadt, um das Haar zu verkaufen. Allerlei Leute, Käufer und Händler versammelten sich um ihn: Einer bot ihm einen Dukaten, ein anderer zwei und so immer mehr und mehr, bis sie auf hundert Golddukaten kamen.

Mittlerweile hatte auch der Zar von dem Haar gehört. Er ließ den Mann zu sich rufen und sagte, daß er ihm tausend Dukaten dafür geben würde, und da verkaufte er es ihm.

Was aber hatte es mit dem Haar auf sich? Der Zar spaltete es der Länge nach von oben nach unten und fand darin viele wichtige Dinge aufgezeichnet, die sich irgendwann in längst entschwundenen Zeiten, seit Erschaffung der Welt, zugetragen hatten.

So wurde der Mann sehr reich und lebte von nun an mit seiner Frau und seinen Kindern ohne Sorgen.

Jenes Kind aber, das ihm im Traum erschienen war, war ein Engel, von Gott dem Herrn gesandt. Denn Gott wollte, daß dem armen Mann geholfen werde und daß alle Geheimnisse bekannt würden, die bis dahin verborgen gewesen waren.

Slowakei

Das Sonnenroß

Es war einmal ein Land, traurig wie das Grab, schwarz wie die Nacht, denn in ihm schien Gottes Sonne niemals. Die Menschen hätten es geflohen und den Eulen und Fledermäusen überlassen, wenn nicht zum Glück der König ein Roß mit einer Sonne auf der Stirn besessen hätte, die, gleich der wahrhaftigen Sonne, helle Strahlen nach allen Seiten versandte. Damit also die Leute in dem finstern Lande wohnen könnten, ließ der König sein Sonnenroß durch dasselbe führen, von einem Ende zum andern; und es ging Licht von ihm aus, als ob der schönste Tage wäre, allenthalben, wo man es führte; von wo es sich aber entfernte, dort wälzte sich dichte Finsternis hin.

Plötzlich war das Sonnenroß verschwunden. Dunkelheit, noch ärger als die der Nacht, lagerte sich über das ganze Land, und nichts vermochte sie von dieser Zeit an zu verscheuchen. Unzufriedenheit und Schrecken verbreiteten sich unter den Menschen, Not begann, sie zu drängen, denn sie konnten nichts arbeiten, nichts erwerben, und es entstand zuletzt furchtbare Verwirrung. Selbst der König geriet in Angst, und um die Gefahr zu beseitigen, zog er mit seinem ganzen Heere aus, das Sonnenroß zu suchen.

Durch dichte Finsternis zog der König bis an die Grenze seines Reiches. Hinter tausendjährigen Wäldern in einem andern Lande begann hier Gottes Sonne wie durch Morgennebel hervorzudringen. So weit das Auge reichte, war nichts zu sehen als Wald, ringsum nichts als Wald und wieder Wald.

In diesen Wäldern kam der König mit seinem Heer zu einer armseligen Hütte. Er trat hinein, um zu fragen, wo er sei und wohin der Weg führe. Hinter einem Tisch saß ein Mann von mittleren Jahren, der aufmerksam in einem aufgeschlagenen großen Buche las. Als der König sich vor ihm verneigte, erhob er die Augen, dankte freundlich und stand auf. Sein Wuchs war hoch, sein Antlitz gedankenvoll, sein Blick durchdringend; das ganze Äußere kündigte an, er sei kein gewöhnlicher Mensch, sondern ein Mensch, der sich mit außerordentlichen Dingen beschäftigte.

»Eben las ich von dir«, sprach der Mann zum König. »Du gehst das Sonnenroß suchen? Bemüh' dich nicht weiter, denn du bekommst es nicht; verlaß dich auf mich, ich will es finden. Kehr' zurück nach Hause, dort bist du nötig; nimm auch dein Heer mit dir, ich bedarf keines Heeres, laß mir nur einen Krieger zu meinen Diensten.« – »Wahrlich, du unbekannter Mann, ich will dich reichlich belohnen«, antwortete der König, »wenn du mir das Sonnenroß wiederbringst.« – »Ich begehre keine Belohnung. Kehr' nach Hause zurück, dort bist du nötig, und gönn' mir Ruhe, daß ich mich zur Reise rüste«, sprach der Mann. Der König entfernte sich, trat mit seinem ganzen Heere den Rückweg an und hinterließ nur einen Krieger, dem bereitwilligen

Manne zu dienen. Der Seher – denn das war der Mann – setzte sich wieder zu seinem Buche.

Des andern Tages begab sich der Seher samt seinem Diener auf den Weg. Der Weg war weit, denn schon sechs Länder hatten sie durchzogen, und noch mußten sie weiter. Im siebenten Lande blieben sie bei dem königlichen Palaste stehen. Drei gewalttätige Brüder herrschten über dieses Land, sie hatten drei Schwestern zu Gemahlinnen, deren Mutter, eine böse Zauberin, Striga hieß. Als die beiden vor dem Palaste standen, sprach der Seher zu seinem Diener: »Du warte hier, ich will in den Palast gehen, mich zu überzeugen, ob die Könige zu Hause sind; denn sie haben das Sonnenroß geraubt, der jüngste reitet darauf.« In dem Augenblick verwandelte er sich in einen grünen Vogel, flog zu dem Erker der ältesten Königin, flatterte dort umher und klopfte so lange mit seinem Schnabel, bis sie öffnete und ihn ins Zimmer ließ. Sie ließ ihn gern herein und freute sich über ihn wie ein Kind, weil er so schön war und ihr so süß zu schmeicheln wußte. »Ach, schade, schade, daß mein Gemahl nicht zu Hause ist, der Vogel würde gewiß auch ihm gefallen! Doch er kommt erst abends, denn er ist fortgeritten, ein Drittel des Landes zu mustern.« So sprach die Königin und spielte mit dem kleinen Vogel.

Plötzlich trat die alte Striga ins Zimmer, gewahrte den Vogel und schrie: »Erwürg' den verfluchten Vogel, sonst wird er dich blutig machen!« – »Ei, mich blutig machen! Sieh doch, wie unschuldig, wie lieb er ist!« entgegnete die junge Königin. Aber Striga schrie: »Trügerische Unschuld! Her mit ihm, daß ich ihn erwürge!« und schon stürzte sie auf ihn los. Allein der Vogel verwandelte sich klug in einen Menschen, und flugs war er zur Tür hinaus. Sie wußten nicht, wohin er geraten.

Hierauf verwandelte sich der Seher abermals in einen grünen Vogel, flog zu dem Erker der jüngeren Schwester, und klopfte so lange, bis sie ihm öffnete. Als sie ihn hereingelassen, setzte er sich ihr auf die weiße Hand, flog ihr von der Hand bald auf die eine, bald auf die andre Schulter, und dann blieb er ruhig sitzen und blickte ihr zutraulich ins Auge. »Ach, schade, schade, daß mein Gemahl nicht zu Hause ist«, rief die Königin vergnüglich lächelnd, »der Vogel würde gewiß auch ihm gefallen! Doch er kommt erst morgen abend, denn er ist ausgeritten, zwei Dritteile des Landes zu mustern.«

Plötzlich trat die alte Striga ins Zimmer. »Erwürg' den verfluchten Vogel, sonst wird er dich blutig machen!« schrie sie, kaum daß sie den Vogel gewahrte. »Ei, mich blutig machen! Sieh doch, wie unschuldig, wie lieb er ist!« entgegnete die junge Königin. Aber Striga schrie: »Trügerische Unschuld! Her mit ihm, daß ich ihn erwürge!« und schon stürzte sie auf ihn los. Allein der Vogel verwandelte sich alsbald in einen Menschen, flugs war er zur Tür hinaus und blitzschnell verschwunden, so daß sie gar nicht wußten, wohin er geraten.

Nach einer Weile verwandelte sich der Seher nochmals in einen grünen Vogel, flog zu dem Erker der jüngsten Königin, flatterte dort umher und klopfte solange mit seinem Schnabel, bis sie ihm öffnete. Er flog gerade auf ihre weiße Hand und schmeichelte ihr so, daß sie eine kindliche Freude hatte, indem sie mit ihm spielte. »Ach, jammerschade«, rief die Königin in ihrer Freude, »daß mein Gemahl nicht zu Hause ist, der Vogel würde gewiß auch ihm gefallen! Doch er kommt erst übermorgen abend, denn er ist ausgeritten, alle drei Teile des Landes zu mustern.«

Da stürzte die alte Striga ins Zimmer. »Erwürg' den verfluchten Vogel«, schrie sie noch in der Tür, »erwürg' ihn, sonst wird er dich blutig machen!« – »Ei, mich blutig machen, Mutter! Sieh doch, sieh, wie unschuldig, wie schön er ist!« entgegnete die Königin; aber die Mutter streckte die dürren Hände nach ihm aus: »Trügerische Unschuld! Her mit ihm, daß ich ihn erwürge!« Allein in dem Augenblick verwandelte sich der Vogel in einen Menschen, und flugs war er zur Tür hinaus, daß ihn niemand weiter gewahrte.

Der Seher wußte jetzt, wo die Könige waren, und auf welchem Wege sie kommen würden. Er begab sich schnell zu seinem Diener, befahl ihm, auf drei Tage Nahrung zu kaufen, und eilte dann aus der Stadt. Vor der Stadt im Walde erwartete er ihn, und dann gingen sie hurtigen Schrittes weiter, bis sie zu einer Brücke gelangten, über welche die Könige kommen mußten. Unter der Brücke harrten sie bis zum Abend.

Als sich abends die Sonne hinter die Wälder neigte, ließ sich auf der Brücke Roßgestampf hören. Der älteste König kehrte nach Hause zurück. Auf der Brücke stolperte sein Roß zufällig über einen Balken. »An den Galgen mit dem Taugenichts, der die Brücke gezimmert hat!« rief erzürnt der König. Da sprang der Seher unter der Brücke hervor und stürzte auf den König los: »Wie kannst du es wagen, einen Unschuldigen zu verdammen?« Und er zog sein Schwert, und auch der König zog sein Schwert, konnte aber den mächtigen Streichen des Sehers nicht widerstehen. Nach kurzem Kampfe sank er tot vom Rosse. Der Seher band den toten König an das Roß und trieb es an, daß es seinen toten Herrn nach Hause trage. Dann verbarg er sich unter der Brücke und harrte bis zum zweiten Abend.

Als sich des andern Tags der Abend näherte, kam der jüngere König zur Brücke, und als er das Blut gewahrte, rief er: »Gewiß, daß jemand hier erschlagen ward! Welcher Gauner hat sich erfrecht, mein Königsamt zu üben?« Auf diese Worte sprang der Seher unter der Brücke hervor und stürzte mit gezücktem Schwerte auf den König los: »Wie kannst du es wagen, mich so zu schelten! Du bist ein Kind des Todes! Wehr' dich, wie du's vermagst!«

Der König wehrte sich, doch vergebens, nach kurzem Widerstand erlag er dem mächtigen Schwerte des Sehers. Der band den Leichnam wieder an das Roß und trieb es an, daß es seinen toten Herrn nach Hause trage. Dann verbarg er sich unter der Brücke und harrte dort mit dem Diener bis zum dritten Abend.

Am dritten Abend, schon nach Sonnenuntergang, kam der jüngste König auf dem Sonnenroß geritten; er ritt schnell, denn er hatte sich irgendwo verspätet. Als er das rote Blut auf dem Boden gewahrte, hielt er an und rief: »Ein Schurke, der sich unterfangen, meinem Königsarm ein Opfer zu entreißen!«

Kaum hatte er die Worte gerufen, so stand der Seher mit gezücktem Schwerte vor ihm und drang auf ihn ein. »Wohlan!« rief der König und zog gleichfalls sein Schwert und wehrte sich mannhaft.

Die ersten zwei Brüder zu überwältigen, war für den Seher ein Spiel; nicht so leicht ging es bei dem dritten, denn dieser war von allen der Stärkste. Lange kämpften sie, daß der Schweiß von ihnen rann, und noch neigte sich der Sieg auf keine Seite. Die Schwerter zerbrachen. Da sagte der Seher: »Mit den Schwertern richten wir nichts mehr aus. Weißt du was, verwandeln wir uns in Räder, und rollen wir bergab! Welches Rad zerschmettert, der ist besiegt.« – »Gut«, versetzte der König, »ich will ein Wagenrad sein, du sei was immer für eins!« – »Nicht doch, du sei was immer für eins, ich will ein Wagenrad sein«, sagte der Seher klug, und der König ging darauf ein. Sie bestiegen einen Berg; dort verwandelten sie sich in Räder und rollten hinab. Das Wagenrad flog, und mit Gekrach stieß es in das andere, daß dieses in Stücke zerbrach. Aus dem Wagenrad ward sogleich der Seher, und er rief freudig: »Du bist dahin! Mein ist der Sieg!« – »Nicht doch, Freund!« rief der König, indem er wieder vor dem Seher stand, »du hast mir bloß die Finger zerschmettert. Weißt du was, verwandeln wir uns in Flammen, und welche Flamme die andere verbrennt, der ist Sieger! Ich will eine rote Flamme sein, du sei eine weiße!« – »Nicht doch«, versetzte der Seher, »du sei eine weiße Flamme, ich will eine rote sein.« Der König ging darauf ein. Sie stellten sich auf den Weg zur Brücke, verwandelten sich in Flammen, und jeder begann den andern unbarmherzig zu brennen. Lange brannten sie sich ohne Erfolg. Da kam ein alter Bettler daher, mit langem, weißem Bart, mit kahlem Haupt, eine große Tasche an der Seite, gestützt auf einen dicken Stock. »Alter«, rief die weiße Flamme, »bring Wasser und gieß' es auf die rote Flamme! Ich will dir einen Pfennig schenken.« Aber die rote Flamme schrie: »Alter, ich will dir einen Dukaten schenken, wenn du auf die weiße Flamme Wasser gießest.« Dem Bettler war der Dukaten lieber als der Pfennig; er brachte Wasser und goß es auf die weiße Flamme. So war der König dahin. Aus der roten Flamme ward der Seher, fing das Sonnenroß am Zügel, schwang sich darauf, rief den Diener, dankte dem Bettler und ritt davon.

Im königlichen Palaste herrschte tiefe Trauer ob der getöteten Könige. Der ganze Palast war mit schwarzem Tuche belegt und erscholl von lauten Klagen. Striga ging unruhig aus einem Zimmer in das andere. Plötzlich blieb sie stehen, stampfte mit dem Fuße auf den Boden, ballte die Faust und rollte die blitzenden Augen; dann setzte sie sich auf eine Ofenkrücke, faßte die drei Töchter unter den Arm, und husch war sie mit ihnen in der Luft.

Der Seher und sein Diener hatten schon ein gut Stück Weges zurückgelegt, denn sie beeilten sich, da sie Strigas Rache fürchteten. Sie zogen durch öde Wälder, über nackte Heiden. Die Nahrung, die sie in der Stadt gekauft, begann ihnen auszugehen. Hunger plagte sie, besonders den Diener, und sie fanden nichts, womit sie ihn hätten stillen können.

Da kamen sie zu einem Apfelbaum. Es hingen Äpfel daran, deren Last die

Äste zur Erde beugte, und die lieblich rochen und schön gefärbt waren, so daß sie die Eßlust reizten. »Gott sei Dank!« rief erfreut der Diener, und schon lief er zu dem Apfelbaum. »Pflück' nicht von dem Baume!« rief der Seher, zog sein Schwert, hieb tief in den Apfelbaum, und rotes Blut quoll aus ihm hervor. »Siehst du, es wäre dein Verderben gewesen, hättest du von den Äpfeln gegessen; denn dieser Apfelbaum war die älteste Königin, welche ihre Mutter hierher pflanzte, um uns aus der Welt zu schaffen.« Der Diener war betrübt über die Täuschung; doch der Rettung seines Lebens froh, schritt er weiter hinter dem Seher, in der Hoffnung, bald ein anderes Labsal zu finden.

Er brauchte nicht lange zu warten, denn bald kamen sie zu einer Quelle. Es sprudelte das reinste, frischeste Wasser aus ihr und lockte die Reisenden zum Trinken. »Ach«, sagte der Diener, »ist nichts Festeres zu haben, so können wir wenigstens von diesem Wasser trinken und unseren Hunger täuschen.« – »Trink' nicht von dem Wasser!« rief der Seher, hieb mit seinem Schwerte mitten in das Wasser hinein, und es färbte sich mit Blut, das in starken Wellen dahinfloß. »Das war die jüngere Königin, von ihrer Mutter hierher versetzt, um uns aus der Welt zu schaffen!« sprach der Seher, und der Diener dankte ihm für die Warnung und folgte trotz Hunger und Durst dem Seher, wohin er wollte.

Nach einer Weile kamen sie zu einem Rosenstrauch. Der war rot von lauter schönen Rosen und erfüllte mit seinem Duft die ganze Umgegend. »Oh, was für schöne Rosen«, sagte der Diener, »noch nie in meinem Leben hab' ich deren so schöne gesehen! Ich will einige abreißen und mich mindestens an ihnen erquicken.« – »Reiß' keine Rose ab!« rief der Seher, hieb mit seinem Schwerte in den Rosenstrauch, und es spritzte Blut aus ihm, als ob sich eine Menschenader öffnete. »Das war die jüngste Königin«, sprach der Seher zum Diener, »die ihre Mutter hierher pflanzte, um uns durch die Rosen aus dem Leben zu tilgen.«

So zogen sie weiter. Indem sie weiterzogen, sprach der Seher zum Diener: »Die ärgste Gefahr haben wir überstanden, wir sind aus Strigas Bereiche. Doch dürfen wir nicht trauen, denn Striga wird andere Mächte anstiften.« Kaum hatte er die Worte gesprochen, so kam ein kleiner Knabe des Weges daher, der einen Zaum in der Hand trug. Er sprang unter das Roß, berührte es mit dem Zaume, und in demselben Augenblicke war der Seher von dem Sonnenroß unten, und der Knabe saß oben und sprengte pfeilschnell von dannen. »Sagt' ich es nicht?« sprach der Seher. »Was für ein Knabe ist das?« rief der Diener. »Wer hätte sich eines solchen Streiches versehen! Machen wir, daß wir ihn einholen!« – »Laß nur«, entgegnete der Seher, »ich will ihn selbst einholen! Geh' indessen des Weges weiter, geh' getrost durch sechs Länder, bis du an die Grenze deines Landes gelangst, ich werde dir schon nachkommen.«

Der Seher verließ den Diener und eilte dem kleinen Zauberer nach. Nach einer Weile holte er ihn ein und ging langsam, indem er die Gestalt eines gewöhnlichen Wandersmannes annahm. Der Zauberer sah sich eben um. »Woher Freund?« fragte er den Wandersmann. »Aus weiter Ferne.« – »Und wohin?« – »Einen Dienst suchen.« – »Einen Dienst suchen? Verstehst du, Pferde zu warten?« – »Ei, jawohl.« – »So komm zu mir und warte mir dies Pferd. Ich will dich gut bezahlen.« – »Warum nicht!« meinte der Wandersmann, und so war der Seher des Zauberers Diener.

Sie kamen zu Hause an. Der Seher wartete das Sonnenroß trefflich, so daß sein Herr mit ihm zufrieden war. Nur verdroß es den Seher, daß er keine Gelegenheit zu entfliehen fand; denn der Zauberer verhinderte es durch seine Zauberkünste. Gleichwohl entdeckte dieser nicht, wer sein Diener sei, weil er zu sehr damit beschäftigt war, wie er eine schöne Prinzessin zur Gemahlin bekommen könnte, die in einem Schlosse wohnte, das auf einer Pappel im Meere stand. Er hatte schon Verschiedenes versucht, Gutes und Schlimmes, doch fruchtete alles nichts.

»Auf!« sprach er einst zu seinem Diener, »Geh' zum Meere. Im Meere wirst du eine ungeheuer hohe Pappel sehen, auf der Pappel ein schönes Schloß. In dem Schlosse wohnt eine Prinzessin; bringst du sie mir, will ich dich reichlich belohnen, wenn nicht, wird es dir schlimm ergehen.« Der Herr befahl's; und der Diener mußt' es vollziehen, wenigstens versuchen. Er schaffte sich einen Kahn, belud ihn mit bunten Bändern und Stoffen und fuhr als Kaufmann zu dem Schlosse auf der Pappel.

Als er sich der Pappel näherte, hing er die schönsten Stoffe und Bänder aus, damit man sie vom Schlosse sehen könnte. Die schönen Stoffe und Bänder lenkten bald die Aufmerksamkeit der Prinzessin auf sich, die aus dem Erker schaute. »Geh' doch hinab zu dem Kahne«, befahl sie ihrer Zofe, »und forsche, ob sie dir von den schönen Stoffen und Bändern nicht verkaufen möchten.« Die Zofe ging und forschte. »Ich verkaufe nichts«, entgegnete der Kaufmann, »außer, wenn die Prinzessin selbst herabkommt und auswählt.«

Die Zofe richtete die Worte aus, und die Prinzessin kam, wählte unter den schönsten Stoffen und Bändern, wählte und feilschte und bemerkte nicht, daß der kluge Kaufmann den Kahn abstieß und zum Ufer fuhr. Als sie aus dem Kahn hinauswollte, bemerkte sie erst, was geschehen war. »Ich weiß, wohin du mich schiffst«, sagte sie. »Du schiffst mich zu dem Zauberer, der sich schon so oft vergebens um mich bemüht hat. Nun, Gott befohlen!«

Da der Seher sah, daß die Prinzessin dem Zauberer nicht gewogen war, begann er, ihr sanft zuzureden, sie möchte sich dessen Zutrauen erwerben, damit sie erführe, worin seine Kraft liege; er wolle ihr dann zur Freiheit verhelfen.

Als der Diener dem Herrn die Prinzessin brachte, war dessen Freude unaussprechlich, und als sie ihm Liebe zeigte, war er ganz von Sinnen. Er hätte ihr alles gegeben, ihr alles zu Willen getan, kein Wunder also, daß er ihr auf vieles Bitten auch sein Geheimnis verriet. »In dem Walde dort«, sprach er, »ist ein großer Baum; unter dem Baume weidet ein Hirsch, in dem Hirsch ist eine Ente, in der Ente ist ein goldenes Ei, und in dem Ei ist meine Kraft; denn in ihm ist mein Herz.« Als der Zauberer dies seiner Gemahlin unter dem Siegel des strengsten Geheimnisses vertraut hatte, erzählte sie's dem Seher.

Der Seher bedurfte nicht mehr. Er bewaffnete sich und begab sich in den Wald. Er fand den großen Baum, fand den Hirsch, der unter dem Baume weidete. Er zielte, schoß, und der Hirsch stürzte nieder. Dann sprang er hinzu, nahm aus ihm die Ente heraus, aus der Ente das Ei, trank das Ei aus, und des Zauberers Kraft war dahin. Der Zauberer ward schwach wie ein Kind, denn all seine Kraft war in den Seher übergegangen. Dieser kam, schenkte der Prinzessin die Freiheit zur Rückkehr in ihren Palast, nahm das Sonnenroß, schwang sich darauf und eilte mit ihm zu dem König, dem es gehörte.

Er mußte einen guten Teil der Welt durcheilen, bevor er zu der Grenze des dunkeln Königreichs gelangte, wo er auch den vorausgeschickten Diener traf. Als sie die Grenze überschritten, ergossen sich ringsum die Strahlen des Sonnenrosses, erleuchteten weit und breit das Land, das schon so lange in undurchdringliche Finsternis gehüllt war, und erfreuten die Herzen der geplagten Menschen. Alles lebte neu auf, die Fluren lachten im Frühlingsschmuck, und die Menschen strömten herbei, um ihrem Wohltäter für die Rettung zu danken. Der König wußte nicht, wie er den Seher belohnen solle; er wollte ihm die Hälfte seines Königreiches schenken. Allein dieser sprach: »Ich begehre keinen Lohn, um so weniger die Hälfte deines Königreiches. Sei du König und herrsche, wie es sich gebührt, ich will in meine einsame, friedliche Hütte zurückkehren.«

Und er schied und kehrte in seine Hütte zurück.

Slowenien

Der Wunderbaum

Einst lebte ein König, der hatte in seinem Reich einen so hohen Baum, daß man seinen Wipfel nicht sehen konnte. Der König hätte aber gerne gewußt, wie hoch der Baum sei und welche Art Frucht er trage. Deshalb ließ er im ganzen Königreich das folgende bekanntmachen: »Wer an den Wipfel des Baumes gelangt und die Frucht mitbringt, bekommt die Königstochter zur Frau und nach des Königs Tode noch das Königreich.« Viele Leute kamen daraufhin, um ihr Glück zu versuchen, aber keinem gelang es, und ihrer viele verunglückten, weil sie vom Baume zu Tode stürzten.

Aber auch ein Herr, der in ferner Landschaft daheim war, machte sich auf den Weg, um sein Glück zu versuchen. Als er durch einen großen Wald kam, sah er einen Hirten und fragte ihn, ob er sich auf dem rechten Weg befinde. An den Füßen des Hirten aber nahm er eine gewisse Vorrichtung wahr, die sah wie eiserne Krallen aus. Das wunderte ihn. Der Hirt erzählte ihm, daß er damit vor den wilden Tieren auf die Bäume steige. Da bat ihn der Herr, die Kleider und jene eisernen Krallen mit ihm zu tauschen. Anfangs lachte ihn der Hirt aus, denn es wollte ihm keineswegs in den Kopf, daß der Herr seine schönen Kleider mit den zerschlissenen eines Hirten tauschen könne. Als er aber sah, daß es der Herr wirklich ernst meinte, da tauschten sie die Kleidung; als Zugabe machte ihm der Herr noch ein schönes Geldgeschenk.

Als der Herr in die Nähe der Stadt kam, kleidete er sich um, nur die eisernen Krallen behielt er. Dann trat er vor den König, verneigte sich tief und trug seinen Wunsch vor. Der König gestattete ihm, auf den Baum zu klettern.

Außer jenen eisernen Krallen nahm er für sieben Tage Mundvorrat mit. Alle schauten ihm zu und bewunderten ihn, als er so gewandt kletterte. Drei Tage und drei Nächte war er schon nur aufwärts geklettert, aber noch sah er nicht einmal einen Zweig. Erst am vierten Tage erblickte er hoch am Baum irgendeinen Klumpen, zu dem gelangte er aber erst am siebenten Tage. Das war indes kein Astwerk, sondern ein Schloß. Als er an das Schloß herangeklettert war, klopfte er an die eiserne Tür. Alsbald hörte er Schritte im Schloß. Ein wunderschönes Mädchen kam, um ihm zu öffnen, bat ihn ins Schloß zu Gast, führte ihn in eine Halle, die mit gediegenem reinen Silber ausgeschmückt war, und bewirtete ihn mit Speise und Trank. In diesem Schlosse lebten drei verwunschene Mädchen. Über Nacht blieb er bei ihnen, denn sieben Tage und sieben Nächte hatte er nicht geschlafen.

Am anderen Morgen weckten ihn die Mädchen und bereiteten ihm ein gutes Frühstück. Danach sagte das schönste Mädchen zu ihm: »Wenn du auf den Wipfel dieses Baumes gelangen willst, dann kommst du noch zu zwei Schlössern. Bis zum ersten wirst du vierzehn Tage klettern, und in diesem Schloß findest du sechs Mädchen. Sie sagen dir, wie du dich weiter verhalten mußt. Hier hast du ein Stück Brot. Sobald du hungrig, durstig oder müde sein wirst, lecke nur daran, und du wirst weder Hunger noch Durst oder Müdigkeit verspüren.«

Zehn Tage kletterte er Nacht und Tag und entdeckte noch nichts. Am elften Tage schimmerte ihm nur etwas in der Höhe; am vierzehnten Tage aber klopfte er an die Türe des Schlosses, das aus reinem Golde war.

Hier nahmen ihn die Mädchen gerade so liebenswürdig auf wie jene im ersten Schloß, bewirteten und herbergten ihn und sagten ihm: »Du kommst noch in ein Schloß. Bis dorthin wirst du drei Wochen brauchen. Dort leben neun Mädchen, und sie werden dir Auskunft geben, wie du verfahren mußt, um auf den Wipfel des Baumes zu gelangen.« Auch sie gaben ihm Brot, an dem er nur zu lecken brauchte, um weder Hunger noch Durst oder Müdigkeit zu verspüren.

Als er zum dritten Schloß gelangte, das ganz aus Edelsteinen und prächtigen Perlen war, empfing, bewirtete und herbergte man ihn gerade so liebenswürdig. Hier waren neun Mädchen, von denen eines goldenes Haar hatte. Das sagte ihm, daß er noch einen ganzen Monat klettern müsse, um auf den Wipfel des Baumes zu gelangen. Dann fügte sie hinzu: »Dort sind fünf goldene Früchte, drei zur Rechten und zwei zur Linken. Jene drei zur rechten Seite mußt du mit dieser Schere abschneiden. Wehe aber uns, wenn du jene auf der linken Seite abschneidest: wir in allen drei Schlössern wären verloren, denn uns hat der Böse in seiner Gewalt. Der Baum würde so gewaltig erbeben, daß er mitsamt den Schlössern in die Tiefe sinken würde. Wenn du aber deine Aufgabe gut zu Ende führst, kehre auf die Erde zurück. Dort erwartet dich eine zahlreiche Menge, neugierig, was du bringst und was du erzählst. Du aber darfst niemandem erzählen, was du gesehen und gehört hast; auch dem König selbst mußt du alles verschweigen. Am Morgen nach deiner Rückkehr auf die Erde erwarte uns auf der Hauptstraße, die längs der Stadt hinführt. Wir werden in einem Wagen ganz aus Diamanten mit goldenen Pferden gefahren kommen. Unser Wagen bewegt sich schneller als die Vögel unter dem Himmel. Wenn du ihn nur berührst, werden wir erlöst sein; wenn du ihn aber nicht berührst, bringt uns der Böse in das Schloß, das weder Fenster noch Tür hat.«

Als er auf die Erde zurückkehrte, erwartete ihn dort eine Menge Menschen. Alle waren neugierig, zu erfahren, was er auf dem Baume gesehen und was er getan habe. Aber nicht einmal dem König wollte er etwas erzählen, noch die Früchte zeigen.

Am anderen Morgen erhob er sich, schon bevor der Tag anbrach, und erwartete den Wagen.

Als die Sonne über die Berge stieg, erblickte er in der Ferne einen kleinen Nebelfleck, der immer näher kam. Bald erkannte er den erwarteten Wagen, und in einigen Augenblicken war er schon geschwind an ihm vorüber und davongerollt, ohne daß er ihn berühren konnte.

Nun wußte er nicht, was er beginnen sollte. Dann trat er vor den König und erzählte ihm alles. Er zeigte und gab ihm auch jene drei goldenen

Früchte und sagte, er werde in die Welt gehen, um das Schloß ohne Fenster und Tür zu suchen.

Schon volle zwei Monate irrte er in der Welt umher, aber von dem Schloß ohne Fenster und Tür war keine Spur zu finden.

Gegen Ende des dritten Monats verirrte er sich in einem finsteren Walde und suchte den rechten Weg, konnte ihn aber nicht finden. Gegen Morgen leuchtete auf einem kleinen Hügelchen etwas auf. Ohne Zögern ging er darauf zu, und wohin kommt er? Da stand eine schon halb verfallene Hütte. Das war das Mondhaus. Er klopfte beherzt an die morsche Tür. Der rostige Riegel knirschte, und die Tür öffnete sich. Er wich einen Schritt zurück, als ihm eine Frau mit brennendem Lichtspan in die Augen blickte. Sie war alt wie die Welt, groß wie eine Eiche, schwarz wie angebrannte Scheite, Augen hatte sie so groß wie Maria-Theresien-Taler, Haare wie Roßhaar, und dürr war sie wie Knochen. Diese Alte war die Mondmutter. Sie blickte ihn zornig an und fragte, was er da suche.

Da erzählte er ihr, er habe den Weg verfehlt, als er das Schloß ohne Fenster und Tür suchte, und er fragte sie auch, ob sie etwa wisse, wo ein solches Schloß zu finden sei. Sie aber antwortete ihm: »Schon so und soviel tausend Jahre sind vergangen, seit ich niemals nur eine Stunde vom Hause fern war. Wie sollte ich um ein solches Schloß wissen? Sicher kennt es meine Tochter Luna, die jeden Tag um die ganze Welt geht. Sie darf dich aber nicht antreffen; sie würde dich in kleine Stücke reißen, wenn sie dich hier fände. Fliehe, denn sie kehrt sogleich heim!«

Der Unglückselige bat sie recht flehentlich, sie möge ihn in irgendeinem Winkel verstecken und nach dem Schloß ohne Fenster und Tür fragen und es ihm nachher sagen, wenn Luna aus dem Hause gehe.

Die Alte hatte Mitleid mit ihm und verbarg ihn unter der Stiege. Als ihre Tochter Luna nach Hause kam, fragte sie gleich, ob nicht etwa ein Mensch im Hause sei. Die Mutter leugnete es, als aber Luna zu wüten und zu toben begann, erzählte ihr die Mutter alles und bat, sie möge sich des Unglücklichen erbarmen und ihm von einem Schloß, das nicht Fenster noch Tür habe, erzählen, wenn sie davon wisse. Als der Unglückliche unter der Treppe hervorkam, hatte Luna Mitleid und sprach zu ihm: »Gerne würde ich es dir erzählen, wenn ich etwas wüßte; wisse aber, daß ich noch niemals die ganze Erde beschienen habe. Darum ist es möglich, daß das Schloß, das weder Fenster noch Tür hat, irgendwo in irgendeiner Einöde liegt, die mein Auge noch nicht gesehen hat. Mein Bruder Sonne wird es vielleicht wissen. Er bescheint mehr von der Welt als ich. Geh' zu ihm!«

Lange ging er durch den Wald, in dem das Sonnenschloß war. Als er es erreicht hatte, trat er ein. Daheim war nur die Sonnenmutter, die aber noch viel älter und schrecklicher war als die Mondmutter. Schließlich verbarg auch sie ihn. Als Sonne abends heimkam, fing er an zu zürnen und zu toben, weil die Mutter einen Menschen im Hause verborgen habe. Als der Unglückliche das hörte, kam er selbst herbei und bat Sonne so flehentlich, daß er sich schließlich seiner erbarmte. Sonne sagte ihm: »Auch ich weiß nichts von solch einem Schloß, das weder Fenster noch Tür hat, weil auch ich nicht alle Winkel auf Erden beschienen habe. Möglich ist es darum, daß ein solches Schloß wirklich irgendwo auf Erden vorhanden ist. Wenn es da ist, wird gewiß Wind davon wissen, der alle Löcher durchstöbert. Geh' und frage ihn!«

Drei Wochen lang suchte er das Heim der Winde. Als er es gefunden hatte, trat er ein und traf zum Glück gerade das Oberhaupt der Winde an. Dem klagte er sein Unglück und bat ihn um Hilfe. Wind hörte ihn ruhig an. Als der Herr alles erzählt hatte, nahm das Oberhaupt der Winde ein Flötchen und ließ darauf einen so gewaltigen Pfiff hören, daß ihn alle Winde der Welt vernehmen mußten. Eilends stürmten sie herbei, aber sie wußten nichts von einem Schloß, das weder Fenster noch Tür hat. Nur einer von allen Winden war noch nicht da, weil ihm der Fuß weh tat und er den weitesten Weg hatte. Erst eine Stunde später kam er nachgehinkt und erzählte auch von dem Schloß ohne Fenster und Tür.

Um sich zu überzeugen, ob wirklich das Schloß nicht Fenster noch Tür habe, machte sich das Oberhaupt ganz allein dahin auf. Er brauchte nur eine Viertelstunde für den Weg. Weil ihn der Unglückliche dauerte, befahl er, einen großen Schrein zu verfertigen, in dem er ihn barg, um ihn hinzubringen, weil er den Menschen selbst nicht tragen konnte. Bis zum Schloß hätte ein Mensch mehrere Jahre gehen müssen. Als der Schrein fertig war, kroch der Herr hinein, und das Oberhaupt der Winde trug ihn davon und setzte ihn vor dem Schlosse nieder. Dann kroch er durch ein Loch hinein.

Nun untersuchte Wind, ob er einen Weg hineinfände. Ganz oben auf dem Schlosse war eine kleine Öffnung. Dahinein zwängte sich Wind und tobte so ungetüm im Schloß, daß das Mauerwerk zu schwanken begann.

Im Schloß waren außer den achtzehn verwunschenen Mädchen auch noch der Teufel und seine Mutter. Wind erfaßte den Teufel mit solcher Gewalt, daß er ihn durch das kleine Loch oben hinausstieß und in der Luft völlig zerrieb, so daß nicht einmal mehr Staub von ihm übrigblieb.

Alle Mädchen außer Goldhaar aber waren tot. Unverzüglich packte Wind die Teufelsmutter und schüttelte sie so heftig, daß alle ihre Knochen krachten. Dann mußte sie ihm sagen, wie der Teufel die Mädchen getötet habe, und sie mußte ihm auch sagen, wie man sie wieder beleben könne. Im Schrank hing nämlich eine Gießkanne, mit welcher man sie besprengen mußte, um sie wieder lebend und gesund zu machen. Wind nahm die Gießkanne, besprengte eines der Mädchen, und dieses belebte sich sogleich. Dann packte er die Alte, stieß sie krachend durch die Öffnung oben, daß sie noch größer wurde, und zerrieb sie wie den Teufel. Der Reihe nach belebte er die Mädchen und heilte auch Goldhaar, die schon halbtot war. Nach und nach trug er alle in seinem Schrein davon, das Schloß aber zerstörte er.

Alle Mädchen samt dem Herrn brachte Wind glücklich vor den königlichen Palast. Doch der Herr heiratete nicht die Tochter des Königs, sondern Goldhaar, mit der er noch lange, lange glücklich und zufrieden lebte.

Spanien

Peters drei Geschenke

Es waren einmal zwei Brüder, Peter und Hans. Und eines Tages zogen sie in die Welt hinaus, um sich ihr Brot selber zu verdienen. Sie kamen an eine Wegkreuzung, und Peter sprach zu seinem Bruder:

»Wir wollen uns hier trennen; du gehst diesen Weg und ich den dort. Und am Sonntag wollen wir uns hier wieder treffen und sehen, ob wir einen Brotherrn gefunden haben.«

Sie trennten sich. Und als Peter einen Berg hinaufging, begegnete ihm ein Herr, der fragte ihn, ob er sein Diener werden und mit ihm gehen wolle; er brauche ihm nur drei Tage zu dienen, dann würde er ihn für immer reich machen.

Peter nahm den Vorschlag an, und der Herr führte ihn in eine Höhle und zeigte ihm eine Kerze, die brannte auf einem Stein, und er sagte:

»Wenn die Kerze sich fortbewegt und auf das Bett zugeht, dann folgst du ihr und legst dich schlafen.«

Und der Herr verschwand.

Als die Kerze sich dem Bett näherte, folgte Peter ihr und legte sich hin. Kurz darauf hörte er ein lautes Getöse und bekam große Angst. Und Peter sagte:

»Sobald es hell wird, gehe ich wieder fort; dies hält kein Mensch aus.«

Als es heller wurde, erschien der Herr und gab ihm einen Eierkuchen und eine Flasche Wein. Und Peter sagte:

»Ich geh fort; das Getöse, das hier gestern abend war, ist nicht auszuhalten.«

»Wie du willst«, sagte der Herr; »aber wenn du fortgehst, bezahle ich dir nichts für die Nacht, die du hier verbracht hast.«

Peter aß den Eierkuchen, trank den Wein und sagte:

»Tja, wenn man so ißt und Ruhe hat wie jetzt, kann man in dieser Höhle schon leben.«

Die Nacht kam, und der Herr ließ Peter bei der brennenden Kerze wie das vorige Mal. Kaum hatte er sich niedergelegt, da hörte er das Getöse und sagte:

»Sobald es hell wird, mache ich mich fort von hier; dies hält kein Mensch aus.«

Es wurde hell, und der Herr gab Peter einen Eierkuchen und eine Flasche Wein. Und Peter sagte zu ihm:

»Ich gehe fort; dies ist nicht zu ertragen.«

»Wenn du fortgehst, gebe ich dir nichts für die beiden Nächte, die du hier verbracht hast. Übrigens fehlt dir ja auch nur eine Nacht, um reich zu werden.«

Peter begann, vom Eierkuchen zu essen und den Wein zu trinken, und dann sagte er:

»Wenn man gut ißt und Ruhe hat, kann man hier schon leben.«

Als es dunkel wurde, geschah dasselbe wie in den vorigen Nächten, er folgte der Kerze und legte sich zu Bett. Und da hörte er das Rasseln von Ketten und eine Stimme, die sagte: »Weh, ich falle!«

Und sie sagte so oft »Weh, ich falle!«, daß Peter schließlich sprach:

»Fall mit tausend Teufeln!«

Und es fielen die Beine eines Mannes herunter.

»Weh, ich falle!« wiederholte die Stimme.

»Fall mit dem heiligen Johannes!«

Und es fiel der Rumpf herunter.

»Weh, ich falle!«

»So fall, fall, fall schon alles, was noch fehlt!«

Und es fiel der Kopf herunter. Diese Teile des menschlichen Körpers taten sich zusammen und bildeten zusammen einen Herrn, das war derselbe, der Peter in die Höhle geführt hatte. Und der Herr sagte:

»Dadurch, daß du den Mut hattest, hier drei Nächte zu verbringen, hast du mich gerettet. Jetzt will ich dir drei Geschenke geben, die es auf der ganzen Welt nicht zum zweiten Male gibt.

Nimm diesen Gürtel! Daraus kannst du so viel Geld holen, wie du willst, und soviel du auch herausholst, er wird nie leer werden.

Nimm dieses Schwert! Mit ihm wirst du alle besiegen, mit denen du kämpfen mußt.

Nimm diese Decke! Du brauchst nur zu sagen: ›Decke da oder dahin!‹, und schon bist du dort, wo du hinwillst.«

Peter zog sehr zufrieden mit seinen drei Geschenken los und ging an die Wegkreuzung, wo er sich mit seinem Bruder treffen wollte, und fragte ihn:

»Hast du einen Herrn, Hans?«

»Ja! Und du?«

»Ich hatte ihn und bin wieder weg von ihm.«

Und er zeigte ihm den Gürtel mit dem Geld. Und Hans fragte ihn:

»Wem hast du den gestohlen?«

»Ich habe ihn nicht gestohlen; ich verdiente ihn mir, doch weiß ich nicht bei wem.«

Und dann holte Peter Geld aus dem Gürtel heraus und gab es seinem Bruder. Und er gab ihm so viel, daß Hans sich ein Schloß bauen und Ländereien und viele Viehherden kaufen konnte.

Peter reiste auf der Decke von Ort zu Ort und gab mit vollen Händen Geld aus. Und es kam dem König zu Ohren, daß Peter den Gürtel, das Schwert und die Decke hatte, und da ließ er ihn in sein Schloß rufen. Er ging hin, und der König sagte zu ihm:

»Wenn du mir die drei Dinge gibst, die du hast, gebe ich dir meine Tochter zur Frau.«

Peter, der merkte, daß der König nur eine Tochter hatte, sprach bei sich:

»Ich kann ihm die Sachen ruhig geben, denn seine Tochter wird sie wieder erben, und so kommen sie zurück, und wir haben sie alle bei uns zu Haus.«

Er überreichte dem König alle drei, doch die Tochter bekam er nicht. Als Peter sich genarrt sah, ging er hin, wo ihn niemand kannte. Und er trat als Gärtner in das Haus eines Herrn ein. Peter machte seine Arbeit sehr gut; und es kam die Zeit der Ernte, und sein Herr sagte zu ihm:

»Iß nicht von diesen Birnen oder von den Pfirsichen da; von den anderen Früchten kannst du soviel essen, wie du willst.«

Und Peter sagte:

»Warum will mein Herr nicht, daß ich diese Birnen koste? Ich will doch eine versuchen.«

Er aß sie, und es wuchs ihm ein Horn. Als er sich mit dem Horn sah, sprach er:

»Hörner hab ich ja nun; was kann mir noch Schlimmeres widerfahren? Ich will doch sehen, wie das ausgeht, und einen Pfirsich nehmen.«

Er aß ihn, und da verschwand das Horn. Darauf sprach er:

»Das ist etwas für mich!«

Peter hatte eine Braut, die war Näherin, und er sagte ihr, sie solle ihm zwei kleine Säcke nähen. In den einen steckte er ein Dutzend Birnen und in den anderen ein Dutzend Pfirsiche, und dann bat er seinen Herrn um die Abrechnung. Und von dem Geld, das er ihm gab, kaufte er sich einen Ärztemantel und packte ihn in den Koffer.

Und er ging in das Schloß des Königs, um dort das Dutzend Birnen zu verkaufen. Da sie ausgezeichnet aussahen, kaufte man sie ihm ab und brachte sie noch am selben Tag auf die Tafel. Die königliche Familie aß davon, und da wuchsen ihr furchtbare Hörner.

Als die Diener den Tisch abräumten, sahen sie den König, die Königin und die Prinzessin mit den angewachsenen Hörnern.

Nun kamen Ärzte von hier und von dort, aber niemand konnte von den Köpfen der königlichen Familie diese Gewächse entfernen.

Peter zog den Ärztemantel an, ging ins Schloß und sagte, er verpflichte sich, die Kranken zu heilen. Man führte ihn vor den König, er untersuchte gründlich dessen Kopf und fragte:

»Warum haben die Ärzte denn nicht die Hörner an dem Tag entfernt, an dem sie entstanden sind? Jetzt sind sie schon hart, und es ist nicht leicht, sie zu entfernen. Doch trotzdem verpflichte ich mich, sie wegzubringen, wenn Ihr mir dafür einen Gürtel gebt, den Ihr besitzt.«

»Fordere, soviel du willst«, sagte der König, »aber den Gürtel geb ich dir nicht.«

»Dann behaltet den Gürtel und Eure Hörner.«

Da sagte die Königin zu dem König:

»Zu sehr hängst du am Geld. Willst du lieber wie ein Hirsch herumlaufen als den Gürtel entbehren?«

Der König gab ihm den Gürtel. Und Peter bat um ein Glas Wasser und legte den Pfirsich hinein. Mit dem Wasser benetzte er die Hörner, und den Pfirsich gab er in kleinen Stücken dem König zu essen, und die Hörner verschwanden.

Danach besah er die Hörner der Königin und sagte zu ihr: »Ich entferne sie Euch, wenn der König mir ein Schwert gibt, das er besitzt.«

Der König antwortete ihm, daß er ihm das Schwert nicht gebe, denn das sei seine einzige Waffe. Und die Königin sagte:

»Wo du keine Hörner mehr hast, willst du, daß ich meine behalte?«

Und der König gab ihm das Schwert, und Peter machte bei der Königin dasselbe wie beim König und entfernte ihr die Hörner. Da trat die Prinzessin weinend herein und flehte Peter an, er möge sie um Gottes willen doch auch von den Hörnern befreien.

»Ich entferne sie dir«, sagte Peter, »doch um sie loszuwerden, mußt du dich im Hof auf eine Decke setzen, die dein Vater hat.«

Die Prinzessin breitete die Decke im Hof aus und setzte sich darauf. Und Peter setzte sich an ihre Seite und sagte: »Decke, runter nach Rom!«

Und in einem Husch waren sie in Rom. Dort sagte Peter zu der Prinzessin:

»Wenn du mich heiratest, nehme ich dir die Hörner weg.«

Sie willigte ein. Da gab Peter ihr einen Pfirsich zu essen, und die Hörner waren nicht mehr zu sehen. Dann heirateten sie und gingen in das Schloß, das sein Bruder Hans gebaut hatte, und lebten dort. Und eines Tages fragte Hans:

»Peter, wie hast du es nur angestellt, die Tochter des Königs zu rauben?«

»Ich setzte mich auf eine Decke, die ich habe, und sagte: ›Decke, runter nach Rom!‹«

Hans beneidete seinen Bruder und bekam schnell heraus, wo er die Decke aufbewahrte. Er nahm sie und setzte sich darauf. Und anstatt zu sagen: »Decke, runter nach Rom!« sagte er: »Decke, rundherum!«

Und sogleich wurde er im Kreise herumgewirbelt und stieß sich an allen Ecken und Kanten, bis ihm in den Sinn kam, zu sagen: »Decke, zu meinem Bruder Peter!«

Und er langte zu Hause an. Und er verspürte nie wieder Neid auf seinen Bruder. Und die drei lebten glücklich zusammen.

Spanien (Baskenland)

Mahistruba, der Kapitän

Wie viele andere in der Welt war da ein Kapitän. Nachdem er in seinem Leben mancherlei Schaden und Unglück gehabt hatte, unternahm er keine Reisen mehr, ging aber zu seinem Zeitvertreib jeden Tag zur Meeresküste hinunter; und tagtäglich traf er dort eine große Schlange, und jeden Tag sagte er zu ihr:

»Gott hat dir dein Leben gegeben; also lebe!«

Dieser Kapitän lebte von dem, was seine Frau und seine Tochter durch Nähen verdienten. Eines Tages sagte die Schlange zu ihm: »Geh zu dem und dem Schiffsbauer und bestell ein Schiff mit so und so viel Tonnen Traglast. Frag nach dem Preis und verdopple den Preis, den sie dir nennen.«

Er tut, was die Schlange ihm gesagt hat, und geht am nächsten Tag hinunter zur Küste und berichtet der Schlange, daß er getan hat, was sie ihm aufgetragen hatte. Die Schlange bittet ihn dann, zwölf Matrosen anzuheuern – sehr starke Männer müßten es sein – und zu verdoppeln, was immer sie verlangten. Er geht und tut, was ihm gesagt worden war. Dann kehrt er zur Schlange zurück und erzählt ihr, daß er zwölf Männer gefunden hat. Die Schlange gibt ihm alles Geld, das er braucht, um das Schiff zu bezahlen. Der Schiffsbauer ist überrascht, daß er von diesem armen Mann im voraus eine so hohe Summe Geldes bekommt, aber er beeilt sich, das Werk so schnell wie möglich zu vollenden. Die Schlange bittet ihn, im Bauch des Schiffes einen großen Leerraum zu lassen und eine riesige Kiste hineinzustellen, und sie sagt ihm, er solle die Kiste selbst an die Küste hinunterbringen. Er bringt sie hinunter und die Schlange kriecht hinein. Das Schiff war schnell fertig; er lädt die Kiste in das Schiff ein, und sie fahren aus.

Der Kapitän ging jeden Tag zur Schlange, aber die Matrosen wußten weder, was er im Laderaum tat, noch, was sich in der Kiste befand. Das Schiff hatte schon einige Entfernung zurückgelegt, und niemand kannte noch sein Ziel. Eines Tages sagte die Schlange dem Kapitän, daß ein schrecklicher Sturm losbrechen werde, daß Erde und Himmel sich vereinigen würden und daß um Mitternacht ein großer schwarzer Vogel über das Schiff hinwegfliegen würde. Dieser Vogel müsse getötet werden, und sie sagt ihm, er solle herausfinden, ob es unter seinen Matrosen irgendeinen Jäger gäbe. Er geht und fragt die Matrosen, ob ein Jäger unter ihnen sei.

Einer von ihnen antwortet: »Ja, ich kann eine Schwalbe im Flug töten.«

»Um so besser, um so besser, das wird dir nützlich sein.«

Er geht hinunter, um der Schlange zu sagen, daß ein Jäger da ist, der eine Schwalbe im Flug schießen kann. Und im gleichen Augenblick wird das Wetter schwarz wie die Nacht, Erde und Himmel verschmelzen, und alle zittern vor Furcht. Die Schlange gibt dem Kapitän einen guten Trank für den Jäger, und sie binden ihn an den Mast. Um Mitternacht hörte man einen durchdringenden Schrei. Das war der Vogel, der sie überflog, und unser Jäger hatte das Glück, ihn abzuschießen. In diesem Augenblick wird die See ruhig. Der Kapitän geht zur Schlange und erzählt ihr, daß der Vogel tot ist.

Die Schlange antwortet ihm: »Ich weiß es.«

Nachdem sie ein Stück weiter gefahren waren, ohne daß sich irgend etwas ereignet hätte, sagte die Schlange eines Tages: »Sind wir nicht einem gewissen Hafen nahe?«

Der Kapitän antwortet ihr: »Er ist in Sicht.«

»Sehr gut, dann fahren wir hin.«

Sie sagt ihm, er solle wieder gehen und seine Matrosen fragen, ob ein Schnelläufer unter ihnen sei. Der Kapitän geht zu seinen Matrosen und fragt sie, ob es einen Schnelläufer unter ihnen gäbe.

Einer von ihnen sagt zu ihm: »Was mich betrifft, so kann ich einen laufenden Hasen fangen.«

»Um so besser, um so besser; das wird dir von Nutzen sein.«

Der Kapitän geht, um der Schlange zu sagen, daß einer einen Hasen im Lauf fangen könne. Die Schlange sagt zu ihm:

»Du wirst den Läufer in diesem Hafen an Land setzen und wirst ihm sagen, daß er auf den Gipfel eines kleinen Berges steigen muß, daß dort ein kleines Haus steht und drinnen eine alte, alte Frau ist und ein Schwert, ein Feuerstein und eine Zunderbüchse. Diese drei Dinge soll er, eines nach dem anderen, an Bord bringen, jedes in einem extra Lauf.«

Unser Läufer rennt weg und kommt zu dem Haus. Er sieht die Alte mit den roten Augen. Sie spinnt an der Schwelle der Tür. Er bittet sie um einen Tropfen Wasser – so lang sei er schon gelaufen, ohne Wasser zu finden –, ob sie ihm einen kleinen Tropfen geben wolle?

Die alte Frau sagt »nein« zu ihm. Er bittet sie wieder und sagt ihr, daß er die Straßen in diesem Land nicht kenne, er wisse auch nicht, wohin er gehe. Indessen schaut die Alte ohne Unterlaß auf den Kaminsims, und sie sagt zu ihm:

»Also, ich werde dir Wasser geben.«

Während sie zum irdenen Krug ging, nimmt unser Läufer das Schwert vom Kaminsims und läuft, so schnell ihn die Beine tragen, fort – wie der Blitz; aber die alte Frau ist hinter ihm her. Gerade in dem Augenblick, in dem er im Begriff ist, in das Schiff zu springen, holt ihn die Alte ein und schnappt einen Zipfel seines Rockes und mit ihm ein Stück Haut von seinem Rücken. Der Kapitän geht zur Schlange und sagt zu ihr:

»Das Schwert haben wir, aber unserem Mann ist die Haut von seinem Rücken abgezogen worden.«

Sie gibt ihm eine Arznei und einen guten Trank und sagt ihm, daß der Mann morgen wieder gesund sein werde, daß er aber am nächsten Tag gleich wieder aufbrechen müsse.

Er sagt: »Nein, nein; der Teufel mag diese alte Frau holen, wenn er will, aber *ich* werde dort nicht mehr hingehen.«

Doch als er am nächsten Tag durch den guten Trank wieder geheilt ist, bricht er auf. Er zieht sich ein Hemd an, dem die Ärmel fehlen, und alte zerrissene Hosen und geht zu der Alten. Er erzählt ihr, sein Schiff habe an einem Felsen Schiffbruch erlitten, er sei achtundvierzig Stunden herumgewandert; und er bittet sie, ihn ans Feuer zu lassen, damit er seine Pfeife anzünden könne. Sie sagt: »Nein.«

»Hab Mitleid – ich bin so elend; es ist ja nur eine kleine Gefälligkeit, um die ich dich bitte.«

»Nein, nein, gestern bin ich getäuscht worden.«

Aber der Mann antwortete: »Nicht jeder ist ein Betrüger. Hab keine Angst.«

Die Alte steht auf, um ans Feuer zu gehen, und als sie sich vornüberbeugt, um es herauszunehmen, ergreift der Mann den Feuerstein und entflieht. Er rennt, so schnell er nur kann. Aber die Alte läuft so schnell wie unser Läufer; trotzdem erwischt sie ihn erst, als er in das Schiff springt; sie zieht ihm das Hemd herunter und damit die Haut von seinem Nacken und seinem Rücken, und er fällt in das Schiff hinein.

Der Kapitän geht zur Schlange: »Wir haben den Feuerstein.«

Sie sagt zu ihm: »Das weiß ich.«

Sie gibt ihm die Medizin und den guten Trank, damit der Mann bis morgen gesund ist und wieder aufbrechen kann. Aber der Mann sagt »nein.« Er wolle diese rotäugige Alte nicht mehr sehen. Sie sagen ihm, daß sie noch die Zunderbüchse brauchen. Am nächsten Tag geben sie ihm den guten Trank. Der macht ihm Mut und weckt in ihm den Wunsch, noch einmal zu gehen.

Er kleidet sich, als ob er Schiffbruch erlitten hätte, halb nackt geht er fort. Er kommt zur Alten und bittet um ein kleines Stück Brot. Lange schon habe er nichts gegessen, und er bittet sie, Mitleid mit ihm zu haben – er wisse nicht, wohin er gehen solle.

Die Alte sagt zu ihm: »Schau, daß du weiterkommst, geh, wohin du willst! In meinem Haus wirst du nichts bekommen, und niemand wird hier hereinkommen. Jeden Tag habe ich Feinde.«

»Aber was hast du von einem armen Mann zu fürchten, der nur ein bißchen Brot möchte und der dann gleich wieder fortgehen wird?«

Schließlich steht die Alte auf, um zu ihrem Speiseschrank zu gehen, und unser Mann nimmt ihre kleine Zunderbüchse an sich. Die Alte rennt ihm nach, sie möchte ihn fangen, aber unser Mann hat einen Vorsprung. Sie holt ihn gerade noch ein, als er ins Schiff springt. Die Alte bekommt ihn am Nacken zu fassen und zieht ihm die ganze Haut bis zu den Fußsohlen herunter. Unser Läufer fällt zu Boden, und sie wissen nicht, ob er tot oder lebendig ist. Und die Alte sagt.

»Ich gebe ihn und alle, die in diesem Schiff sind, frei.«

Der Kapitän geht zur Schlange und sagt zu ihr:

»Wir haben die Zunderbüchse, aber unser Läufer ist in großer Gefahr. Ich weiß nicht, ob er am Leben bleiben wird; er hat vom Hals weg bis zu den Fußsohlen hinunter keine Haut mehr.«

»Tröstet euch, tröstet euch, morgen wird er gesund sein. Hier ist die Medizin und der gute Trank. Jetzt seid ihr gerettet. Geh an Deck und feuere sieben Kanonensalven ab!«

Er steigt an Deck und feuert die sieben Kanonensalven ab. Dann geht er zur Schlange zurück und sagt zu ihr.

»Wir haben die sieben Salven abgefeuert.«

Sie antwortet: »Laßt noch einmal zwölf Salven los; aber fürchtet nichts. Die Polizei wird kommen, sie werden euch Handschellen anlegen. Man wird euch ins Gefängnis werfen, und du wirst dir die Gunst erbitten, daß ihr nicht hingerichtet werdet, bevor nicht das Schiff durchstöbert wurde, damit bewiesen ist, daß sich nichts im Schiff befindet, das eine solche Strafe bedingt.«

Der Kapitän geht an Deck und feuert die zwölf Kanonensalven ab. Sobald er sie losgelassen hat, kommen Obrigkeit und Polizei. Sie legen der Mannschaft, den Matrosen und dem Kapitän Handschellen an und stecken sie ins Gefängnis. Die Matrosen waren nicht erfreut, aber der Kapitän sagte zu ihnen:

»Bald werdet ihr befreit werden.«

Am nächsten Tag bittet der Kapitän darum, zum König gehen und mit ihm sprechen zu dürfen. Man bringt ihn vor den König und der König sagt:

»Ihr seid zum Tod durch Erhängen verurteilt.«

Der Kapitän sagt zu ihm: »Was, weil wir ein paar Kanonenschüsse abgefeuert haben, willst du uns hängen!«

»Ja, ja. Sieben Jahre lang haben wir in unserer Stadt keine Kanone gehört. Ich und mein Volk sind in Trauer. Ich hatte einen einzigen Sohn und habe ihn verloren. Ich kann ihn nicht vergessen.«

Der Kapitän sagt zu ihm: »Ich habe weder davon gehört, noch haben wir diesen Befehl gekannt, und ich bitte dich sehr, uns nicht hinzurichten, bevor in dem Schiff Nachschau gehalten wurde, ob sich in ihm irgend etwas findet, wodurch wir mit Recht schuldig gesprochen werden können.«

Der König geht mit seinen Höflingen, seinen Soldaten und seinen Richtern – mit einem Wort: zusammen mit allen, zum Schiff. Als er an Deck gestiegen war – welche Überraschung bot sich ihm da! Der König findet seinen heißgeliebten Sohn, der ihm erzählt, wie er von einer alten Frau verzaubert worden war und daß er sieben Jahre lang als Schlange gelebt habe. Er erzählt ihm auch, wie der Kapitän jeden Tag zur Küste gegangen sei, ihm aber jeden Tag sein Leben gelassen und zu ihm gesagt habe: »Der liebe Gott hat auch dich erschaffen.« Und wie er das gute Herz des Kapitäns gespürt habe, habe er ihn schonen wollen, und er sagt:

»Und er ist es, dem ich mein Leben verdanke.«

Er geht an den Hof. Die Männer werden aus dem Gefängnis herausgelassen. Der Kapitän bekommt eine große Summe Geldes als Mitgift für seine zwei Töchter; ihm selbst überließen sie das Schiff. Die Matrosen erhalten für die ganze Zeit, die sie hier verbringen wollen, so viel zu essen und zu trinken, wie sie sich wünschen; und danach geben sie ihnen genug, daß sie davon für den Rest ihrer Tage leben können. Der König und sein Sohn lebten glücklich; und da sie gut gelebt haben, starben sie auch zufrieden.

Tschechei

Der Scharfäugige und die anderen Gesellen

Um es kurz zu sagen – es war einmal ein Herr, ich weiß nicht wie er hieß. Aber er war sehr reich. Und der Herr hatte ein ungewöhnlich schönes Tier, man nannte es Vielerleihaar. Und so war es auch: von allen Farben, die es auf der Welt gibt, hatte es an sich ein Fleckl, ein blaues und wieder ein gelbes, no ja, so war es vom Kopf bis werweißwohin. Als ob jemand es aufs beste angemalt hätte! Vom Ende der Welt kamen sie angereist, um das Tier anzuschauen, sie zogen daher so wie bei Prozessionen, weil man so etwas sonst niemals zu sehen bekommt. Meistens vergaß hier jeder, das Maul zuzumachen, wenn er es anstaunte.

Und dieses Vielerleihaar hatte für sich allein einen ganzen Garten, dort konnte es umherlaufen, wie es mochte, soviel Freiheit hatte es, niemand durfte ihm etwas zuleide tun. Ein Diener oder mehrere hatten allein für das Tier zu sorgen, nicht einmal wegrühren durften sie sich, ja, wenn ich es richtig sage, waren sie darum herum wie die Schwanzeln. No ja, man machte mit ihm alles nur Mögliche, alles Erdenkliche, undsoweiter.

Bis es einmal geschah, daß der Herr irgendwohin eine Reise machen mußte, und sein Sohn Philippek ging zu dem Tier, um mit ihm dort herumzutollen. Und nun, als er sich mit ihm abgehetzt hatte, daß es ein Jammer war, vergaß der Wirrkopf, hinter sich das Törlein zuzumachen, und – na, ich danke! Das liebe Vielerleihaar verstand es nicht besser, schön zum Törl hinaus und über alle Berge. Es lief heraus und davon, und niemand wußte wohin. Sein Herr kam zurück, und als er sah, was geschehen war, da, versteht sich, ließ er, Gottswunden! lauthals ein Lamento los wie die alte Blaschka, und dann fluchte er wieder und alles durcheinander. Und den ärgsten Zorn hatte er auf den Philippek: »Wenn mir der Bub das angetan hat und ich damit um das gekommen bin, was weithin meine einzige Freude war, so weißt du was? Verzieh dich aus meinen vier Wänden, und bis zum Tod laß mich nichts von dir hören, ich will dich nicht mehr sehen!«

Er gab ihm einen Batzen Geld auf den Weg, alles was wahr ist, aber er mußte sich dafür und darum aus dem Haus scheren.

Da setzte sich der liebe Philippek auf das Pferd, er sitzt und überlegt, wie und was er machen soll. Er reitet ein Stück, bis er sieht, daß dort an dem Weg jemand kniet und arg jammert: kein Geld – ach je, das ist eine Leibjacke ohne Leib! Philippek hält bei ihm an und sagt: »Na, so komm mit mir! Geld habe ich genug, um das Essen steht es nicht schlimm. Wie heißt du denn?«

»Der Scharfäugige.«

Er schrieb ihn sich in ein Büchl ein, und sie zogen zusammen weiter. Und dort wieder, ein Stückl weiter am Weg, lamentiert einer arg: was ist das jetzt für eine Welt, da könnte einer verrecken, daß ich es sage, wie es ist. Und das so lang und so weit, bis ihm der Philippek sagt: »No, komm auch mit uns, was sollst du da raunzen wie ein alter Raunzer! Wer weiß, vielleicht wirst du mir zu etwas gut sein. Wie heißt du denn?«

»Der Lange.«

»No, ich muß sagen, das bist du auch, ich seh's. Du könntest leicht die Sterne abwischen. Und was bringst du zuwege?«

»Was der Herr brauchen wird.«

»So häng dich mit an den Haufen.«

Er schrieb ihn sich ins Büchl ein, und sie zogen weiter. Ein Stückl, und dort unten am Rain quiekt wieder etwas, daß es ein Jammer ist, grade so, als ob ihn jemand aufs Messer nähme, nicht anders.

»Na, komm du auch! Ich füttere alle. Wie heißt denn du?«

»Der Breite.«

»No, das ist meistens nicht schlecht. Und was bringst du zuwege?«

»Was der Herr brauchen wird.«

»So komm zu mir in den Haufen.«

Er schrieb ihn sich ins Büchl ein und war froh, daß ihm in kurzer Zeit so viele zugelaufen sind. Sie erhoben sich und gehen kaum ein paar Schritte, da ist wieder einer und brüllt ärger als ein Ochse.

»Welcher Höllenschratt schreit denn da!« Der Philipp geriet in seine Nähe, und es war ein Wunder, daß er nicht Junge kriegte vor lauter Schreck. Einen Bart hatte der, gut einen Klafter lang, den zog er auf der Erde nach, und Augen, mit denen hätte er ein Dorf ausbrennen können.

»Wie heißt denn du?«

»Bauschbart, bittschön.«

»Na – dich werde ich auch noch ertragen. Was bringst du zuwege?«

»Was der Herr brauchen wird.«

»So halt dich an den Haufen.«

Mit ihnen allen brach er auf, und langsam kamen sie in so ein Gasthaus, man nannte es dort »Am Fürzel«. Die Kerle ließen schon die Zungen hängen und machten lange Zähne. Sie kamen also ins Gasthaus, aber wohin mit ihnen? Einer breit wie ein Hunderteimerfaß, einer wieder so lang, daß er sich zum Schornstein hinausstrecken müßte – und alle von der Art. No, ich danke! So blieb nichts anderes übrig, sie mußten draußen bleiben, und der Philippek setzte sich auf das Kanapee im Schankraum. Er ließ ihnen an Essen und Trinken auftragen, was sie wollten, und die Kerle hielten sich dazu, daß es ihnen hinter den Ohren knackte.

In dem Gasthaus erzählten sie jetzt aber, daß der König eine Prinzessin Thereserl hat: wer es aushält, auch nur zwei Nächte bei ihr zu schlafen, dem gibt er sie zur Gemahlin. Philippek hört dem ein Weilchen zu, und nach einer Weile sprach er zu ihnen: »Da werde ich mich auch melden.«

»Ach, mein liebes Freunderl, mein teures, dort waren schon ganz andere Kavaliere und schneidige Kerle aus der ganzen Welt, und sie alle kamen um ihre langen Hälse, keiner hat es mit ihr ausgehalten.«

»Ja, ich werde gehen, ich werde gehen. Auf so etwas lauere ich schon lange. Das geht eben nicht anders: wer nähen will, muß zuerst einfädeln.«

Er ließ sich nichts sagen, so heftig es ihm die anderen auch ausredeten, er brach auf und ging heidi! zum lieben König. Er meldete sich recht fein an, er wolle es versuchen, es werde schon irgendwie ausgehen. Wenn nicht – dann nicht! Im schlimmsten Fall geht es ja dabei um nicht mehr als um den Hals.

So kommt er dorthin, wo das Thereserl schlief, aber er kam gar nicht erst dazu, sich zu ihr zu legen. Auf einmal wurde sie zu einem ganz kleinen Röserl, und sie flog weit weg, irgendwohin zwei Meilen weg in die Dornen, so daß es nicht möglich war, an sie heranzukommen. Der Philippek blieb verdattert zurück, nicht wahr, das ist kein Wunder, und sagte zu seinen Burschen: »Liebe Jungen, die hat mich hübsch hereingelegt. Heda – was ist jetzt zu machen?«

»Ach, das ist doch nichts«, sagt der Lange, »das lohnt weder Trauer noch Trübsal. Ich bin lang, mach' Meilenschritte und hastdunichtgesehen! bin ich dort. Den Scharfäugigen nehme ich unter den Arm, er wird mir das Röserl zeigen, und sie wird hier sein, bevor man der Katze den Pelz klopfen kann.«

Nun also ja, der Lange machte zwei, drei Schritte, und beide waren dort. Sein Kamerad schaut, Dornen – oder keine Dornen, das kümmert uns nicht, das liebe Röserl saß dort ganz in der Mitte drin. Und sie war so frisch, als ob sie eben erst aufgeblüht wäre. Da streckte sich der Lange nach ihr, sie mochte sich verkriechen, wie sie wollte, und schon fegen sie zurück, das Röserl hübsch in der Faust. Und wupp, ehe er's dachte, hatte der Philippek sie im Bett. Sofort wurde aus ihr eine schöne Prinzessin, und es schlief sich wie im Himmel. Am Morgen beeilten sie sich gar nicht mit dem Aufstehen. Wozu denn aufstehen! Der König ging schon auf Zehenspitzen herum und schaut durchs Fensterl, was und wie.

»Na, ich will doch ein Narr sein, so viele Ritter waren nacheinander hier, keiner hat's erreicht, no so eine Erzsauerei, was hat sich denn dieses Bürscherl da ausgedacht!«

Aber es war schon so!

Es kommt die zweite Nacht, der Philipp legt sich wieder zum Thereserl, freut sich schon, wie sie einander schöntun werden. Da wurde auf einmal aus ihr ein goldener Ring, auf einmal, brrr, fliegt der Ring weit weg in einen Teich, und, ich weiß nicht wie, schluckte ihn da irgendein Fisch runter wie nichts. Der Philippek schaut, das Mädel ist weg, da jammert er und klagt: »Was fangen wir an, Jungen, was fangen wir an?«

»Ach, das ist das Geringste«, sagt der Breite, »das bringen wir schon zuwege.« Der Lange nahm je einen unter die Arme, wieder zwei, drei Schritte, und schon waren sie dort. Vor ihnen ein großmächtiger Teich, Gottswunden – als ob er kein Ende hätte. Der Scharfäugige schaut, schaut: »Jungen, ich weiß nicht, das wird nicht nur so eine Spielerei.«

»Aber nur drauflos, es findet sich immer noch ein Weg«, sagt der Breite.

Er kniete nieder, steckte das Maul ins Wasser, und kein Ochs kann so gewaltig ziehen, wie er jetzt diesen Teich ausleerte.

»Jetzt schau du, wo dieser Fisch herumplatscht.«

Der Scharfäugige blinzelt nur hin, und schon sah er, wie er dort im Schlamm platscht. Und ich erzähl's richtig, der Lange streckte seinen Arm aus, da nutzt alles nichts: ein Hecht wie ein Holzscheit schlug in seiner Faust. Und kein langes Gefackel, sie schnitten ihn gleich auf, und der Philippek hat schon den Ring im Bett. Es wurde draus die wunderschöne Prinzessin, sie faßten einander um den Hals, und weil sie die Vorhänge zugezogen hatten, wer will denn da sagen, was und wie, undsoweiter.

Die Sonne schien schon längst, der König schlurfte da herum, und es war eine traurige Wallfahrt: er konnte es kaum erwarten. Und so lang und so weit, da wurde es ihm schon recht eigen zumute. Aber als er jetzt sah, daß aus allem die Schande herausschaut, sagt er zu sich: ›Aber warte nur, du sollst sie doch nicht so leicht wegführen!‹

Und vor Wut kollerte er wie ein Truthahn. Sofort ließ er den großen Herd anheizen, die Platte war bald blutrot, so glühte sie, und jetzt sagt er zum Philippek: »Bürscherl, da wirst du dich jetzt draufsetzen! Erst wenn du das aushältst, dann gehört das Thereserl dir.«

Der Philipp schaut hin und sieht, da würde es nicht einmal der Schornsteinfeger in der Hölle aushalten, da ist es mit mir jetzt zu Ende, amen. Nur eine Minute – und ich bin ein fertiges Schmalzgriebl. Ich danke schön! Schließlich hatte er sich schon mit allem abgefunden, als der Bauschbart da neben ihm steht, er verzog das Maul und grinste wie die Eichelsau.

»Nur keine Geschichten, gnä' Herr, drauf los hinein, bei mir ist noch keiner zusammengeschmort!«

Also setzte sich der Philippek auf diese feine Platte, da fächelte der Bauschbart mit seinen zersausten Bartzotteln, und in einem Augenblinzler überfiel alles ein Frost. Nur ein bissel hat sich der Philippek den Hintern angesengt, das ist kein Wunder, nicht wahr, aber für so eine Prinzessin muß man etwas erdulden. Der König kommt, vor lauter Kälte klapperte er über und über. So eine Kälte! Es schüttelte ihn nur so. Rasch Pelze, sie mußten ihn einpacken, so daß er herausschaute wie der heilige Barnabas. Und, versteht sich, die Eiszapfen hingen ihm unter der Nase. Nun sah er, es bleibt nichts anderes übrig, ich sag: mit Gott, Thereserl. Er teilte ihnen das Geld zu, das alles ihnen gehören wird, und fragte den Philippek nur, ob er vielleicht als König hierbleiben möchte. Aber der: »Nein, nein, ich hab' genug mitgemacht, jetzt möchte ich gern noch meinen Vater sehen.«

Und er dachte schon an nichts anderes mehr; nun ja, zuhaus ist zuhaus und wie man sagt: die Fremde – das Elend! Auch wenn da zum Beispiel goldene Vögel in den Käfig geflogen kämen. Der König sah also, *lamprdony,* verflixt und zugenäht, wenn sie nicht wollen, so wollen sie nicht, vielleicht wird mir das Schicksal helfen. Aber als er jetzt allein zurückblieb, ging es ihm von neuem im Kopf herum, daß ihm da so irgendwer seine Tochter weggeholt hat, und in seinem Schädel überlegte er es sich jetzt anders. Und so gab er Alarm im Schloß, die Soldaten wurden zum Appell gerufen, und geschehe was wolle, sie müssen sein Thereserl zurückholen. Darauf sprang alles auf die Pferde und jagte wild wie ein Sturmwind hinter jenen her. Die hören auf einmal einen großmächtigen Lärm, und die ganze Straße, soweit sie schauten, eine Wolke.

»Jungen«, sagt der Lange, »wir müssen uns ein bissel zusammentun, das wird sowas wie eine kleine Bataille!«

Immer wieder streckte er seinen Arm aus, übergab dann einen Soldaten mitsamt dem Pferd seinem Kameraden, so ging es nach und nach einem um den andern, und der Breite kam kaum nach, er knickte die Köpfe ab wie die Mohnkapseln. Als das die Burschen sahen, kehrten sie die Front um, und ab zurück ins Schloß! Nach einer Weile fehlte die gute Hälfte. Die andern hatten hübsch Ruhe, eine heilige Ruhe! Und mehr wünschten sie sich nicht.

So ritten sie und ritten durch den Wald zurück, als dort etwas raschelte wie wild und hoppla, geradenwegs ins Dickicht.

»Meiner Seel, daß das unser Vielerleihaar ist!« sagt der Philippek, »Rasch, Jungen, wenn wir es erwischten, es gäbe keine größere Freude in Israel!«

Da liefen die lieben Burschen auseinander, der Scharfäugige schaute nur, und alle waren hinter ihm her wie die Spatzen hinterm Roßapfel. Der Lange griff danach ins Dickicht, und schon hatten sie es in seiner ganzen Pracht. Der Philipp, der quietschte nur so, und der Junge hätte zerspringen können, und was stellte er nicht alles an vor lauter Freude.

Jetzt erst saß der Philipp hoch zu Roß und machte sich mit der ganzen Bande fröhlich auf den Weg nach Hause. Dort war mehr Freude als um einen Dreier. Der alte Vater langte nach einem um den andern, und es dauerte lange, bis sich ihre Fröhlichkeit ein bissel legte. Nun erst bereiteten sie eine festliche Hochzeit, die Herrschaften kamen von allen Seiten wie die Blumen im Frühling, und man hörte nichts als Vivat Prinzessin Thereserl, es lebe unser junger Philippek! Alle Welt, reich und arm, mußte zur Hochzeit kommen. Die Zapfhähne kamen nicht zur Ruhe, das Bier floß in einem fort, und die Musiken spielten, daß man sie noch hinter der neunten Wand hören konnte.

Nun, so geb' ihnen Gott den Segen nach dem nassen Regen.

Türkei

Der schwarze Lala

Es war einmal, und es war auch nicht … In früheren Zeiten, als das Sieb noch im Stroh lag, da hatte ein Padischah drei Töchter. Für alle war die Zeit zu heiraten vorbei, niemand hatte sie nehmen wollen. Zu der ältesten Tochter sagte eines Tages ihr Lala:

»Meine Tochter, sieh, deine Jugend vergeht, aber niemand ist gekommen und hat um dich geworben. Komm, ich will dich an einen bestimmten Ort bringen. Du siehst ihn dir an, und wenn es dir dort gefällt, bleibst du dort. Wenn es dir aber nicht gefällt und du nicht dortbleiben willst, komme ich und hole dich zurück.«

Das Mädchen sagte: »Gut.«

Sie stiegen in eine Kutsche ein und machten sich auf den Weg. Sie fuhren und fuhren, sie fuhren durch Täler und über Hügel, und als sie sich einmal umsahen, merkten sie, daß sie erst einen Weg so lang wie eine Packnadel zurückgelegt hatten. Schließlich kamen sie an ein vornehmes Haus und stiegen aus der Kutsche aus. Die Tür des Hauses öffnete sich von selbst, und sie traten ein. Der Lala sagte zu dem Mädchen:

»Meine Tochter, stell dich hinter die Tür, dann wirst du sehen, was hier vor sich geht … Morgen komme ich wieder. Wenn es dir hier gefällt, lasse ich dich hier, wenn du aber nicht bleiben willst, hole ich dich zurück.«

Dann bestieg er die Kutsche und kehrte in den Palast zurück, das Mädchen aber versteckte sich hinter der Tür und wartete. Inzwischen verging die Zeit. Da ertönte ein schepperndes Geräusch, das immer näher kam und schließlich vor dem Palast verstummte. Da öffneten sich die Türen von allein – klapp-klapp. Was sieht das Mädchen auf einmal? Eine Kamelkarawane mit einem Esel an der Spitze kommt herein, aber niemand führt sie an. Die Kamele laden ihre Lasten ab, und die Karawane zieht wieder hinaus, wie sie gekommen ist … Das Mädchen aber zitterte hinter der Tür vor Furcht wie Espenlaub.

So wartete sie dort voller Angst bis zum Abend … Da kam der Abend heran. Als es dunkelte, öffnete sich die Tür wieder von selbst. Das Mädchen sah einen Neger hereinkommen, mit der einen Lippe auf der Erde und der anderen am Himmel, zwei Vögel und ein Gewehr in der Hand. Als das Mädchen dies sah, fiel sie vor Schreck ohnmächtig zu Boden. Als sie wieder zu sich kam, merkte sie, daß es Morgen geworden war. Kurze Zeit darauf erschien der Lala und sagte:

»Meine Tochter, hast du vor zu bleiben?«

Sie antwortete:

»Ach, mein lieber Lala, ich bin vor Furcht vergangen, bring mich von hier weg!«

Der Lala sagte: »Gut«, nahm das Mädchen und brachte es zum Palast.

Am nächsten Morgen sagte er zu dem mittleren Mädchen:

»Komm, heute will ich dich mitnehmen!«

Das Mädchen war auch einverstanden. Sie fuhren und fuhren durch Täler und über Hügel. Als sie sich einmal umsahen, merkten sie, daß sie erst einen Weg, so lang wie die Gerste hoch ist, zurückgelegt hatten. Wieder kamen sie an denselben Palast und hielten an. Die Tür öffnete sich von selbst, und sie traten ein. Der Lala ließ das Mädchen hinter der Tür, sagte: »Ich komme morgen früh«, und ging. Soll das Mädchen dort warten ...

Es ertönte ein schepperndes Geräusch. Kamele kamen und luden ihre Lasten ab, aber keiner führte sie ... Das Mädchen zitterte vor Furcht wie Espenlaub ... Da wurde es Abend, und ein Neger kam herein, mit der einen Lippe auf der Erde und der anderen am Himmel, in der einen Hand seine Vögel, in der anderen ein Gewehr. Das mittlere Mädchen fiel auch vor Angst ohnmächtig zu Boden. Als sie wieder zu sich kam, merkte sie, daß es Morgen geworden war. Da kam der Lala und fragte:

»Meine Tochter, hast du vor zu bleiben oder mitzukommen?«

Das Mädchen flehte:

»Ach, mein lieber Lala, ich bin vor Furcht vergangen, bring mich von hier weg!«

Der Lala nahm das Mädchen und brachte es in den Palast.

Am nächsten Tag sagte das jüngste Mädchen:

»Lala, was kann schon geschehen, bring mich auch dorthin ...«

So sehr der Mann versuchte, sie davon abzubringen: »Meine Tochter, deine beiden Schwestern sind gegangen und unverrichteterdinge wieder zurückgekehrt. Ich will dich jetzt hinbringen, aber morgen wirst auch du zurückkehren ...«, das Mädchen hörte nicht auf zu flehen: »Ach, mein lieber Lala, laß mich doch ...«, und überredete schließlich den Lala dazu, sie hinzubringen ... Sie bestiegen die Kutsche und machten sich auf den Weg ...

Während sie fahren und fahren und durch Täler und über Hügel kommen, finden sie den Palast ... Sie steigen aus der Kutsche und gehen hinein. Der Lala läßt das Mädchen hinter der Tür und geht ... Danach verstreicht eine Zeit, und es erhebt sich ein Getöse: eine Kamelkarawane ... Die Tür öffnet sich von selbst. Die Kamele kommen herein, laden ihre Lasten ab und lassen – bim-bim – ihre Glöckchen ertönen und gehen zurück, aber niemand führt sie ... Das Mädchen steht eine Zeitlang da und langweilt sich. Schließlich kommt sie hervor und streift durch den ganzen Palast. Sie sieht, daß alles voll Staub und Sand ist. Sie sucht alle Ecken und Winkel ab und findet einen Besen. Sie putzt und fegt das ganze Haus, wischt überall Staub und macht alles blitzsauber. Dann geht sie in die Küche, kocht Essen und macht Süßspeisen. Sie deckt auch den Tisch, denn es war Abend geworden ... Wieder verbirgt sie sich hinter der Tür. Als es zu dunkeln beginnt, öffnet sich die Tür von selbst. Ein Neger kommt herein, die eine Lippe auf der Erde und die andere am Himmel, mit zwei erlegten Vögeln und einem Gewehr in der Hand. Was sieht er da? Das ganze Haus ist geputzt, gefegt, das Essen fertig, und die Speisen sind aufgetragen. Da erkennt der Neger, der schwarze Lala, alles. Er geht dahin, wo das Mädchen ist, und sagt:

»Gut gemacht, meine Tochter! Vor dir sind deine beiden älteren Schwestern gekommen, und denen war vor Schreck die Galle geplatzt. Du hast alles saubergemacht und das Essen gekocht ... So bist du die Tochter des Hauses. Jeden Tag wirst du die Arbeit verrichten und dich hier hinsetzen.«

Dann kocht er einen der Vögel und gibt ihn dem Mädchen zu essen. Nachdem sich das Mädchen sattgegessen hat, gibt er ihr noch ein Glas Fruchtsaft zu trinken. Kaum hat sie den getrunken, da versinkt sie in tiefen Schlaf ...

So vergehen nun die Tage: Jeden Abend kam der schwarze Lala, kochte einen der Vögel und gab ihn dem Mädchen zu essen, gab ihr ein Glas Fruchtsaft zu trinken und versetzte sie in Schlaf ...

Eines Tages hat das Mädchen wieder das Haus geputzt und gefegt, das Essen gemacht und sich hingesetzt. Da klopfte es an der Tür.

Das Mädchen lief hin und öffnete. Da sah sie, daß es ihr Lala war, der sie in diesen Palast gebracht hatte. Als das Mädchen das sieht, fordert sie ihn auf:

»Tritt ein, mein lieber Lala!«

Der Lala sagt:

»Ich werde nicht eintreten, meine Tochter. Deine älteren Schwestern haben sich Kleider machen und auch für dich eins nach demselben Schnitt nähen lassen. Du brauchst nur den Schneider zu bezahlen.«

Das Mädchen sagt:

»Gut, mein lieber Lala. Wieviel Lira kostet es?«

»Zehn Lira.«

»Gut, komm morgen und hol es!«

Daraufhin geht der Lala. Ein Gedanke beherrscht das Mädchen: Woher soll sie denn nur das Geld nehmen? Sie weint und fällt tränenüberströmt in Ohnmacht. Es wird Abend, der schwarze Lala kommt, und was sieht er da? Das Mädchen liegt ohnmächtig auf der Erde. Sofort besprengt er sie mit Wasser und bringt sie wieder zu Bewußtsein.

Er fragt:

»Meine Tochter, was ist dir zugestoßen?«

Sie erzählte alles: Ihr sei es soundso ergangen.

Der schwarze Lala sagt:

»Sorge dich nicht, meine Tochter, wir werden einen Ausweg finden!«

Jeden Abend nämlich, nachdem das Mädchen eingeschlafen war, kam der Prinz dieses Palastes. Der schwarze Lala gab ihm den zweiten Vogel zu essen und legte den Prinzen neben das Mädchen ... Das Mädchen weiß von nichts.

Der schwarze Lala gibt dem Mädchen wieder satt zu essen und Fruchtsaft zu trinken. Das Mädchen fällt in Schlaf. Der Prinz kommt. Der schwarze Lala gibt auch ihm satt zu essen. Dann, als sich der Prinz die Hände wäscht, gießt ihm der schwarze Lala drei Tropfen Wasser zuviel auf die Hände. Da sagt der Prinz:

»Ich stehe zu Diensten, mein lieber Lala!«

Der schwarze Lala berichtet vom Kummer des Mädchens. Der Prinz sagt:

» Meine Sultanin soll keinen Kummer haben ... Nimm diesen Holzhammer, schlag auf die kleine Schublade, hol einen Beutel Gold heraus und bring ihn der Sultanin, damit sie ihn ihrem Lala gibt!«

Der schwarze Lala schlägt mit dem Hammer auf die kleine Schublade und nimmt einen Beutel Gold heraus. Am nächsten Morgen gibt er ihn dem Mädchen.

Das Mädchen räumt wieder das Haus auf und bringt es in Ordnung. Die Tür klappt, und ihr Erzieher kommt. Das Mädchen bringt schnell den Beutel herbei und sagt:

»Nimm, mein lieber Lala!«

Der Erzieher nimmt den Beutel voll Gold und geht.

Danach vergeht einige Zeit. Eines Tages klopft es wieder an der Tür.

Das Mädchen läuft hin und öffnet. Da sieht sie, daß es wieder der Lala ist, der sagt:

»Mein Kind, deine Mutter und deine Schwestern wollen dich sehen. Sie wollen kommen, um dich und ihren Schwiegersohn und Schwager zu sehen.«

Das Mädchen antwortet:

»Gut, mein lieber Lala! Ich werde es meinem Gebieter sagen. Ich werde morgen sagen, an welchem Tag sie kommen sollen.«

Der Lala geht.

Das Mädchen beginnt zu weinen. »Was soll ich jetzt tun?« Sie weint ununterbrochen und fällt ohnmächtig hin. Am Abend kommt der schwarze Lala und sieht, daß das Mädchen ohnmächtig ist. Er bespritzt sie sofort mit Wasser und läßt sie an Zitronen riechen, da kommt das Mädchen zu sich.

Der schwarze Lala sagt:

»Was ist dir zugestoßen, meine Tochter?«

Das Mädchen erzählt, was sie mit ihrem Lala besprochen hat.

Der schwarze Lala sagt:

»Ach, meine Tochter, das ist etwas schwierig, aber mach dir keine Sorgen, wir werden unbedingt einen Ausweg finden!«

Er gibt dem Mädchen satt zu essen und zu trinken. Als das Mädchen eingeschlafen ist, kommt der Prinz. Der schwarze Lala gibt auch ihm satt zu essen. Als sich der Prinz die Hände wäscht, gießt ihm der schwarze Lala drei Tropfen Wasser zuviel auf die Hände. Da sagt der Prinz

»Ich stehe zu Diensten, mein lieber Lala, was gibt es?«

Der schwarze Lala wiederholt, was die Sultanin gesagt hatte.

Der Prinz sagt:

»Nimm diese Keule und geh und schlag auf das große Schubfach! Zimmerleute sollen kommen und den ganzen Palast in Ordnung bringen. Das Haus soll von oben bis unten ausgestattet und eingerichtet werden. Vierzig weiße und vierzig schwarze Sklavinnen sollen die Speisen auftragen. Die Sultanin soll ein Kleid tragen, das nicht mit der Nadel genäht und nicht mit der

Schere zugeschnitten ist ... Das Kleid, das ihre Schwestern geschickt haben, soll sie der Dienerin an der Tür geben ... Sie soll sagen: Mein Prinz ist unterwegs.«

Es wird Morgen. Als die Sultanin erwacht, was sieht sie da? Sie sieht, daß das Haus ausgestattet und eingerichtet ist, die Tische vorbereitet sind und vierzig weiße Sklavinnen in dem Haus umhergehen. Der schwarze Lala bringt dem Mädchen das Kleid. Das Mädchen zieht es an: es ist voll von Juwelen ... Die Dienerinnen umringen sie und sagen: »O, Sultanin!« Auf die Ermahnung des schwarzen Lala hin läßt sie das Kleid, das ihre Schwestern geschickt haben, die Dienerin an der Tür anziehen.

Als schließlich ihr früherer Lala kommt, um sich Bescheid zu holen, antwortet sie:

»Sie sollen heute kommen!«

Schließlich bereiten sie alles vor, denn im ganzen Haus wird Besuch sein. Da klappt die Tür, und die Mutter und die Schwestern des Mädchens erscheinen. Die Türen öffnen sich: »Tretet ein, tretet ein!« Die Mädchen halten die Dienerin an der Tür für ihre Schwester und fallen ihr um den Hals, doch da erkennen sie, daß es die Dienerin ist ... Dann wenden sie ihre Augen nach oben, zum oberen Treppenabsatz, und was sehen sie da? Dort steht ihre Schwester mit einer schwarzen und einer weißen Dienerin am Arm, von Diamanten und Juwelen bedeckt. Als die Mädchen sie so sehen, vergehen sie vor Neid. Die Mutter sieht, wie es ihrer Tochter geht, und freut sich. Das Mädchen empfängt sie mit den Worten: »Bitte, tretet ein«, und bringt sie in ein großes Fremdenzimmer. So kommt die Mittagszeit heran. Sie sagt:

»Meine liebe Mutter, mein Prinz ist unterwegs, so werde ich euch ehrenvoll empfangen. Gestattet mir nachzusehen, wie sie den Tisch gedeckt haben.«

Sie geht hinab, und was erblickt sie da? Von den zwei Truthähnen, die auf den Tisch gestellt worden waren, hat den einen eine große schwarze Katze geholt ... Das Mädchen läuft hinterher. Die Katze läuft, und das Mädchen auch ... Da springt die Katze von einer Mauer hinab, das Mädchen hinter ihr her ... Auf einmal sieht sie: Da ist ein Teich, daneben steht ein großes Bett, in dem ein schlanker, ranker Jüngling mit einer Frau liegt. Neben ihnen in einem Bett ein Kind ... Die Sonne hatte darauf geschienen, das Gesicht des Kindes ist schweißbedeckt. Sofort nimmt sie ein perlenbesticktes Tuch von ihrer Brust und legt es dem Kind aufs Gesicht ... Da war die Katze verschwunden, wie kann man nur ihre Spur finden ... Sie kehrt unverrichteterdinge zurück. Da sieht sie plötzlich, daß der Truthahn auf dem Tisch wieder auf seinem Platz steht ... Jene Katze war niemand anderes als der schwarze Lala. Um das Mädchen an den Teich zu bringen, war er zu einer schwarzen Katze geworden und hatte den Truthahn geholt ... Sofort geht das Mädchen zu ihrer Mutter. Sie setzen sich dort hin.

Sollen sie warten, daß das Essen fertig wird, wir wollen in jenen Garten gehen ...

Der Jüngling, der dort lag, war nämlich der Prinz des Mädchens, und die Frau neben ihm die Tochter des Peri-Padischahs … Sie erwacht und sieht, daß ihr Kind ein perlenbesticktes Tuch auf dem Gesicht hat. Da versteht sie alles, weckt den Prinzen und sagt: »O mein Prinz, also hast du eine Sultanin in deinem Palast und hast sie vor mir verborgen? … Bisher warst du mein, jetzt ist mein Glück dahin, ab heute gehörst du ihr«, nimmt ihr Kind und fliegt davon.

Da schickt der Prinz Nachricht in den Palast, daß die Sultanin sagen soll, der Prinz sei von der Reise zurückgekehrt … Das ganze Haus gerät in Aufregung. Es wird Musik gemacht, und der Prinz fährt in einer Kutsche mit vier Pferden vor, die Sultanin empfängt ihn am Tor und sagt: »Tritt ein, mein Prinz!« Sie erkennen, daß es ein Jüngling ist, schön wie der Vollmond … Als ihre Schwestern sehen, wie schön er ist, kommen sie vor Neid fast um, aber was nützt es, kann man die verpaßte Gelegenheit wiederbringen? Schließlich essen alle fröhlich ihre Speisen. Danach sagt der Prinz:

»Meine liebe Mutter, ich will unserem Vater Nachricht schicken, er soll kommen und uns trauen.«

Sie schickten ihm Nachricht. Der Padischah kommt. Sie machen vierzig Tage und vierzig Nächte Hochzeit. Sie haben das Ziel ihrer Wünsche erreicht, und wir steigen auf den Diwan …

Ukraine

Von den zwei Königssöhnen

Es war einmal ein Zar, der hatte zwei Söhne. Sie machten sich auf und gingen im Wald jagen. Sie kamen vom Weg ab, verirrten sich, und zwölf lange Wochen liefen sie im Wald umher, bis sie endlich zu einem Scheideweg gelangten, von dem drei Wege abzweigten. Der ältere Bruder sprach zum jüngeren: »Bruder, wir wollen uns hier trennen, du gehst nach dieser Seite und ich nach jener.« Dann stieß er ein Messer in den Ahornbaum: »Wenn du irgendwann wieder einmal zu diesem Scheideweg kommst, und es tropft Blut aus der Messerspitze, so schau nach mir, denn dann liege ich irgendwo erschlagen. Sollte aber ich als erster hier vorbeikommen, und es tropft Blut heraus, so werde ich dich suchen, denn dann bist du tot.« Sie küßten sich und gingen auseinander, dieser nach der einen, jener nach der anderen Seite.

Der ältere ging und gelangte schließlich zu einem Berg, der hätte nicht höher sein können. Er erstieg ihn und lief oben auf dem Bergrücken mit seinem Hund und seiner Waffe umher. Er kam zu einem Apfelbaum, unter dem brannte ein Feuer. Er trat zu dem Feuer und wärmte sich, da kam eine Alte und sagte: »Junkerchen, Junkerchen, binde den Hund an, daß ich mich wärmen kann. Ich bin ganz starr vor Kälte.« Er nahm den Hund, band ihn an, da wurde er sofort zu Stein mitsamt dem Hund, – es war das eine Hexe gewesen!

Kam der jüngere Bruder an den Scheideweg und schaute nach: Das Messer blutete! Da machte er sich auf, seinen Bruder zu suchen. Er ging und fragte überall nach ihm, und schließlich gelangte er zu einem Berg. Auf dem stand eine einsame Hütte, darin war eine Alte, die fragte ihn: »Wie geht's dir, mein Königssöhnchen, was suchst du?« Er antwortete: »Ich suche meinen Bruder. Ein Jahr schon bin ich unterwegs, und niemand kann mir sagen, wo er ums Leben gekommen ist.« Sie erwiderte: »Ich will dir sagen, wo er umgekommen ist, aber du kannst ihn ja doch nicht finden. Geh dort auf jene Berge, es sind aber Berge, die zu bestimmten Zeiten zusammenschlagen, – dort ist ein Einsiedler, der weist dir den richtigen Weg.«

Er kam zu einem hohen Gebirge, dem Gebirge, wo die zwei Berge waren, die zusammenschlugen. Da saßen zwei Einsiedler, die fragten gleich: »Wie geht es dir, Königssöhnchen, wie kommst du hierher, und was suchst du?« – »Ich suche meinen älteren Bruder, er liegt irgendwo erschlagen, und ich kann nicht erfahren, wo.« Da sagte der eine der beiden zu ihm: »Wenn du zwischen diesen beiden Bergen hindurchläufst, ohne daß sie dich erschlagen, dann gebe ich dir alles, was nötig ist.« Er rannte los und lief zwischen den beiden Bergen hindurch. Da gaben sie ihm ein dreiarmspannenlanges Seil, und der eine der beiden Alten befahl ihm: »Geh immer zu, bis du zu dem Berg kommst, auf dem ein Feuer brennt. Wenn die Alte zum Feuer tritt und dich anfleht, du solltest ihr doch erlauben, daß sie sich wärme, dann sage: ›Komm!‹, fessle sie mit dem Seil und schlage solange auf sie ein, bis sie deinen Bruder wieder zum Leben erweckt. Auf jenem Berg dort sind aber auch ein Zar und eine Zarin und eine Prinzessin, die wurden ebenfalls zu Stein. Schlage drum solange auf die Alte ein, bis sie alle wieder zum Leben erweckt.«

Er machte sich auf, ging und kam dorthin. Das Feuer brannte, und die Alte trat zu ihm und sagte: »Herrlein, Herrlein, erlaubt Ihr, daß ich mich wärme?« Er winkte sie herbei: »Komm, komm und wärme dich.« Er hielt aber schon das Seil für sie bereit. Sie kam, und sofort warf er ihr das Seil über und begann, sie zu schlagen! »Sag, wohin hast du meinen Bruder gebracht?« – »Ei, Junkerchen, laßt mich, laßt mich. Ich sage auch sofort, wo Euer Bruder ist.« Er aber schlug und schlug, fragte nichts, hielt nur die Barfüßige gegen das Feuer, daß sie sich verbrannte. Und er sengte sie und schlug auf sie ein, bis sie war wie eine Schwarte.

Sie hatte einen Keller auf jenem Berg, in den stieg sie nun mit ihm hinunter, holte Heil- und Lebenswasser und machte damit seinen Bruder wieder lebendig. Sie konnte aber kaum mehr atmen, so sehr hatte er sie geschlagen. Der Gerettete rief: »Oh, mein lieber Bruder, wie fest habe ich geschlafen.« Und den Hund mußte sie auch wieder lebendig machen. Dann schlugen die drei, er, der Bruder und der Hund, die Hexe solange, bis sie auch die anderen Steine, die da waren, wieder lebendig machte: den Zaren, die Zarin und die Prinzessin. Diese hatte einst Lust verspürt, auf den Berg zu gehen; also waren sie von der Stadt heraufgewandert, und so schlimm war es ihnen dabei ergangen. Jetzt stiegen sie alle wieder in die Stadt hinunter, der Zar, die Zarin, die Prinzessin und die beiden Königssöhne. Der ältere von den beiden Königssöhnen aber nahm Abschied und ging weiter.

Er gelangte in eine Stadt, die hatte Trauer angelegt, alles war mit schwarzem Tuch ausgeschlagen. Er fragte: »Was ist hier geschehen, daß solche Trauer herrscht und die ganze Stadt schwarz ausgeschlagen ist?« Die Leute sagten: »Hier haust ein Drache, der frißt Menschen; und er hat schon so viele aufgefressen, daß man ihm morgen nun die Prinzessin zum Mittagsmahl geben muß.« Da ging er vor die Stadt hinaus zu dem Felsen, in dem der Drache hauste, setzte sich abseits und brachte hier die Nacht zu. Am nächsten Tag hielt er Ausschau: Fürwahr, man brachte die Königstochter herauf, sie fuhr in einem Vierspänner. Der Diener und sie kamen zu dem Felsen gefahren, sie stieg aus, da faßte sie der Königssohn bei der Hand, nahm sie beiseite und gab ihr ein Gebetbuch. »Da nimm«, sagte er, »und bete zu Gott.« Sie kniete nieder und betete, indes streckte der Drache seinen Kopf aus dem Felsen und sagte, es wäre Zeit, Mittag zu essen, aber noch sei nicht einmal das Frühstück da. Auch der Königssohn kniete nieder, las in dem Buch, flehte zu Gott, dann rief er: »Krieche heraus, krieche heraus, ich habe dir Mittagsmahl und Frühstück zugleich mitgebracht.« Der Drache aber kam nimmer zum Vorschein, er hatte sich schon wieder verkrochen.

Inzwischen war es Mittag geworden, da streckte der Drache zwei Köpfe heraus und sagte: »Es ist an der Zeit, Mittag zu essen, aber weder Mittagessen noch Frühstück sind da.« – »Kriech heraus, ich geb dir gleich alles zumal.« Gott aber hatte ihm sein Schwert verwandelt, daß es eine ganze Armspanne lang war. Der Drache wartete nicht lange, drängte aus dem Felsen heraus, so, daß er den Felsen sprengte. Da griff der Königssohn nach dem Schwert, hieb drauflos und schlug dem Drachen alle sechs Köpfe ab. Der Drache wälzte sich aus dem Berg heraus, und der ganze Berg barst. Der Königssohn trug die abgeschlagenen Drachenköpfe sogleich auf die Seite, schnitt ihnen die sechs Zungen heraus, wickelte sie in ein Tuch, verbarg sie und sagte zu der Prinzessin, sie solle in ihren Palast zurückfahren und ein Jahr und zwölf Wochen auf ihn warten; wenn er dann noch nicht da sei, könne sie heiraten. Damit ging er weg.

Der Kutscher half der Prinzessin in den Wagen, dann holte er die sechs Köpfe des Drachen, nahm sie mit und fuhr zur Stadt. Zu der Prinzessin aber sagte er: »Ich bringe dich um, wenn du mir nicht zwölfmal schwörst, daß ich diesen Drachen erlegt habe.« Da schwur sie zwölfmal. Er hätte sie ja sonst umgebracht. »Und meine Frau mußt du auch werden.«

Als sie in die Stadt kamen, da legte man sofort das schwarze Tuch ab, die Kapelle paukte drauflos, und alle freuten sich, daß der Kutscher den Drachen vernichtet hatte. Der Kutscher aber drang alsbald darauf, daß man Hochzeit machte.

Der Königssohn aber, der den Drachen erlegt hatte, ging weiter und kam schließlich zu der Stadt, wo er seinen Bruder zurückgelassen hatte. Damals, als sein Bruder mit dem Zaren und der Zarin in eben dieser Stadt angekommen war, hatte ihm der Zar sogleich das ganze Königreich überlassen und die Prinzessin zur Frau gegeben.

Hier bei seinem Bruder weilte der Drachentöter nun ein Jahr und zwölf Wochen. Danach ging er dorthin, wo der Kutscher Hochzeit machte. Er trat wie ein Prinz auf und fragte sofort, was los sei und was hier vorginge. Man antwortete ihm: »Unser Kutscher erschlug den Drachen mit den sechs Köpfen, damals, als die Prinzessin an der Reihe war. Er hat die Prinzessin befreit und heiratet sie nun.« – »Herr Gott, ich habe den Drachen noch nicht gesehen, zeigt mir doch, wie er ausschaut.« Da holten sie ihm die sechs Drachenköpfe herbei. Er rief: »Mein Gott, jedes Lebewesen hat eine Zunge, nur dieser Drache hat keine.« Der Kutscher, den man wie einen Prinzen ausstaffiert hatte, sagte: »Sollte einer wagen zu behaupten, daß der Drache eine Zunge besaß, ich bestrafte ihn mit dem Tode. Vier Pferde ließe ich kommen, ihn dranbinden und ihn aufs freie Feld hinausschleppen.« Die Prinzessin hatte den Königssohn erkannt, sagte aber nichts. Da holte dieser sein Tuch, schlug es auseinander, nahm die Zungen heraus, legte zu jedem Kopf die Zunge, und eine jede paßte. Dann hieß er die Prinzessin erzählen, wie es zugegangen sei: »Möge die Prinzessin erzählen, was dort geschah.«

Da begann die Prinzessin zu erzählen, wie sie im Gebetbuch gelesen und wie sie zwölfmal geschworen habe. Als der Zar dies hörte, gab er seine Tochter sofort dem Königssohn. Er fragte ihn, mit welchem Tod man den Kutscher bestrafen solle. »Er hat sich selber das Urteil gesprochen«, sagte der Königssohn. Also band man ihn an vier Pferde.

(Von Lutz Röhrich zur Verfügung gestellt, übersetzt von Lieselotte Biehl)

Ungarn

Der ausgediente Soldat

Es war einmal ein ausgedienter Soldat im Land Csík, in der Stadt Szereda. Ihm gebührte Geld nach seiner Verabschiedung, und so brach er denn auf, um nach Szeben zu gehen und sich dort das Geld zu holen. Er gürtete seinen Säbel um und ging durch einen riesigen, dichten Wald. Auf einem unwegsamen Pfad erblickte er einen Löwen, einen Windhund, eine Meise und eine Ameise; die waren um das Aas von einem Rind geschart. Als der Soldat den Löwen erblickte, wäre er am liebsten umgekehrt, aber zurückzugehen traute er sich auch nicht; er wickelte sich in seinen Mantel und drückte sich an dem Löwen vorbei. So war er schon ein ganzes Stück gegangen, als ihn der Löwe erblickte. »Geh, Windhund, ruf den Soldaten zurück«, sagte der Löwe, »er soll das Rinderaas unter uns verteilen, und Gutes soll mit Gutem vergolten werden.«

Der Soldat kam zurück, und der Löwe sagte zu ihm: »Verteile unter uns vieren dieses Aas, und dir soll Gutes mit Gutem vergolten werden.« Der Soldat zog den Säbel, schnitt das ganze Hinterteil von dem Aas ab und warf es dem Löwen hin. »Gefällt dir meine Verteilung?« fragte er. »Ja, sie gefällt mir, lieber Soldat«, erklärte der Löwe. »Du hast ohnehin ein großes Maul und kannst die großen Batzen gut vom Knochen herunterreißen«, sagte der Soldat.

Dann schnitt er das Vorderteil ab und warf es dem Windhund hin; sodann trennte er den Hals vom Kopf und warf das Stück der Meise zu. »Du, Meise, hast einen sehr spitzen Schnabel und kannst das Fleisch gut herauspicken.« Der Ameise warf der Soldat den Kopf hin, und die Ameise richtete sich sogleich in der Augenhöhle ein.

Der Soldat wollte nun weitergehen. »Warte, lieber Soldat«, sagte der Löwe, »denn du hast uns Gutes getan. Solltest du jemals einem Menschen begegnen, mit dem du nicht fertigwerden kannst und der dich töten will, denk an mich, und aus dir wird sogleich ein Löwe, und du kannst jeden auf der Welt überwinden.« Der Windhund aber sagte: »Denk an mich, wenn du irgendwo fürchten mußt, zu spät zu kommen. Dann wird ein Windhund aus dir, und du bist in einer Minute an Ort und Stelle.« Die Meise sprach: »Solltest du, lieber Freund, irgendwann einmal wünschen, hoch hinauf zu gelangen, denk an mich, und du kannst es.« Da kroch auch die Ameise aus dem Augenloch: »An mich denke, wenn du irgendwo hineingelangen willst und es nicht kannst, und du wirst durch irgendeine Spalte hineinkommen.«

Na, der Soldat ging weiter. Der Weg nach Udvarhely führte durch eine Heuwiese, und er verspätete sich. Es ging schon auf den Abend zu; da wurde ein Windhund aus ihm, und in einer Minute war er in Udvarhely. »Jetzt aber soll aus mir wieder ein ausgedienter Soldat werden.« Er wurde sogleich ausgedienter Soldat und fand in einem Haus Quartier für die Nacht.

Am Morgen stand er auf, ging aus der Stadt hinaus und sagte vor sich hin: »Jetzt soll aus mir ein Löwe werden, damit ich auch das ausprobiert habe.«

Er kam auf die Landstraße. Es war ein Dienstagmorgen. Frauen gingen nach Udvarhely zum Markt. Da sagte der Löwe: »Jetzt soll aus mir eine Meise werden, damit ich auch das kennenlerne.« Und sogleich wurde eine Meise aus ihm, er flog durch die Luft.

»Jetzt aber soll wieder der ausgediente Soldat aus mir werden.« Und dann sagte der Soldat: »Jetzt soll aber eine Ameise aus mir werden, dann habe ich alles ausprobiert.« Schon war er eine Ameise geworden und kroch auf der Erde herum.

»Jetzt soll wieder der ausgediente Soldat aus mir werden.« Und er wurde es. So kam er hier in der Stadt [in Székelykeresztúr] an. Der Weiße König wohnte, wo der Gerichtshof steht, und der Soldat suchte ein Quartier in einem Haus für den Abend.

Am nächsten Morgen ging der Soldat aus dem Haus und – nachdem er seine Notdurft erledigt hatte – begab er sich zurück und fragte den Hauswirt, wer in dem großen Schloß wohne. Sagte darauf der Hauswirt, dort wohne der Weiße König.

Auf dem Dach des Schlosses war ein Gartenhäuschen, in dem wohnte das zehn Jahre alte Töchterchen des Königs, bewacht von einem zauberkundigen Mütterchen, damit kein Tier dem Kinde nahekommen konnte. Eine einsame Tanne wuchs hoch hinauf bis zum Fenster des Gartenhäuschens. Da sagte der Soldat: »Ich will eine Meise werden.« Schon war er eine Meise, flog hinauf auf den obersten Zweig der Tanne, von dort weiter aufs Fensterbrett. Dort sah die Königstochter den Vogel; sie machte das Fenster auf, und die Meise schlüpfte ins Haus. Dann wurde das Fenster geschlossen.

Sie jagten die Meise so lange, bis sie sie fangen konnten. Das Mädchen liebte sie sogleich, denn eine so schöne Meise hatte es noch nie gesehen. Die Königstochter legte sich die Meise liebevoll an die Brust, und sie sagte zum zauberkundigen Mütterchen: »Geh zum König und bitte ihn, mir einen Käfig aus Draht machen zu lassen, denn ich habe einen schönen Vogel gefangen.«

Das zauberkundige Mütterchen stellte eine Tränke, Hanfkörner und Wasser in den Käfig und brachte ihn so der Königstochter. Sie taten den Vogel in den Käfig. Und als es Abend wurde, legten sich das zauberkundige Mütterchen und die Königstochter schlafen. Da sagte die Meise: »Ich möchte eine Ameise werden.« Im Nu wurde aus der Meise eine Ameise und die kroch aus dem Käfig. »Jetzt will ich wieder Meise sein.«

Als Meise sprang der Soldat im Finstern auf den Fußboden hinunter. »Jetzt soll ein ausgedienter Soldat aus mir werden«, sagte er und schlich sich bis zum Bett der Königstochter und tastete dann das Mädchen ab. »Heb dich hinweg, Satan, steh hier nicht herum, hier darf niemand herumgehen!« Da sagte der Soldat: »Ich bin dein Vogel, den du in den Käfig geschlossen hast. Wenn du es nicht glaubst, zünde ein Licht an, und dann siehst du, daß dein Vogel nicht mehr im Käfig sitzt.«

Das Mädchen zündete ein Licht an und sah, daß wirklich kein Vogel im Käfig war. Im selben Augenblick warf sie die Kerze zu Boden, packte den ausgedienten Soldaten und zog ihn zu sich ins Bett. Und in dieser Nacht wurde die Königstochter von dem Soldaten schwanger.

Als es Tag wurde, sah das zauberkundige Mütterchen, daß die Tochter des Königs in anderen Umständen war. Als die Alte das erkannt hatte, lief sie zum König und rief: »Königliche Majestät, du hast mein Leben und meinen Tod in deiner Hand! Die königliche Prinzessin ist in anderen Umständen.« »Na, du alte Hexe«, sagte der König, »du hast jemanden hineinkommen lassen, denn ohne dein Wissen konnte doch niemand hingelangen.«

Und sogleich versammelte der Weiße König seine zwölf Ratgeber, die sollten urteilen, welchen Todes seine Tochter sterben sollte, da sie sein königliches Schloß derart entehrt hatte. Der Rat verurteilte die Königstochter zum peinlichen Tod.

Es war aber ein blinder Rat unter ihnen, der sagte: »Vernichtet sie nicht, denn nicht sie hat den Anfang gemacht, und sie macht auch das Ende nicht. Der Weiße König soll sie vielmehr herunterholen und in den tiefsten Kerker einschließen lassen.« Im selben Augenblick kroch die Meise aus dem Käfig, flog auf das Gitterfenster des Kerkers und ging zur Königstochter hinein.

Da sagte der blinde Ratgeber: »Königliche Majestät, tun wir einen Scheffel Gold und ein Schwert auf den Tisch. Dann zerren wir den König hin und her, und die Königin soll zum Kerkerfenster laufen und Geschrei anheben: ›Die Räte morden deinen Vater!‹ Wenn es ein lebenstüchtiger Mensch ist, der jetzt bei ihr ist und von dem sie geschwängert wurde, dann kommt er von dort heraus – so, wie er hineingegangen ist. Er kommt zu uns ins Haus herein, sieht auf dem Tisch den Scheffel Gold und das Schwert. Ist er ein lebenstüchtiger Mensch, greift er nach dem Schwert. Ist er das nicht, sondern ein leichtsinniger Mensch, greift er nach dem Gold.«

Im Nu kam der Soldat ins Haus gesprungen, ließ das Gold liegen, nahm das Schwert und begann die Räte mit der flachen Klinge des Schwertes oder mit dem Griff zu verdreschen, wo er gerade hintraf. »Ho, mein Herr Sohn!« rief der König, »verdrisch sie nicht weiter, denn ich gebe dir meine Tochter, und solange ich lebe, mein halbes Königtum. Achte aber darauf, daß du meine Tochter niemals in den Sonnenschein hinausführst, denn der Schwarze Drachenkönig hat gelobt, sie für sich zur Frau zu rauben, sobald er sie bei Sonnenlicht erblickt.«

Schon war der ausgediente Soldat der neue König, und seine Frau sprach zu ihm: »Geliebter Schatz, gehen wir in dem schönen Blumengarten spazieren, ergehen wir uns ein wenig. Führst du mich aber hinaus in den Sonnenschein, wirst du mich verlieren.« »Das schon nicht«, sagte er, »ich lasse dich vielmehr von einem ganzen Regiment Husaren mit gezücktem Säbel umringen, mein teures Wesen.« Und er ließ das Regiment mit gezücktem Säbel im Kreis Wache stehen.

Als sie weit hinein in den Blumengarten gegangen waren und dann umkehrten, wurde es genau um die Mittagsstunde finster; der Schwarze Drachenkönig umfaßte die neue Königin und nahm sie mit als seine Frau.

Der neue König weinte und ging zum Vater seiner Frau. »Ich habe Euch, Vater König, nicht gefolgt und Eure Tochter in den Sonnenschein hinausgeführt.« »Wenn es nun einmal so ist«, antwortete der König, »heirate und trag mein halbes Königtum.« »Ich heirate nicht, königlicher Vater, und ich bleibe auch nicht hier sitzen, denn ich gehe: ich will meine Frau wiederhaben.« Er packte einen Scheffel Gold in einen Quersack, und der wurde auf ein Pferd geladen. Er und sein Diener stiegen auf ihre Pferde, und sie begaben sich auf die Reise.

Der Abend ereilte sie in einem großen dichten Wald, sie machten ein Feuer unter einem Baum und aßen zu zweit ein gutes Nachtmahl, der König und sein Diener. Als es wieder Tag wurde, ritten sie weiter durch den Wald. Da hörten sie aus der Richtung, in der sie ritten, ein Klopfen. Sie kamen hin, wo geklopft wurde, und es war dort ein alter Mann (noch älter als ich, dabei bin ich doch alt genug, achtundsiebzig). Und der alte Mann schnitt trockene Zapfen aus den Zweigen eines Baumes. Sagte zu ihm der neue König: »Sagt doch, Väterchen, warum schneidet Ihr hochoben die trockenen Zapfen ab?« »Das ist mein Dienst«, antwortete der Alte, »ich muß dem Schwarzen König jeden Tag ein Bündel Holz auf meinem Rücken bringen.« »Väterchen, zeigt mir, wo der Drachenkönig wohnt. Hier habt Ihr ein Pferd, es soll Euch gehören und der halbe Scheffel Gold dazu.« Der alte Mann zeigte es ihm und bekam dafür ein Pferd und den halben Scheffel Gold.

Dann sprach der neue König: »Ich will eine Meise sein!« Sogleich breitete die Meise ihre Flügel aus und flog zum Fenster des Drachenkönigs. »Jetzt will ich Ameise sein.« Und als Ameise kroch er durch die Fensterecke, erblickte seine Frau, und sie sprach: »Oh, teure Ameise, auch mein Mann verwandelte sich in diese Gestalt.« Da sprach die Ameise: »Vielleicht bin ich dein Mann.« »Geh weg oder versteck dich, mein lieber Mann, denn mein jetziger Mann kommt gleich nach Hause und tötet dich.« »Und wo ist jetzt dein Mann, mein geliebter Schatz?« fragte der neue König. Sie antwortete: »Er ist zum Roten König gegangen; der gibt ihm jeden Tag ein fettes Schwein, dafür muß mein Mann den Roten König mit Salz, Holz und Wasser versorgen.« Darauf sagte der neue König zu seiner Frau: »Ich gehe jetzt, wenn er dir aber morgen kein Schwein bringt, dann lebe ich noch.«

Der neue König ging fort zum Roten König und setzte sich bei dem vors Tor. Da kam der Sohn des Schweinehirten des Roten Königs, und dieser Hirtensohn fragte den neuen König, was er denn hier suche. »Ich möchte hier Schweinehirt werden, wenn man mich nimmt.« »Da ist ein Mann, der sich als Schweinehirt anbietet«, sagte der Hirtensohn zum Roten König. Der rief ihn zu sich und nahm ihn auf.

Die beiden, der Sohn des Schweinehirten und der neue Hirt, trieben des Morgens hundertundein fettes Schwein aus. Der Hirtensohn hatte den Auftrag, dem neuen Hirten zu zeigen, wie weit er mit dem Rudel gehen dürfe. Das eine Schwein über die hundert hinaus sollte er schön schlachten und vorbereiten, damit der Drachenkönig, wenn er komme, es mitnehmen könnte. Aber er schlachtete es nicht.

Da kam der Drachenkönig. »Welches ist das fette Schwein, Hirte? Ist es geschlachtet?« »Das ist es nicht. Denn ich kaufe für dich kein Schwein von meinem Lohn. Leb du, so gut du kannst.« So ging denn der Drachenkönig mit leeren Händen davon.

Am Abend wurde die Herde nach Hause auf den Hof des Roten Königs getrieben, und die Tiere wurden gezählt: da waren hundertundein Schwein vollzählig heimgekehrt. »Hör, du Hirte«, rief der Rote Drache, »morgen mußt du zwei über hundert austreiben, damit der Drachenkönig zwei mitnehmen kann.«

Andern Tags trieben sie hundert und zwei Schweine aus, und es kam der Drachenkönig und rief: »Welches ist mein Schwein, du Hirte? Es müssen zwei sein!« »Denkst du, ich gebe meinen Lohn dafür hin, damit du Schweine von hier abschleppst?«

Es wurde Abend, der neue Hirt trieb die Schweine, hundert und zwei Stück, nach Hause und wurde fürchterlich beschimpft.

Am nächsten Morgen zählte man hundertunddrei Schweine ab, und wieder kam der Drachenkönig, um sich die drei Schweine zu holen. »Na, du Hirte, welche sind meine drei Schweine, denn jetzt mußt du mir schon drei geben!« rief er. Darauf sagte der Hirt: »Nicht ein einziges.« »Ei du Hirte, was hast du im Sinn? Willst du etwa mit mir ringen?« Der Hirt sagte: »Mir solls recht sein, wenn es dir so gefällt.«

Die beiden umfaßten sich, und der Hirt dachte: »Aus mir soll ein Löwe werden!« Und er preßte dem Drachen die Weichen zusammen, so daß der in zwei Stücke brach. Aus dem Drachen sprang ein Hase heraus und lief hinauf auf einen hohen Berg.

»Laß mich Windhund werden«, wünschte sich der Hirt. Und der Windhund packte den Hasen, riß ihn entzwei – und aus den Stücken flogen zwei Wildtauben auf. »Es soll aus mir eine Meise werden«, verlangte der Hirt. Und als Meise flog er den beiden Wildtauben entgegen und hackte ihnen die Augen aus. Danach riß er dem Drachen Nase, Augen und Klauen aus und tat alles in seinen Ranzen.

Am Abend trieb der Hirt die Schweineherde nach Hause zum Roten König. Dort wurde er, der Arme, fürchterlich beschimpft, weil er die drei fetten Schweine nicht hingegeben hatte. Nun würden sie ohne Wasser, Salz und Holz bleiben. Darauf sagte der Hirt: »Sein Salz, sein Wasser, sein Holz soll von nun an dir gehören, denn ich habe den Drachen vernichtet.«

Daraufhin schenkte ihm der Rote König sechs Pferde, eine vergoldete Kutsche mit der dazu gehörigen Dienerschaft. Sie alle zogen nun zum Schloß des Schwarzen Drachenkönigs und beluden vier Fuhrwerke mit Gold und Silber. Der neue König faßte seine Frau bei der Hand, führte sie hinaus und setzte sie in die goldene Kutsche.

So kamen sie nach Hause zum Hof des Weißen Königs gefahren, dem die Tochter geraubt worden war. Sie stiegen mit großer Freude aus, und wenn sie nicht gestorben sind, leben sie noch heute und sind morgen zu Gast bei dem hochwürdigen Herrn.

Ungarn (Zigeunermärchen)

Pintja

Es war einmal, und wenn es nicht gewesen wäre, würde ich es auch nicht sagen – so wahr mir Gott helfe – es war einmal eine arme Zigeunerin. Diese arme Zigeunerin hatte einen Sohn – Pintja. Eines Tages fiel dem Sohn etwas ein, und er sagte zu seiner Mutter: »Mutter, du bist schon sehr alt, ich muß gehen, mir eine Frau zu suchen, die dir helfen könnte.« »Du hast schon recht, mein Sohn, ich bin eben alt geworden, eine Hilfe könnte ich gut brauchen.«

Kaum hatte sie das ausgesprochen, sattelte der Sohn sein Pferd und ritt davon. Als er so dahintrabte, traf er viele Zigeunerwagen, in denen Zigeuner fuhren, die so reich waren, daß die Wagendeichseln aus Gold und ihre Zeltbäume aus Silber waren. Weder Männer noch Frauen waren zu Hause anzutreffen, alle waren sie in die Stadt gefahren, so fand er dort nur Mädchen.

»Gebt mir einen Schluck Wasser, Mädchen«, sagte er, »ich komme von recht weit, bin müde und durstig.« Die Mädchen hörten das, und das schönste griff nach einem Krug und reichte ihn dem Zigeuner. Aber Pintja griff nicht nach dem Krug, sondern nach der Hand des Mädchens.

Er setzte das Mädchen vor sich in den Sattel und ritt nach Hause.

Als sie auf die gepflasterte Straße kamen, sprang er vom Pferd und sagte zu seiner Braut: »Ach, geliebte Frau, laß mich ein bißchen schlummern.« Gesagt, getan. Er legte den Kopf in den Schoß seiner Frau und schlief ein. Kaum war er eingeschlafen, brach die Frau in Tränen aus. Eine Träne fiel dem Zigeuner aufs Gesicht, und Pintja sprang auf. »Warum weinst du, geliebte Frau?« fragte Pintja. »Liebst du mich vielleicht nicht?« Kaum hatte er das Wort ausgesprochen, waren die zwölf Brüder zur Stelle. Sie packten Pintja und zerhackten ihn in Stücke.

Als die zwölf Brüder fortgegangen waren, sammelte seine Frau die Stücke auf, legte sie in einen Sack, und den lud sie dem Pferd auf. Das Pferd ging nach Hause. Es scharrte am Tor und ging geradenwegs in den Stall. Die alte Frau kam heraus und sagte: »Ei, mein Pintja hat mir etwas geschickt.« Sie nahm den Sack vom Pferd, trug ihn ins Haus. Dort band sie ihn auf und sah, daß Fleischstücke drin waren. »Oh, mein Pintja hat mir Fleisch geschickt!« Sie nahm das Fleisch aus dem Sack heraus, ein Stück nach dem anderen, bis sie den Kopf des Zigeuners in die Hand bekam. Als sie den erblickte, begann sie zu jammern. »Oh! Oh! Mein Pintja! Hat man dir das Leben genommen!« Sie weinte so sehr, daß sie in Tränen schwamm. Die Mutter weinte so sehr um Pintja, daß Gott selbst ihretwegen keine Ruhe fand. Nicht einmal essen und schlafen konnte er. Da sprach der liebe Gott: »Paßt auf, ihr Tauben, was ich euch sage! Fliegt hin zu der alten Frau und sagt ihr, sie solle nicht weinen. Der liebe Gott könne ihretwegen nicht mal mehr in Ruhe essen, aber er läßt ihr sagen: ›Wenn sie zwei Tauben fängt, solche wie ihr seid, denen den Hals abschneidet und drei Bluttropfen auf Pintja fallen läßt, dann wird Pintja wieder zum Leben erwachen und hundertmal schöner sein, als er vorher war.‹«

Die alte Frau hörte das und sagte zu den beiden Tauben. »Kommt, setzt euch auf meine Schulter, sprecht so zu mir, daß ich es hören kann.« Da setzten sich die beiden Tauben ihr auf die Schultern. Sie packte sie schnell, schnitt ihnen den Hals durch und ließ drei Bluttropfen auf Pintja niederfallen. Pintja war im Nu wieder lebendig und sagte zu seiner Mutter: »Ei, Mutter, hab ich aber tief geschlafen!« Worauf die Mutter sagte: »Hättest bis in die Ewigkeit geschlafen, wäre ich nicht gekommen!« »Na, Mutter, was immer Gott mir zumißt, ich geh noch einmal mein Glück versuchen.«

Pintja ging und ging schnurstracks zu den Zigeunern. Er freite um das Mädchen, man gab es ihm, und es wurde eine große Hochzeit gefeiert.

Als die Hochzeit vorbei war, setzte Pintja seine Frau aufs Pferd und ritt mit ihr nach Hause zu seiner Mutter. »Da, Mutter, ich hab dir eine Schwiegertochter gebracht, die uns, wenn wir alt sind, pflegen wird.«

Noch einmal wurde große Hochzeit gefeiert, und wenn sie nicht gestorben sind, leben sie noch heute.

Bitte beachten Sie die folgenden Seiten.

DIE VOLKSMÄRCHEN IN UNSERER KULTUR

Berichte über Bedeutung und Weiterleben der Märchen
Herausgeber Märchen-Stiftung Walter Kahn
1993. 96 Seiten, Paperback (14,8 x 21 cm)
DM 12,80. ÖS 102,40. SFr 12,80. ISBN 3-86137-059-X

Märchen – was ist das? (Walter Kahn) – Von den kommunikativen Bedingungen des Märchenerzählens (Jürgen Janning) – Das Märchen dient dem Menschen (Linde Knoch) – Heilsame Erinnerung (Otto Betz) – Märchen und Märchenforschung in Europa (Diether Röth) – Über das Weiterleben der Märchen in unserer Zeit als Text, in Vortrag und Aufführung, in Erziehung und Unterricht, in der Therapie, in Emanzipationsprozessen (Katalin Horn/Basel) – Märchen in malerischen, graphischen und gestalterischen Umsetzungen (Annemarie Verweyen)

Die Märchen aller Völker haben Jahrhunderte und Jahrtausende überdauert. Ihre Motive finden sich in sumerischen und babylonischen Keilschriften genauso wie in den großen abendländischen Mythologien und im schriftlich gewordenen Erzählgut der orientalischen wie der exotischen Völker. Gleichwohl werden Volksmärchen heute allerorts noch erzählt, denn dies ist ihre eigentliche Überlieferungsform.
Lediglich die moderne Zivilisation der letzten hundert Jahre hat mit ihren Medien den Strom der mündlichen Überlieferung verlangsamt. Gleichzeitig setzten die Sammlung und die Aufzeichnung der Volksmärchen ein. Während darunter nicht selten ihre Ursprünglichkeit gelitten hat – schon Jacob Grimm rügte seinen Bruder Wilhelm ob seiner Bearbeitung der Märchentexte –, konnten doch andererseits viele Märchen nur s o erhalten werden.
In den sechziger und siebziger Jahren sind die Volksmärchen auch von ideologischer Mißdeutung nicht verschont geblieben. Im gleichen Atemzug, mit dem man ihre angeblich »heile Welt« kritisierte, stieß man sich an den »Grausamkeiten« der Märchen, weil man sie gelöst aus ihrem Funktionszusammenhang vor dem Hintergrund pädagogischer Theorien und Konzepte betrachtete. Es wird auch immer noch übersehen, daß sich das Volksmärchen in erster Linie an Erwachsene und nicht an Kinder wendet. Es schließt diese zwar nicht aus, doch ist eine kindgerechte Auswahl erforderlich.
Volksmärchen sind in ihrer Bildersprache sinndeutende Zeugnisse gelebten Lebens und wenden sich an alle Menschen. Sie setzen sich gerade mit unserer unheilen Welt auseinander und zeigen dabei auf, daß das Gute eine Chance hat.
Wie das Leben selber erneuern sie sich ständig und sind so ein Urgrund von Poesie und zugleich deren vollendete Form. Wer sich mit Märchen im Erzählen und Zuhören vertraut macht, erkennt in den alten Texten ihre überzeitliche Wahrheit und Schönheit. Lebendig, einfach und umfassend begegnen wir in den Märchen uns selbst, unseren Mitmenschen, ja der Welt und ihrem Hintergrund. Sie bekunden durch ihre in der ganzen Welt auffallend ähnlichen Motive ebenso wie durch ihre Wanderungen über alle Grenzen hinweg die ursprüngliche Verwandtschaft der Völker im Denken und Fühlen.

HAAG + HERCHEN Verlag GmbH
Fichardstraße 30 · D-60322 Frankfurt am Main
Telefon (069) 550911-13 · Telefax (069) 552601 und (069) 554922